Au-delà du silence

Au plus noir de la nuit.

Un instant dans le vent.

Rumeurs de pluie.

Une saison blanche et sèche,
Prix Médicis Étranger, 1980.

Le Mur de la peste.

L'Ambassadeur.

États d'urgence.

Un acte de terreur, tome 1 : Nina.

Un acte de terreur, tome 2 : Lisa.

Adamastor.

Tout au contraire.

Les Imaginations du sable.

Le Vallon du Diable.

Les Droits du désir.

Un turbulent silence.

André Brink

Au-delà du silence

roman

Traduit de l'anglais
par Bernard Turle

Stock

TITRE ORIGINAL :

The Other Side of Silence
(Secker & Warburg, Londres)

À Eva,
qui, au fil des ans, m'a offert son amitié,
le confort, des soins, des conseils, son
aide, son soutien, sa perspicacité, un
havre de paix, une vue sur le lac, une
voiture qui file vers le Righi, des asperges
sous quantité de formes, le petit déjeuner
à l'aube, le déjeuner sur la terrasse, une
garde-robe et de l'amour à foison.

Percevoir et ressentir avec acuité les vies humaines ordinaires, ce serait comme entendre pousser l'herbe et battre le cœur des écureuils ; nous mourrions de ce bruit qui gronde au-delà du silence.

George ELIOT

Première partie

1

Elle n'a pas toujours eu cette tête-là. À une époque... il a bien dû y avoir une époque où le miroir lui renvoyait un autre visage. Un air de défi, ça, oui, toujours l'image de l'abjection, de la crainte. De la douleur, souvent. De la terreur, sans doute. Il y avait autre chose, tout de même, qui ne s'arrête pas au fait que, jadis, elle avait les cheveux longs, de beaux cheveux, disait-on : autre chose, en plus de ce qui saute aux yeux, qui se cache sous la surface craquelée et mouchetée. Elle continue de s'examiner, en quête d'un je-ne-sais-quoi d'autre, d'un je-ne-sais-quoi en plus. Le sang devrait pourtant laisser des traces, non ? Elle s'est lavé les mains, naturellement. Elle s'est lavée de la tête aux pieds, en fait. Lavée, brossée, récurée, frottée jusqu'au sang. Mais il se peut qu'il y ait quelque chose qui se manifeste autrement qu'à la vue. La mort, ça ne se voit pas ? Un meurtre ? Le spectre lui renvoie son regard, encore impénétrable. Elle a bien dû avoir un autre visage, jadis. Ce n'est pas une question d'âge : enfant, déjà, elle était vieille, à ce que les gens disaient. Autrefois, au Temps d'Avant, dans un autre pays. Il y avait de la verdure là-bas, d'un vert suffisamment intense pour assombrir l'iris, pas comme la lumière crue, dure, compacte de ce pays-ci, avec ses vallonnements, ses affleurements rocheux et ses dunes, son ciel délavé, son paysage immémorial. Le Temps d'Avant était vert, gris, humide et imprégné de carillons. Ici, c'est le silence, un silence des distances et de l'espace, trop profond même pour susciter la terreur, trop omniprésent, ponctué seulement, la nuit, par le vil ricanement des chacals, les quintes désespérées d'une hyène solitaire. Ou, plus près, par les pleurnichements et les oraisons hystériques des femmes qui se sont retirées dans leur chambre. Ça, c'est le Temps d'Après. Territoire vierge. Et pas une arme ni d'attaque ni de défense pour l'affronter, aucune protection... Uniquement la conscience brute que : *je n'ai pas toujours eu cette tête.*

La flamme de la bougie chancelle et fume dans un courant d'air invisible : rien ne saurait faire reculer la nuit. Cette obscurité n'est pas ordinaire. Si sombre, si palpable... elle fond de tous côtés sur la faible flamme. La bougie ne produit aucune lumière, il n'y a que la forme de la flamme, pas de halo, nul espoir. Comme si les ténèbres environnantes avançaient, vague lente qui se déroulerait pour se déverser dans l'infime noirceur au cœur de la flamme ; la nuit extérieure plonge jusque dans l'obscurité au tréfonds de Hanna. (Des jours anciens, de son passage aux Petits Enfants de Jésus, parviennent les voix de femmes pieuses psalmodiant tels des corbeaux à la tombée de la nuit : *La lumière resplendit dans les ténèbres et les ténèbres ne la comprennent point.*) On ne peut être assuré de rien de ce qu'on voit. Le regard est berné tandis que son visage se dissout dans le noir ultime, le noir au-delà de l'individualité et de l'identité, au-delà de tout nom.

2

C'est ce nom qui, d'abord, a attiré mon attention. Hanna X. À maintes reprises, j'ai épluché les documents dans les bureaux de grands quotidiens, les rapports de l'époque, les archives, quantité de listes rébarbatives, des foules de noms, chacun expérimental comme le titre d'un poème, promesses non tenues. Tout cela en manuscrit, en sténo, en gothique, en italique, en gribouillis truffés de pâtés. Christa Backmann; Rosa Fricke; Anna Köchel; Elly Freulich; Paula Plath; Babette Weber; Ilse Renard; Margarete Mancke; Frida Scholl; Johanna Koch; Olga Gessner; Elsa Maier; Dora Deutscher; Helena Hirner; Charlotte Böckmann; Marie Reissmann; Clara Gebhardt; Martha Hainbach; Christa Hofstätter; Gertrud Müller, et ainsi de suite. Pas d'ordre alphabétique, pas de rime, pas de raison dans cette interminable correspondance entre l'Europe et l'Afrique (entre, d'une part, à Berlin, Herr Johann Albrecht, *Herzog zu Mecklenburg*, et son formidable bras droit Frau Charlotte Sprandel de la *Deutsche Kolonialgesellschaft* et, d'autre part, à Windhoek, le *Kaiserliche Gouver-*

neur von Deutsch-Südwestafrika), correspondance qui concernait, que dis-je, qui *décidait* du sort de plusieurs centaines de femmes et de filles qu'on embarqua à Hambourg vers la lointaine colonie africaine entre, *grosso modo*, 1900 et 1914, pour assouvir les besoins de colons désespérément en manque de mariage, de procréation ou d'une bonne bourre. Thekla Dressel... Lydia Stillhammer... Josephine Miller... Hedwig Sohn... Emilie Marschall... des noms, des noms, encore des noms, chacun assorti d'un prénom et d'un lieu d'origine : Hanovre, Holleben, Brême, Berlin, Leutkirch, Lübeck, Stuttgart ou Sarrebruck. Et, parmi tous ces noms, un prénom orphelin privé de patronyme. Hanna X. Ville d'origine, Brême. Voilà toute l'information qui était consignée là, rien d'autre. Plus tard, il est vrai, après son débarquement à Swakopmund, après son internement au couvent séculaire de Frauenstein, au milieu du désert, le nom de Hanna X revient en une ou deux occasions dans des lettres. Dans l'*Afrika Post*, il resurgit en liaison avec un procès prévu pour la fin de l'année 1906 mais finalement annulé en raison du suicide d'un officier, le Hauptmann Böhlke, manifestement impliqué dans l'affaire. Après quoi, celle-ci semble avoir été étouffée, très efficacement d'ailleurs, par les autorités, sans nul doute dans le but de sauvegarder la réputation de l'armée de Sa Majesté impériale. L'inconnue s'efface alors de plus belle, toujours privée de patronyme, toujours plongée dans un silence féroce, pathétique (voire «opiniâtre», adjectif employé dans le rapport sur le procès qui n'eut pas lieu).

17

Hanna X.

Il est possible que le mystère ait été le fruit, à l'origine, tout bonnement, d'un pâté sur un nom griffonné dans une liste rédigée par la secrétaire de Frau Charlotte Sprandel, et que les correspondants de cette dernière, incapables, trop pressés ou trop harcelés pour le déchiffrer, auront remplacé par un X à tout faire, aussi pratique que provisoire. Après quoi, très probablement, personne n'en aura eu cure. Pourquoi s'en serait-on soucié? Qu'est-ce qu'un nom, après tout?

Lorsque, près d'un siècle plus tard, je me suis rendu à Brême dans un ultime effort pour remonter aux sources, je me retrouvai (n'était-ce pas prévisible?) face au néant créé par la Guerre. Rien, quasiment, n'avait survécu à la destruction : plus d'archives, plus de registres, plus de lettres; et il était trop tard pour récolter les souvenirs de survivants. J'ignorais sa date de naissance, le nom de ses parents. Lorsqu'elle fit le voyage vers l'Afrique sur le *Hans Woermann* en janvier 1902, Hanna X pouvait avoir vingt, vingt-cinq ou trente ans, qui sait? (Sans doute pas plus, puisque l'un des critères de sélection était la capacité à procréer pour le plus grand bien de la colonie.) Même s'il avait survécu des archives municipales ou régionales remontant aux années 1875, par quel bout aurais-je pu commencer, sans patronyme pour me guider? Comme dans la quasi-totalité des villes que j'avais visitées, des ensembles entiers d'immeubles portaient la mention dégrisante «*1945 Total zerstört. Wiederaufbau 1949*». Or, si l'on pouvait reconstruire les bâtiments ou les restaurer, ce n'était pas le cas des documents écrits. Ceux-ci avaient dis-

18

paru corps et âme : recensements, états civils, adresses, registres des naissances et des mariages, détails sur les pensionnaires des orphelinats, des asiles, voire des bordels. Il n'y avait pas, il n'y avait pas eu de Hanna X. Ou peut-être avaient-elles été trop nombreuses. *Total zerstört.*

Sans doute ma déception devant cette quête impossible explique-t-elle que, par une matinée pluvieuse lors de ma visite à Brême, j'aie été particulièrement réceptif aux tableaux de Paula Modersohn-Becker, à la collection Roselius : bribes d'humanité, de féminité, êtres solitaires et déshérités, images d'un isolement presque terrifiant, non sans un air de défi, toutefois, univers de la mélancolie, de la litote et des demi-teintes derrière lequel on soupçonne un autre univers, secret, à jamais muet, que le spectateur ne pouvait que deviner, auquel il ne pouvait pas avoir accès. À mes yeux de spectateur masculin, tout cela suggérait le cœur de la féminité, le pathos d'être irrémédiablement jeune, ou irrémédiablement vieille, deux âges de la féminité qui se rejoignaient là de manière remarquable.

Je ne me rappelle, de cette visite en Allemagne, qu'un autre tableau qui me marqua autant : une grande toile à la Neue Pinakothek de Munich, par un peintre dont j'ai gribouillé le nom sur un morceau de papier que j'ai égaré depuis. Une très jeune fille assise à la table d'une cuisine, en compagnie de son prétendant, un paysan d'âge mûr, le dos tourné au spectateur. Il a posé sur la cuisse de la fille sa grosse main aux doigts carrés. Sa silhouette, sa veste mal ajustée, sa nuque étroite, tout le désigne comme un perdant : un perdant violent,

19

buveur, l'esprit étriqué, mal embouché. La fille aussi est pauvre, de toute évidence. Mais elle est jeune, son corps gracile peut à peine contenir la rage, le ressentiment qui bouillonnent en elle à l'encontre de ce moment crucial qui va décider du restant de sa vie. Avec sa conscience débilitante que cet homme est le dernier dont elle voudrait mais le seul auquel elle aura peut-être jamais le droit d'aspirer!

Derrière le musée de Brême où je m'attardai toute cette matinée, la mélancolie de Modersohn-Becker passée sur les épaules comme un plaid élimé, se trouve la place de l'hôtel de ville, avec sa statuaire d'après-guerre représentant les Musiciens de Brême : la rossinante décrépite, le chien galeux, le chat décharné, le coq dépenaillé du conte de Grimm, leur cacophonie pétrifiée pour l'éternité. Toutefois, en s'éloignant de la place, on pouvait aisément imaginer l'abandon infernal avec lequel, si par une nuit d'hiver on leur en donnait la moindre occasion, ils se mettraient à braire, aboyer, miauler et faire cocorico, déterminés qu'ils seraient à infliger la crainte de la damnation éternelle aux voleurs et aux honnêtes gens sans discrimination.

De la place venait aussi, la nuit (et c'est devenu pour moi le symbole de Brême), le carillon qui envahissait l'hôtel Uebersee, où je séjournais. Chaque fois, il durait plusieurs minutes, qui paraissaient des heures : invitation lancée aux âmes inquiètes d'aller au paradis ou en enfer. Des cloches de tailles et de formes différentes, manifestement, dont une, au moins, à en juger par son vacarme, devait être gigantesque : son tonnerre de tous les diables, profond, retentissant, évoquait un sculpteur géant qui aurait donné une apparence et des dimensions au chaos, dont il aurait créé une ville entière, ses habitants, sa sombre histoire, résonnant sans trêve au fil de siècles de vies humaines rampantes et grouillantes, d'espoirs, de désespoirs, de souffrances, et de souffrances encore, de souffrances toujours.

De ce Brême, de ce son, du souvenir de ces musiciens rejetés, surgit Hanna X. Une vie jalonnée par ses multiples morts. La première dut survenir avant qu'elle soit déposée, plus morte que vive, sur le seuil des Petits Enfants de Jésus, sur la Hutfilterstrasse. Elle mourut ensuite, deux fois, pendant ses années d'orphelinat. Une fois encore (nous en avons la trace) à bord du *Hans Woermann* qui voguait sur des mers plus foncées que la lie, partant de Hambourg, dépassant Madère, Tenerife et Grand Bassa, le long de la côte ouest de l'Afrique. Et puis naturellement, maintes fois, dans le Sud-Ouest africain, aujourd'hui la Namibie. Chacune de ces morts était une mue, un nouveau départ, comme un cycle menstruel. Mi-deuil, mi-célébration. La vie continue, hein? Chacune pourrait être le point de départ d'une histoire; chacune, tel le son de la cloche géante de Brême, façonnait une personnalité, des gens, des souvenirs, une histoire particulière.

À mes yeux, pour des raisons trop noires pour être révélées, ce moment où la vie de Hanna devient une histoire (pas le moment de la mort, mais un moment entre ses diverses morts) se situe dans la lugubre bâtisse de Frauenstein qui vogue vers le ciel nocturne comme un immense navire

21

échoué au cœur du désert : Hanna X scrute, à la lueur d'une bougie qui suinte, la surface craquelée d'un miroir du palier, sur laquelle son reflet s'est pris en passant, tel un fantôme. C'est la première fois depuis qu'on l'a amenée ici, la première fois en trois ans, sept mois et treize jours, qu'elle ose se regarder dans une glace.

Elle ne bronche pas. Pour la bonne raison que le reflet lui est tellement étranger qu'il n'éveille en elle aucun souvenir. (Elle n'a pas toujours eu cette tête-là !) Ce pourrait tout aussi bien être un spectre, l'une des innombrables ombres qui hantent Frauenstein la nuit, parfois même le jour. Elle l'étudie, détachée, sans émotion, comme si un curieux phalène, volumineux et pâle, était suspendu dans le miroir. Pas effrayant, tout simplement parce qu'il n'est pas vivant. Les touffes de cheveux blonds ou grisonnants, coupés à l'aide d'un couteau de cuisine, encadrent le visage comme un ectoplasme. Il manque un bout à l'oreille droite, trou sombre dans une excroissance comme un champignon. Un demi-sourcil seulement à gauche, qui pend, trait irrégulier de peau cicatrisée. L'œil, en dessous, un peu proéminent, comme si on l'avait ôté puis remis en place sans prendre de précautions. Le nez osseux, de travers. Toute la surface du visage tailladée de cicatrices, certaines blanches, d'autres violacées. Le plus étonnant, c'est la grimace qui élargit la bouche aux lèvres fines, elle-même plus cicatrice qu'orifice : elle s'ouvre sur une partie de la joue droite, sous la pommette, de sorte qu'on voit les dents cassées, plantées çà et là dans la mâchoire. Un visage déjà en partie redevenu crâne. Peut-être, à force de scruter le reflet, éprouve-t-elle de la fascination – *finit-elle* par en éprouver. Levant la bougie de quelques centimètres, elle ouvre la bouche. Elle produit un son. Ahhhhhh. Pas de langue. Rien qu'un moignon noirâtre, très loin à l'arrière. Ahhhhh.

Ce doit être elle. Ce doit être ce qu'*elles* voient, les autres, quand elles la croisent. D'ordinaire, bien sûr, elles détournent le regard.

Maintenant, elle voit. Elle en est là ! Ce soir, elle a tué un homme. Elle seule veille dans la ténébreuse bâtisse qui a largué les amarres.

3

La bâtisse. Plus affleurement rocheux que demeure. Fichée dans un paysage d'Ancien Testament, paysage lunaire, décor de cauchemar. Aux femmes qui ont été acheminées jusqu'ici, les journées, les semaines passées à bord d'une charrette tirée par un mulet ou d'un chariot tiré par des bœufs durent être moins un déplacement dans un espace géographique et géologique que la traversée d'une région de l'esprit, l'abandon du temps linéaire et, sans nul doute, de tout espoir, une avancée dans une mentalité particulière, un état émotionnel très probablement perverti. Des kilomètres et des kilomètres, des journées d'une terre aride, ponctuée de loin en loin de vagues poches d'une herbe cassante, d'arbustes, de *koppies* ou d'arêtes caillouteuses, de plaques de roche écailleuse qui affleurent dans le sol impitoyable comme des ossements noircis qui troueraient la peau d'une monstrueuse bête préhistorique abandonnée aux ravages du soleil et des vents. Suit la montée insensible jusqu'au haut tumulus de rocs érodés qui, au crépuscule notamment, ou au clair de lune, res-

#750   2014-04-01 12:39PM
Liste des emprunts pour : Bourbonnais,

TITRE: Au-delà du silence : roman
AUTEUR: Brink, André, 1935-
CODEBARRES: 3277703607688
RETOUR LE: 14-05-06

Bibliothèque Verdun
Téléphone : 514 765-7172

semblent à des silhouettes pétrifiées. (*Il y avait des géants sur terre à cette époque.*) Dominé par ce qui, aux yeux de mâles affamés de sexe dans le désert, devait ressembler à une femme gigantesque, figure de proue d'un navire antique et disparu, nez au vent, poitrine à l'air, parodie grotesque, pourquoi pas, de la *Victoire de Samothrace*. L'épouse égarée de Loth. Frauenstein, la roche de la Femme.

À peine passé ladite roche, se trouve, menaçante, la bâtisse, improbable même au plein éclat du jour. Nul ne connaît son origine. «Elle a toujours été là», répondent les gens quand vous le leur demandez. Elle ne ressemble guère aux premiers édifices coloniaux de Swakopmund ou de Windhoek. Ceux qui ne sont pas enclins à attribuer sa fondation à quelque tribu perdue, noire, brune ou blanche, «du Nord», liée de façon obscure aux défunts Monomotapa, Mapungubwe ou Grand-Zimbabwe, sinon à Salomon et à la reine de Saba, ou aux habitants d'une Atlantide engloutie sous les eaux, avancent des théories sur les baleiniers scandinaves de jadis, évoquent parfois des membres d'équipage qui auraient sauté par-dessus bord quand Bartolomeu Dias posa le pied pour la première fois en Afrique à Angra Pequeña. La réalité historique est sans doute beaucoup moins fantasque. La construction de la bâtisse aurait bien pu débuter soit au XVIIIe soit au XIXe siècle, sous l'impulsion d'une bande d'explorateurs ou d'aventuriers, dont l'un des membres, ayant eu des visions de grandeur architecturale, aurait soudoyé ou employé de force la main-d'œuvre indigène.

Aux premiers temps de la colonisation allemande, pendant plusieurs décennies, c'est un fait avéré, la bâtisse fut totalement remaniée et finit par revêtir son aspect actuel ; mais sa fonction demeure inconnue. Résidence campagnarde de quelque dignitaire ou général de l'armée de Bismarck à la retraite et fabuleusement riche (voire le chancelier soi-même) ? Forteresse grandiose érigée contre des ennemis de l'intérieur des terres, réels ou imaginaires ? Vaste prison pour Herero, Ovambo, Damara ou Nama capturés au cours des guerres et des raids sans fin que connut la colonie, voire pour des envahisseurs venus d'autres contrées africaines ou d'ailleurs ? Loge de chasse pour des aréopages innombrables venus du Reich dans le but de décimer la faune de l'arrière-pays à une échelle que même les Anglais ne pouvaient égaler ? Retraite ou sanctuaire religieux ? Maison de licence sexuelle ? Ou bien quiconque se lança dans cette aventure s'y perdit-il (ce ne pouvait être qu'un « il »), tout simplement, dans le fol excès que représente la volonté de construire pour construire ? Outrecuidante déclaration de *J'étais là*, même si personne ne se rappelle plus qui ce *je* pouvait bien être ?

Quoi qu'il en soit, à des moments divers, la bâtisse eut sans doute toutes ces fonctions, et peut-être plusieurs simultanément. Sa magnificence réside dans le fait qu'elle n'a aucune raison d'être là. Frauenstein existe, rêve ou cauchemar, *Schloss* fantasmagorique, non sur le Rhin ou en Bavière mais dans le désert africain. Depuis le tournant de l'avant-dernier siècle, l'endroit a trouvé une nouvelle fonction : c'est devenu un asile pour les femmes qui, acheminées jusqu'à la colonie pour le soutien et les délices de sa gent masculine, ont ensuite été rejetées.

À l'arrivée de la cargaison de femmes dans la baie de Swakopmund, après un voyage de trente jours le long de la côte ouest de l'Afrique, des centaines d'hommes, consommés par les feux de la concupiscence non étanchée par les autochtones ou les bêtes, vociféraient sur le quai. Certains avaient consigné leurs requêtes et exigences des semaines ou des mois à l'avance ; beaucoup d'autres venaient tout bonnement tenter leur chance, voire se rincer l'œil et lancer des hourras avant de s'enivrer dans les tavernes de la ville grouillante. Suivait le voyage en train de quatre jours jusqu'à Windhoek, remuements rageurs, tapageuses nuits blanches au cours desquelles on testait les femmes, se les passait, se les échangeait ou les arrachait à d'autres féroces prétendants. Il arrivait qu'il y eût mort d'homme au cours de ce trajet. Et de femme aussi. Toutefois, dans l'ensemble, après quatre jours et quatre nuits, la majorité se retrouvait répartie en couples aux yeux chassieux ; et les églises se mettaient à pied d'œuvre.

Mais, invariablement, il y avait des femmes dont personne ne voulait. Telles étaient, à jamais recalées, jugées indignes jusque par les hommes les plus louches, les candidates à Frauenstein. Juchées sur des charrettes d'antan, on les exhibait dans des rues pleines d'hommes moqueurs qui formaient une haie de déshonneur, baissaient leur froc ou agitaient leur queue veinée au spectacle du gibier refoulé — ces femmes étaient emportées vers le silence infini du désert.

Et c'est ainsi qu'elles se retrouvaient à Frauenstein, bâtisse colossale sous le ciel noir et scintillant (apparemment, l'arrivée se faisait toujours de nuit). Prison, couvent, asile d'aliénées, hospice, bordel, ossuaire, avant-poste de l'enfer – mais aussi asile, retraite et havre ultime. Dans lequel, de loin en loin, déboulaient des individus dépenaillés, des bandes de soldats, de chasseurs, de *smouse* partis en maraude, d'émigrants arrivant des mines reculées, en quête d'un abri et de repos. À la faveur de la nuit, les plus intrépides, les plus ivres ou les plus désespérés trouvaient parmi les pensionnaires des femmes pas totalement irrécupérables avec lesquelles ils pouvaient folâtrer ; si le visage était trop répugnant, on pouvait faire ça par-derrière, comme c'était l'usage, de toute manière, parmi des hommes familiers des quadrupèdes.

Toutes les femmes n'étaient pas des épaves de la mère patrie, rejetées là en quête d'emploi ou d'hymen. Mais elles avaient toutes en commun d'être des rebuts de la société (pour cause de veuvage, d'indigence, de turpitude morale ou de quelque tare) et de n'avoir trouvé personne d'autre qui pût ou voulût s'encombrer d'elles.

L'établissement était dirigé par une petite équipe de viragos qui ne ressemblaient à rien tant qu'à une nichée de volatiles de toutes tailles, formes et dispositions, mais toutes du même acabit. Certaines avaient atterri là pour échapper à un destin qui, quel qu'il fût, était toujours, apparemment, pire que la mort, ou bien elles avaient été poussées par un zèle missionnaire déplacé ; d'autres avaient sans doute été recrutées (mais par qui ?). Différentes Églises, semble-t-il, prenaient part à l'aventure. Leur fureur vertueuse les poussait à prouver, à travers leurs œuvres et multiples actions d'une austère charité, leur grande valeur chrétienne sur le chemin de la récompense et de la grâce éternelles. Les autorités coloniales, de même, participaient à la bonne marche de l'institution : après tout, les pensionnaires avaient fait le voyage sous l'égide d'un projet gouvernemental, et Berlin, quoique fort loin, aurait pu ne pas approuver que l'on se désintéressât totalement d'elles.

Non que quiconque forçât les pensionnaires à demeurer entre les murs hostiles de Frauenstein. Elles n'étaient jamais enfermées, pas même la nuit. Si elles restaient là, c'était autant de leur propre chef que par la volonté des autorités de la province. N'oublions pas, bien sûr, que, une de ces femmes eût-elle souhaité s'évader, le désert environnant était plus persuasif que les verrous. Dans les premiers temps du séjour de Hanna X à Frauenstein, deux femmes s'enfuirent. Dans les deux cas, on retrouva le squelette à moitié enfoui dans les sables imprévisibles.

Il y avait eu le cas, en outre, à peine un an auparavant, de deux filles, Gertrud et Katja : deux jeunes sœurs de Windhoek, quinze et seize ans, dont la guerre dans le Nord avait fait des orphelines, les parents ayant été massacrés par les Herero qui fuyaient la terreur perpétrée par les armées coloniales du *Generalleutnant* Lothar von Trotha. Placées sous la protection de toute une série de parents adoptifs, les filles avaient été détenues à plusieurs reprises après s'être enfuies et avoir erré dans les rues ; enfermées pour un temps dans des cellules de prison ou dans des baraquements de l'armée, réprimandées et punies, tout cela en pure perte ; et puis, dernier recours, en désespoir de cause, jusqu'à ce qu'une mesure de rapatriement pût être prise à Berlin, on les avait amenées à Frauenstein, où elles parurent douces et obéissantes, jusqu'à ce que la vaillante responsable, Frau Knesebeck, les croyant rentrées dans le rang, eût relâché sa garde ; alors, elles prirent la poudre d'escampette. Au bout d'une semaine, la plus âgée des deux, Katja, revint, poupée de son échevelée, émaciée, vidée de la moitié de sa bourre. Gertrud avait succombé dans le désert. Ce qui restait d'elle après que les vautours, les chacals et les hyènes eurent fait leur ouvrage, fut rapporté à Frauenstein dans un sac de jute et enterré sans cérémonie dans le cimetière qui grossissait tranquillement, de l'autre côté du carré aux courges. Katja ne fut plus dès lors qu'un chiot brisé d'avoir été trop battu, geignant et errant dans les salles, les couloirs et les espaces vides, spectre parmi les spectres qui hantaient la bâtisse.

La seule personne avec qui elle semblait pouvoir entretenir une relation, c'était Hanna X ; le soir, la gamine rejoignait la chambre de son aînée, pour trouver le réconfort dans les ténèbres que toutes deux redoutaient. Nul ne comprenait la raison de cette intimité naissante ; nul, à vrai dire, ne s'en souciait. Au fil du temps, elles devinrent, pour ainsi dire, inséparables.

Il arrivait à Katja de ne pas ouvrir la bouche pendant des jours, silence interrompu soudain, sans crier gare, par des accès de bavardage incontrôlable. Hanna n'avait pas besoin de répondre, ce qui était aussi bien puisque, dépourvue de langue, elle ne pouvait guère parler. Mais, dans les sombres recoins de sa mémoire, elle récupéra peu à peu des bribes du langage des signes qu'elle avait dû apprendre à une époque où elle avait eu la charge d'un vieillard sourd et acariâtre, et de sa fille, jeune mais tout aussi sourde et acariâtre que lui. Elle apprit ce langage à Katja, par à-coups, et Katja se révéla être une bonne élève. Quand Hanna avait oublié tel ou tel signe, elle en inventait un nouveau. Elles s'amusaient, même (dans cet endroit lugubre), à les concocter ensemble : poing serré pour signifier un homme; main ouverte, une femme; pouce et index s'ouvrant et se refermant, un oiseau; main creusée en forme de croissant, la lune; doigts écartés, le soleil; ondulation de la main, l'eau; gestes faciles et évidents pour indiquer marcher, courir, dormir; les parties du corps étaient tout simplement désignées...

Bientôt Katja fut la seule personne à Frauenstein avec qui Hanna pût communiquer; et Hanna était la seule à qui Katja daignât parler. C'est ce qui scella leur amitié hors du commun. Comme Frau Knesebeck et son personnel ne considéraient pas ce rapprochement d'un bon œil, elles essayaient d'être le plus discrètes possible. Cela n'empêchait pas Katja, tous les soirs, de rejoindre à pas de loup la chambre de Hanna et de se glisser dans son lit. Parfois, Hanna était assaillie alors par les souvenirs d'une autre fille, d'une autre femme : elle les refoulait catégoriquement. Il s'agissait d'un territoire scellé en elle, où personne ne serait invité à l'importuner. Et si, à la faveur d'un relâchement, se présentait le souvenir fugace des envies et désirs mystérieux dont un corps est capable, il était nié

31

quasiment avant d'être détecté. L'attitude de Hanna à l'égard de Katja était plus maternelle qu'autre chose, pas charnelle. Cette relation permettait à l'une et l'autre de survivre entre les murs nus de l'immense bâtisse entourée de désert et battue par les vents.

Frauenstein était trop vaste pour ses occupantes. Il y avait des années que, à certains étages, les chambres n'avaient pas été ouvertes. À l'époque où Hanna avait été reléguée à Frauenstein, une partie du rez-de-chaussée avait déjà été envahie par les sables, qui avaient filtré à travers les volets cassés, les fenêtres brisées et les trous là où l'on avait arraché des portes et les avait débitées pour se chauffer; le sable s'accumulait dans les angles et contre les murs, tandis que, insensiblement, le désert reprenait ses droits sur un espace qui, jadis, était sien. Même les pièces habitées étaient soumises à un lent mais inexorable processus de détérioration : salles de bal, réfectoires, cuisines aux fourneaux béants, salons et antichambres caverneux, aux plafonds surchargés; mais aussi des pièces, cellules et alcôves de dimensions plus modestes, où les pensionnaires dormaient et passaient les journées à regarder le plafond, à marmonner, à remuer, à se masturber, à aller et venir, à confectionner des broderies inutiles, des couvre-pieds en patchwork, des rideaux, des nappes ou des vêtements pour un trousseau imaginaire, quand elles ne se contentaient pas de rester assises, désœuvrées, de se faire belles devant des miroirs réels ou imaginaires, de se ciseler des motifs sur la peau, à l'aide de couteaux, de débris de verre ou de morceaux de fer-blanc rouillé.

Affublées de *kappies* démesurés qu'elles s'étaient confectionnés avec le même soin et la même absence de talent qui marquaient toutes leurs tentatives, les plus entreprenantes s'aventuraient dans le jardin, où, avec une inflexible détermination teutonne, elles persuadaient la terre de leur rendre leurs efforts vingt fois, soixante fois... au centuple : courges, carottes, poireaux, pommes de terre et patates douces noueuses, et jusqu'à des tomates, des choux, des haricots, des pois, des groseilles. Tel est le secret de Frauenstein : là-haut, contre le promontoire rocheux, derrière la roche de la Femme sculptée par les vents, jaillit une source magique. Invisible à moins de tomber dessus par hasard, elle sourd, blanche et rapide, d'une fissure dans la roche et court brièvement au milieu des grosses pierres, avant de disparaître derechef, comme si elle n'avait jamais fait surface, hormis dans un rêve fébrile.

4

La bâtisse échouée se cabre entre les câbles qui grincent et se raidissent pour la maintenir ancrée dans les sables changeants. Supposons qu'à un moment ils ne puissent plus la retenir. Supposons qu'elle s'envole dans le ciel d'encre, traverse l'espace, l'espace sans lune et sans étoiles, qu'elle remonte aux origines : cours d'eau remontant à sa source.

5

C'est à la source que Hanna X a enterré sa victime. Elle porte encore l'événement en elle, tandis qu'elle scrute la surface du miroir, toute l'histoire repliée sur soi comme si elle s'était faite en un instant. Parce que c'est vers ce point-là que sa vie entière converge : ce qui est arrivé jusque-là, ce qui arrivera encore. Une mort, une naissance.

Le choc de la tête de l'homme contre les marches quand elle descend l'escalier en tirant le cadavre, les lourdes bottes maintenues sous ses aisselles... *boum boum boum*. La curieuse secousse du crâne à chaque coup mat, comme si l'officier vivait toujours et hochait la tête en signe d'approbation, ou bien, qui sait, se tordait d'un rire muet. Un son «mat» car elle a enveloppé un drap autour de la tête pour étancher le sang... *boum boum boum*. La gamine, Katja, n'est pas avec elle. Elle doit être prostrée dans la chambre, accroupie contre le mur, sur le lit dépouillé de ses draps, nue comme un petit poulet plumé, l'oreiller froissé, pressé contre sa poitrine insignifiante, yeux accablés, écarquillés. La descente est longue, deux étages, mais Hanna ne s'en aperçoit pas. Toute pensée suspendue. S'occupant de l'affaire en cours comme, en d'autres circonstances, elle pourrait se concentrer sur n'importe quelle tâche : laver les dallages, vider un pot de chambre, nettoyer méthodiquement une pile de plats, essorer un paquet de linge sale, saigner un poulet. Pour l'heure, telle est l'unique action nécessaire : descendre marche à marche, comme si elle avait attendu ce moment toute sa vie... *boum boum boum.*

Elle ne s'arrête qu'aux angles, pour vérifier qu'il ne coule pas de sang. L'homme est comme un cochon égorgé. Mais une goutte, une tache de temps en temps, ce n'est pas grave. Il faut dire que c'est la période du mois où les femmes à Frauenstein ont toutes... Le drap de Hanna était taché avant qu'elle l'arrache du lit et en entoure la tête écrasée du bonhomme. Toutes les pensionnaires ont pris le même rythme. Ce qui rendait moins que propice la visite de la garnison plus tôt dans la journée : cela explique sans doute que les rapports entre les officiers et les femmes aient été bien plus violents que de coutume. La petite Katja devait être la seule à ne pas avoir ses règles, qui sont très irrégulières depuis qu'elle est revenue du désert, ce fameux jour... sous les spirales des vautours dans les airs. Pauvre créature ! Et voilà qu'il lui arrive ça, maintenant. *Boum boum boum.*

C'était pareil à l'orphelinat où Hanna avait été recueillie dans son enfance. Toutes à l'unisson avec les sombres rythmes de la lune, sous l'œil menaçant des responsables de l'établissement. *Ah ! c'est encore cette période du mois !... Le pain ne va plus lever, le lait va tourner, la viande va s'avarier dans la glacière, les couteaux s'émousseront, les miroirs terniront.* Malédiction, malédiction. Sauf que, ce soir, elle l'a retournée contre un homme, ce porc rosé et enflé. Il est bizarrement lourd. Ce n'est pas facile. Mais elle est forte. Ç'a toujours été sa vertu cardinale. *Hanna est forte comme un bœuf.* Et d'ajouter : *et elle a la peau aussi dure.* Ou : *et elle est aussi bête.* Pour tout ce qu'il y avait à charrier d'une pièce à l'autre, ou bien pour rapporter les courses du marché, porter une pièce de viande depuis la boucherie ou le seau à merde jusqu'au puisard au fond du jardin : appelez Hanna ! Elle est forte, et ça ne la gêne pas. *Boum boum boum.*

Ce soir, les miroirs ne terniront pas, le pain lèvera, les couteaux, fougueusement, délicieusement aiguisés, ne perdront pas leur tranchant. C'est la fête du sang. Pour une fois, elle n'a pas cillé. (Il y avait eu l'autre fois, dans le train... Mais c'était différent. Ô combien différent !) *Boum.*

Elle ouvre le porte d'entrée. Derrière elle, l'immense bâtisse gémit et murmure dans son sommeil. Dehors, le vent. Il a rugi toute la journée, en longues vagues et rafales interrompues par des quintes plus brèves et plus impétueuses, qui noient la possibilité d'autres sons, confirmant l'effroyable solitude de la bâtisse dans la plaine, sous sa roche. Hanna tire le cadavre, va refermer la porte, oblitérant toute une dimension de son existence passée, un je-ne-sais-quoi qui ne pourra jamais lui revenir ou vers quoi elle ne pourra pas retourner. Comme une mule attelée à une charrue, pliée contre la bise, chaque muscle de son corps maladroit tendu dans l'effort, elle avance, sans entendre davantage que le frottement du paquet qu'elle tire sur la terre nue, sur les broussailles et les arêtes pierreuses. Elle sait que toute marque qu'elle pourrait laisser sera gommée par le vent.

Elle contourne le potager et le cimetière. Monte vers les rochers d'où jaillit la source. Dans le silence du vent, elle entend déjà son bruit souterrain, liquide et libidinal. Douceur brodée d'une dentelle délicate et sifflante. Hanna répond par une plainte grave et profonde, qui sourd de ses entrailles et remonte par sa poitrine affolée, dans l'obscurité humide de sa gorge, par le pitoyable et bref moignon de sa langue manquante, par ses lèvres sèches. Sans attendre, hormis un court instant pour s'étirer, elle se met à déshabiller le cadavre. C'est une nuit sans lune mais les étoiles sont réparties au petit bonheur dans le ciel, à portée de main, pourrait-on croire. À leur lueur frigide, le corps nu paraît vaguement luminescent, anonyme tas pâle que Hanna tire sur les rochers puis dans l'eau glacée avant de le plonger dans le trou noir d'où jaillit le cours d'eau bouillonnant. Avec une patience infinie, infatigable, elle s'évertue à traîner et à transporter des pierres d'un peu plus bas pour les faire rouler dans le trou. Elle travaille avec une économie admirable. Cela aussi semble avoir été préparé et répété longtemps, pendant toute une vie ; pas mentalement mais physiquement, par ce corps qui, à l'instant même, se débarrasse d'une autre attente stérile et d'une vaine accumulation de sang, tandis qu'il se prépare à un nouveau départ.

Les vêtements, enveloppés dans le drap maculé, elle les emporte, jusqu'au four extérieur derrière le mur des cuisines. Là, elle arrache méticuleusement les boutons en cuivre de l'uniforme, avant d'ouvrir la porte semi-circulaire du four. À l'aide de brindilles et d'herbe sèche conservées dans les boîtes à bois près des piles de rondins, elle a tôt fait de réveiller la braise encore chaude de la cuisson de l'après-midi. Elle entasse des bûches une à une, jusqu'à ce que le feu brûle avec une vigueur impressionnante. Lui laissant le temps de prendre correctement, elle ramasse tout le cuivre arraché à l'uniforme désormais anonyme et descend la sente jusqu'à la fosse des latrines, dans laquelle elle s'en débarrasse. Quand elle retourne à l'arrière de la bâtisse, la fournaise est telle qu'elle s'y roussit les cheveux et les sourcils. Mais elle ajoute encore du bois, se tient à quelques pas pendant plusieurs minutes, contemplant les flammes avec l'intensité d'un *meerkat* à l'affût du moindre mouvement du serpent; enfin, avec un petit grognement de satisfaction, elle jette dans le feu la veste de l'uniforme, le pantalon, les bottes à genouillères, le casque et le drap souillé dans lequel elle avait enveloppé la tête de l'officier. Un coup d'œil lui confirme qu'il n'y a aucun signe de vie humaine ou animale alentour. Elle arrache son long vêtement maculé (elle ne porte rien d'autre) et le jette à son tour dans la fournaise.

Toujours à une distance raisonnable, penchée pour scruter les flammes, pendant quelques minutes encore, elle observe les vêtements qui se consument, et puis, leste cette fois, légère comme une ombre, elle contourne la bâtisse en sens inverse, ouvre la lourde porte d'entrée. À l'intérieur, dans le vaste vestibule plongé dans l'obscurité, elle écoute, prudente, puis court, toute nue, jusqu'à l'étage, jusqu'à la chambre de Katja. Celle-ci s'est endormie : d'un sommeil irrégulier et ponctué de geignements mais plongé dans l'oubli par les coups de trique de l'épuisement. Qu'il en soit ainsi. Avec un hochement de tête de satisfaction et, peut-être, de soulagement, Hanna redescend au rez-de-chaussée. Dans la cuisine, elle emplit une grande bassine d'eau qu'elle prend dans la baignoire près du poêle qui rougeoie avec le regard d'un chat hargneux dans la maison d'un voleur ; et, bien que l'eau envoie une onde de froid partout dans son corps, elle se lave, brosse ses membres, elle se récure de la tête aux pieds, mue par une rage contenue qui contraste avec sa placidité de façade. Ensuite, elle se sèche avec des torchons de cuisine propres qu'elle prend dans le tiroir du bas de la desserte aux lignes sévères. Encore nue, quasi invisible, sa silhouette ne lancera un bref et pâle éclat qu'en longeant les fenêtres des paliers, lorsque, longs membres disgracieux exécutant leurs mouvements en silence, elle remontera à sa chambre.

C'est en passant devant la glace monumentale et piquetée du deuxième palier qu'elle surprend son reflet. Elle va chercher une bougie dans sa chambre, revient scruter son image, pour la première fois depuis trois ans, sept mois et treize jours. Scruter son visage ! Puis son corps, de la tête aux pieds. Tout ce que les autres voient et qu'elle doit désormais oser regarder. Ce qui est arrivé l'a enfin libérée : elle peut se regarder en face.

6

Voici ce qui est arrivé. Il est tard ce soir-là quand elle entend le cri qui provient de la chambre de Katja, à l'autre extrémité du palier. Elle se redresse dans son lit. Personne ne viendra. Souvent les pensionnaires crient ou pleurent la nuit. Katja, toutes le savent, fait des cauchemars depuis le jour où elle est revenue du désert, les pieds en sang. Mais ce cri-là, Hanna le reconnaît instantanément : il n'est pas provoqué par un cauchemar. Elle connaît l'adolescente ; les cauchemars, elle en est familière. Et des cris aussi. Pas besoin d'avoir une langue pour ça.

Pieds nus, vêtue seulement de sa chemise de nuit et sans prendre la peine de cacher son visage sous son volumineux kappie comme elle a l'habitude de le faire, Hanna se précipite vers sa porte et l'ouvre, une jambe à la traîne (mais cela fait longtemps qu'elle s'y est accoutumée et elle avance vite). Attentive, le front contre le chambranle, elle attend. Un deuxième cri retentit, suivi par ce qui pourrait être un coup ou la chute d'un corps, et puis des sons étouffés, une voix d'homme qui

41

hausse le ton, colère. Hanna court jusqu'à la porte de Katja et la pousse : le verrou n'est pas tiré.

Elle s'élance dans la chambre, un lourd chandelier en cuivre à la main. Comment se trouve-t-il là ? Elle n'en a pas la moindre idée. C'est le genre de chose qui lui arrive. Une fois déjà, peu après son installation à Frauenstein, elle marchait dans le *veld* loin de la bâtisse, quand elle a posé le pied tout près d'une belle vipère heurtante, marron et jaune, les joues gonflées. Quand le reptile a lancé son dard, elle a sauté pour l'éviter ; quand son pied est retombé par terre, elle avait une pierre dans la main. Ce n'est qu'après avoir tué la vipère qu'elle a songé à se demander comment la pierre s'était trouvée là. Les environs étaient nus et sablonneux, il n'y avait pas de pierres dans les parages. Elle ne réfléchit pas longtemps à la question. Ce genre de chose arrive, voilà tout. Ce soir, elle a un chandelier dans la main. À côté du lit étroit avec sa couverture grise à rayures, se tient un homme. C'est l'officier de l'après-midi. Hanna reconnaît l'uniforme alors même qu'il ne porte que la veste kaki à galons dorés. Il a jeté son casque sur le lit. Le pantalon froissé gît sur le plancher. Il a la peau des fesses très blanche sous d'épais poils noirs. La fille nue, recroquevillée à ses pieds dans la position du fœtus, pleurniche. Au bout du bras droit de l'homme levé au-dessus de la tête de la gamine, pend, comme un serpent, un ceinturon à lourde boucle. Hanna a déjà vu cette posture. À l'orphelinat. Dans le train.

Le serpent attaque. La gamine lâche un cri et se redresse, le visage strié de larmes à travers ses longs cheveux ébouriffés. Sur ses mamelons à demi formés, les minuscules tétons semblent médusés comme des yeux noirs horrifiés.

L'homme fulmine : «Tu ne saignes pas! Pourquoi m'as-tu dit que tu saignais? Tu ne saignes pas! Tu ne saignes pas, petite salope, menteuse!»

Hors de lui, il se prépare à la frapper de nouveau avec son lourd ceinturon; le geste est d'une violence telle qu'il manque de perdre l'équilibre. Cette fois, Katja voit le coup venir et atténue sa portée... mais elle voit autre chose. Le temps d'un éclair, elle se fige, incrédule.

«Hanna!» s'exclame-t-elle.

L'officier, qui à nouveau levait le bras, se retourne. En conséquence de quoi, le lourd chandelier l'atteint au nez au lieu de la nuque. Un instant, le militaire reste abasourdi. Il plie les genoux, porte les deux mains au visage : le deuxième coup lui brise les phalanges. Le troisième lui fend le crâne. Il est aveuglé par le sang. Un son proche du mugissement se transforme en un gargouillis dans sa gorge − celle de Hanna, qui continue à le frapper, à le taper, à le fracasser comme si elle brisait les barreaux d'une cage −, émet des grognements, des feulements : peut-être des sanglots étouffés, peut-être pas. Elle ne s'est jamais entendue proférer des sons semblables.

C'est seulement quand, exténuée, elle n'est plus capable de soulever l'objet en cuivre qu'elle doit marquer une pause, le souffle coupé, le corps pris de palpitations.

«Arrête! la supplie Katja dans un gémissement guttural. Tu l'as tué.»

Stupéfiée, Hanna dodeline de la tête. Elle se laisse choir sur le lit. La fille s'effondre à côté d'elle, avance la main pour la toucher, la retire.

43

«Qu'est-ce que tu vas faire maintenant?»

Hanna hoche la tête. Elle fait un geste en direction du corps maigre de la gamine et, d'un mouvement d'épaules, lui fait comprendre : *Habille-toi*.

Mortifiée, Katja se couvre la poitrine avec les mains, se détourne, fouille dans une pile de vêtements de ville sur le guéridon près de la fenêtre (les lambeaux de sa chemise de nuit gisent, épars, sur le lit et le plancher). Soudain, les bras levés au-dessus de la tête pour enfiler une robe de pauvresse dont ont fait don à Frauenstein des dames patronnesses, elle part d'un fou rire. Il se transforme en une quinte hystérique, incontrôlable, interminable, au point que la gamine finit par retomber sur le lit. C'est seulement lorsque Hanna s'approche d'elle pour l'étreindre que son rire se change en larmes.

«Il avait l'air si rigolo..., dit-elle entre deux sanglots, avec son uniforme élégant. Mais les fesses à l'air...»

Proférant des sons de réconfort, tout bas, Hanna berce le corps maigre; elle sent les côtes de l'adolescente.

Peu à peu, les larmes s'apaisent. Katja se met à parler. Flot embrouillé et erratique, irrépressible, interrompu par les violentes convulsions qui tourmentent son corps.

«Cet après-midi. Ils étaient si nombreux... Et puis tu m'as cachée. Mais je les entendais. Partout. Et les femmes. J'ai cru me retrouver à la ferme où était le comptoir de vente de mon père. Ils l'ont tué. Avec une hache qu'ils ont prise dans la boutique. Il réparait le portail du *kraal* des bestiaux. Mes frères l'aidaient. Gerhardt et Rolf. Mais ces

Ovambo ne les ont pas seulement tués, d'abord ils les ont... tu sais... Mère, Gertrud et moi, nous sommes simplement restées plantées là. Ils ne nous ont pas touchées. Ils nous ont même laissé des provisions quand ils sont partis. Le lendemain, nous nous sommes rendues à la mission, à six heures de marche. D'abord, nous avons rentré leurs corps à l'intérieur. Pour que les vautours et les autres... ne viennent pas, tu sais... Mère ne voulait pas partir mais on l'a forcée. Et puis, en chemin, elle est tombée et elle s'est cassé la jambe. Oh, Seigneur! Ma sœur et moi, nous sommes allées à la mission et nous avons ramené les gens là où elle s'était arrêtée mais les hyènes étaient déjà passées par là. Son cadavre était recouvert de vautours. Et de mouches... partout. Des essaims entiers tournaient aussi autour de père, de Gerhardt et de Rolf quand nous avons regagné la ferme. Le missionnaire a essayé de nous le cacher mais nous avons tout de même vu. Et nous avons senti... Plus tard, les soldats sont venus nous chercher. Les mêmes que cet après-midi... je ne veux pas dire vraiment les mêmes hommes mais les mêmes uniformes. L'armée allemande. Nous étions si contentes de les voir arriver! Gertrud sentait mauvais aussi quand elle est morte dans le désert. Pendant une journée entière, j'ai essayé d'éloigner les vautours. Et les chacals. Mais j'ai eu peur des hyènes. Alors, j'ai dû partir, tu sais... De toute façon, je ne pouvais rien contre les mouches. Leurs cadavres envahis par les mouches. Sur elle. D'où est-ce qu'elles venaient? Je n'en sais rien, elles étaient là, c'est tout. Ç'a été mieux à l'arrivée des soldats. Mais il n'y avait personne quand Gertrud est morte. Juste quand mes parents ont été tués. Deux jours après, je crois. Peut-être trois. Et les soldats ont vraiment été gentils avec nous. Ils nous ont donné à manger et à boire, et tout... Pourtant, quand ils ont trouvé des Noirs dans le veld, ils n'ont pas été aussi gentils avec eux. En route vers Windhoek – elle frissonne. Tu sais ce qu'ils ont fait?»

Hanna serre fort le visage de la fille contre sa poitrine pour étouffer son flot de paroles. Mais Katja se libère de son étreinte effrénée.

«Alors, quand ils sont venus cet après-midi, je n'avais pas peur. Pas au début. Seulement quand ils... quand... lui.» Elle essaie de pivoter sur elle-même pour regarder le cadavre massif, à moitié dévêtu, affaissé sur le plancher, mais Hanna lui détourne la tête de force.

Ça suffit maintenant, dit son visage.

«Qu'est-ce qu'on va faire de lui?» demande à nouveau l'adolescente.

Hanna la dévisage, plonge un regard acéré dans le sien. *Vas-tu m'aider?*

Sans regarder, ce qui complique la tâche, elles se mettent à genoux pour enfiler le pantalon au mort. La fille ricane encore.

Hanna profère un son colère pour la réprimander.

«Quand ils ont trouvé des Noirs dans le veld, ils les ont attrapés, ils les ont battus, ils leur ont arraché les yeux, ils les ont attachés à des fourmilières et ils les ont laissés comme ça; ils en ont pendu certains à des acacias, tu sais... les grands, les "épines de chameaux", et à d'autres, ils ont tout coupé, les oreilles, le nez, les mains, les pieds, leurs choses, tout. Ils leur ont aussi fourré les choses dans

46

la bouche et ils se sont plantés autour d'eux et ils riaient et ils fumaient et ils ont bu du schnaps. Mais ils ont été si gentils avec nous... comme si c'étaient nos pères ou nos grands frères, sauf que certains étaient très jeunes.»

Hanna la prend par les épaules et la secoue. *Arrête, veux-tu! Pour l'amour de Dieu, tais-toi!*

«Tu ne me crois pas? Je te le dis, j'ai tout vu.»

Tu crois que je ne te crois pas? Tu crois que je ne les ai pas vus faire, moi aussi, que je n'ai pas vécu ça?

«Quand ils sont venus ici, cet après-midi, j'étais contente de voir les uniformes. Celui-là, il avait l'air d'être leur chef. Quand il m'a passé les bras autour des épaules et qu'il m'a embrassée, on aurait dit mon père, et je me serais mise à pleurer : j'étais si heureuse, ça m'a rappelé tant de choses, tu sais, de vieux souvenirs, quand nous étions tous ensemble... Gerhardt, Rolf, Gertrud et moi... mais, bien sûr, Gertrud est morte. Et puis, tout à coup, il ne s'est plus du tout comporté comme mon père.»

7

Voici maintenant, d'après ce que s'en souvient Hanna, ce qui s'est passé plus tôt dans la journée. Le détachement est arrivé juste après midi, du sud. Un groupe d'officiers montés, suivis par une horde de fantassins, cinquante... soixante... quatre-vingts? Et puis une colonne de prisonniers nus, mains attachées dans le dos, enfilés comme des perles poussiéreuses sur un rosaire, avec des lanières de cuir qui reliaient un cou à l'autre. Des Nama, à voir leur physique : petite taille, maigres, teint jaunâtre, visages crispés et ravinés. La plupart étaient des hommes mais il y avait des femmes aussi, et même quelques enfants. Un autre peloton de soldats ferme la marche, munis de fusils, de fouets et de *sjamboks*.

Ce doivent être des partisans de Hendrik Wit-booi, qui continuent le combat par habitude ou par entêtement – alors que le capitaine est mort il y a cinq mois. Au début de cette guerre qui, depuis des années, va et vient dans l'immense pays, on respectait une sorte de règle de conduite qui déter-minait les relations entre l'armée allemande d'occupation et les indigènes; il est bien connu qu'un jour, après être resté cerné sur un koppie pendant des semaines, Witbooi a envoyé une lettre au commandant allemand de la plaine, en bas («Mon cher impérial et germanique Herr Franz»), dans laquelle il indiquait ses besoins : vivres, eau, deux caisses de munitions Martini Henry, «comme il est justice entre deux grandes nations honorables et civilisées». Mais, bientôt, l'honneur ne fut plus de mise; et, au fil du temps, surtout après que le Generalleutnant von Trotha eut pris le commandement, la guerre se fit aussi bestiale que toutes les autres, embrasant de grandes étendues de la colonie au fur et à mesure que le général étendait sa tactique de la table rase. Parfois, la guerre se résumait à des anicroches, des attaques isolées, de type guérilla, sur des fermes, des avant-postes, des camps militaires, mais deux ans auparavant, en 1904, brutalement, on était passé à la guerre totale. N'ayant plus rien à perdre, après avoir finalement été délogés de leurs terres ancestrales par les Allemands et par les maladies du bétail qui avaient décimé leurs troupeaux, les Herero déclenchaient des vagues successives d'attaques désespérées pour refouler l'envahisseur... *Schutztruppe*, colons, marchands, tous les Allemands... jusqu'aux eaux de l'océan Atlantique aux crêtes blanches. Cette fois, ils avaient été rejoints par la plupart des peuples indigènes, des Cunene aux Orange. Après que la violence fut retombée dans le Nord, elle explosa de plus belle dans le Sud. Von Trotha a été rappelé en métropole mais son successeur, l'*Oberbefehlshaber* Dame, continue la campagne contre les Nama. Ce détachement est placé sous ses ordres.

Une femme, une vigie postée à une fenêtre du dernier étage à l'arrière du bâtiment, donne l'alarme. En quelques instants, toutes sont agglutinées aux fenêtres, telles des chauves-souris au plafond d'une grotte, tandis que le personnel, la redoutable quoique minuscule Frau Knesebeck en première ligne, forme une phalange protectrice dans l'arrière-cour, entre les cuisines, les granges et les écuries. La bâtisse entière frémit d'excitation : des inconnus! des visiteurs! et en si grand nombre! On a vraiment l'impression qu'il se passe quelque chose, quelque chose d'inouï. Ce qui n'exclut pas quelque appréhension, la peur, voire la terreur... Tous ces militaires... leurs intentions ne peuvent être bonnes. De telles visites par le passé étaient le fait de modestes patrouilles de deux, trois ou une demi-douzaine de soldats; et Dieu sait quels dégâts ils causaient! Ce qui s'annonce aujourd'hui dépasse l'imagination. Une telle incursion au-delà du désert a tout l'effet d'un événement plus grand que l'histoire, elle se pare de l'étoffe des mythes et des légendes. La guerre n'a jamais flirté avec Frauenstein de si près; soudain, ce n'est plus une affaire de rumeurs, de conjectures et de probabilités, mais une réalité effroyablement présente. Elle est ici, elle est maintenant. Les femmes frissonnent d'anticipation.

Le commandant saute, le premier, de sa monture. Claquant les talons, il s'incline, rigide, devant Frau Knesebeck.

« *Gnädige Frau !*

— À qui ai-je l'honneur?» s'enquiert-elle, avançant, indécise, une main froidement officielle.

Elle le trouve moins imposant de plain-pied que perché sur son cheval. Plus râblé, plus empâté, les jambes un peu trop courtes pour le torse lourd. Il sue abondamment. Cela dit, l'uniforme kaki, les nombreux galons et accessoires en cuivre en font un splendide spécimen de virilité impériale.

«Colonel von Blixen.» Il presse sur les phalanges de son hôtesse ses lèvres gercées par le soleil.

Sa compagnie, lui apprend-il, revient du Namaland. Il est heureux de lui apprendre que derrière eux s'étend une contrée pacifiée. Il ne devrait plus rien y avoir à craindre de cette direction-là. Mais ses hommes sont exténués. Ils ne s'opposeraient pas à ce qu'on leur offre des rafraîchissements. Il jette un coup d'œil aux fenêtres où sont massés des corps féminins. Et des divertissements! Si ce qu'on leur a raconté sur cet établissement est vrai...

«Je dirige une institution allemande tout à fait respectable», réplique Frau Knesebeck en retroussant les lèvres. Retroussement accompagné, pour l'observateur attentif et peut-être plein d'espoir, d'un soupçon de clin d'œil.

«Nous nous conformerons à toutes les règles du code de l'honneur germanique», l'assure-t-il. Le clin d'œil qu'il renvoie est moins ambigu.

«Nous menons une existence frugale ici, l'informe-t-elle. Nous n'avons pas de bonne chère en abondance.» Remarquant que les yeux du colonel se plissent, elle ajoute en toute hâte : «Mais le peu que nous avons est à la disposition de Votre Excellence.

— Une fois rentrés à Windhoek, répond-il avec un geste magnanime, nous vous ferons rendre tout ce que mes hommes auront consommé aujourd'hui. Au décuple.»

Frau Knesebeck se livre à de rapides calculs avant de se tourner vers son personnel. Elle donne ses ordres. On tuera six chèvres et quantité de poulets. On apportera du potager une profusion de légumes.

Une fièvre inhabituelle se répand dans les couloirs et les recoins de la bâtisse. Les femmes se lancent dans les préparatifs du festin et les hommes s'occupent de faire rôtir les viandes sur des feux confectionnés avec le bois empilé derrière les cuisines. De loin, couverts d'une poussière ocre qui ne laisse voir que leurs yeux et leurs bouches, les prisonniers observent le remue-ménage avec une apathie pitoyable. Deux gardes munis de sjamboks ne cessent de se déplacer dans leurs rangs, pour s'occuper de celui qui aurait l'idée de tomber de fatigue, de faim ou de douleur. L'après-midi n'est pas fini que deux corps seront tirés assez loin de la bâtisse, où ils seront exposés au profit des prédateurs qui, depuis plusieurs jours, suivent la colonne à une distance respectable.

Les fantassins mangent dehors. Les officiers sont servis à la longue table de réfectoire de l'une des salles de réception au premier étage, celle du milieu, qui ne sert pas plus souvent que les autres. Parce que les fenêtres, hautes et étroites, laissent pénétrer peu de lumière, la salle semble avoir été conçue pour refouler autant que possible le monde extérieur. Les chandeliers sur les tables, et des torches qui, fixées sur les murs nus, brûlent tant bien que mal, confèrent à l'ensemble une atmosphère médiévale et irréelle. Frau Knesebeck a pris place à l'une des extrémités de la table, le colonel von Blixen à l'autre. Blotties contre les murs, visiblement déchirées entre la fascination et la terreur, les trente ou quarante pensionnaires convoquées impérieusement par la maîtresse de maison, dévorent des yeux les excès culinaires et les hommes qui y participent. Ces femmes vont des vieilles édentées (bien qu'il semble douteux qu'aucune ait plus de cinquante ans) à la tout juste nubile Katja. La fille est coincée entre Hanna X et une femme encore jeune, Gerda Kayser, l'une des plus récentes recrues, dont le visage est ravagé par la petite vérole. Le large escalier est animé par les allées et venues de femmes qui montent et qui descendent (c'est dans cet escalier que, la nuit venue, Hanna tirera sa victime jusqu'au rez-de-chaussée, *boum boum boum*) : le personnel emporte aux cuisines les plats vidés et revient avec des plats remplis. Frau Knesebeck a fait monter du cognac de la cave. Rares étaient les pensionnaires au courant que Frauenstein recelait ce genre de provisions. Elles doivent remonter aux premiers temps, quasiment oubliés, de l'édifice : sans doute avaient-elles été apportées de Windhoek ou de Lüderitz, peut-être sur l'un des chariots qui, plusieurs fois l'an, transportent à travers le désert ce que Frauenstein ne peut produire : sel, sucre, huile, vinaigre, café, paraffine, lanternes, modestes livraisons de tabac à chiquer, médicaments, souliers, vêtements, aiguilles, laine, bobines de coton, argenterie, faïence et, parfois, du papier, de l'encre et des plumes pour les archives et les registres que l'on est censé rédiger sans que ce soit jamais fait, des balles et des rouleaux de chintz, de toile à beurre ou de drap et, enfin, les outils agricoles usuels. (De temps à autre, quelqu'un commet une erreur et l'on dépose dans la cour des monceaux d'objets aussi inattendus qu'inutiles : un jour, un chariot entier de pots en porcelaine ; un autre, une pile d'uniformes de l'armée ; un troisième, de souliers gauches ; une livraison de tondeuses à moutons ; une cargaison de manches de pioche destinés à une mine d'Otavi ou d'Otjiwarongo. De même, sans doute, un jour, le cognac superflu.)

Au fur et à mesure que le repas avance et que l'alcool coule à flots de plus en plus fournis, le tapage des officiers s'accroît. Certains se mettent à manger avec leurs mains, déchirent la viande à pleines dents ; ils cassent des verres et des assiettes ; ils boivent le cognac au goulot — on continue de monter les bouteilles des entrailles noires de la bâtisse. À en juger par le comportement de plus en plus irresponsable de plusieurs préposées au service, elles aussi doivent se verser au passage des rasades de feu liquide lorsqu'elles font la navette entre cave et salle à manger. La bouche de Frau Knesebeck ressemble de plus en plus au cul d'une poule et les gestes du colonel von Blixen, accompagnant le récit qu'il fait d'exploits sur le champ de bataille et ailleurs, se font de plus en plus expansifs et douteux.

De-ci de-là, le long de la table, le banquet explose en chansons gaillardes ; des rixes éclatent entre les membres de chœurs adverses. On casse encore de la vaisselle, mais bientôt moins par gaieté que de colère. Le colonel von Blixen se lève, doit appuyer ses longs bras sur la table pour recouvrer son équilibre, et donne d'une voix tonnante un long commandement qui se termine par un chapelet de verbes. Escortés par quatre officiers supérieurs, les chefs de file des belliqueux sont sommés de sortir. Privés des insignes de leur grade, lorsque la marche reprendra, ils accompagneront les fantassins restés dehors. Quelques instants, sous le regard ardent de leur chef, les hommes qui demeurent à la longue table se taisent, essayant, avec un succès tout relatif, de verser la prochaine tournée de cognac dans les verres abandonnés. Les officiers de l'escorte réapparaissent sur le grand escalier, deux d'entre eux le grimpent à quatre pattes.

« Il est temps de porter les toasts », dit le colonel, qui semble avoir oublié qu'ils l'ont déjà fait.

Les officiers se lèvent avec une dignité mal imitée. On porte trois toasts en faisant cul sec chaque fois. À leur gracieuse hôtesse. Au haut commandement à Windhoek. À Son Impériale Majesté, le *Kaiser* Guillaume II, à Berlin.

« Nous allons maintenant nous tourner vers les autres délices si aimablement mises à notre disposition », annonce ensuite le colonel von Blixen.

Il recule sa chaise, prend un instant pour trouver son équilibre, les mains sur le haut dossier, et il se dirige, à lents pas mesurés, vers le groupe le plus proche de femmes contre le mur. Il s'arrête pour essuyer son front en sueur avec un grand mouchoir pioché, non sans effort, dans sa poche. Rayonnant du bon vouloir du conquérant, il lève le menton de la première femme, étudie brièvement son visage, passe à la suivante.

« *Herr Oberst...* », commence Frau Knesebeck, se levant, hésitante, à l'extrémité de la table.

Le colonel ne lui accorde aucune attention. Quand il arrive à la cinquième ou sixième, il adopte un comportement plus impudent. Il ne se contente plus de soulever un menton, une main, ni même de pincer un lobe ; désormais, il palpe un sein, tord un téton, plonge son index dans la bouche de la femme devant lui. Les pincements se font plus vicieux au fur et à mesure qu'il avance. Une pensionnaire gémit de douleur. Il lève l'autre main et pince les deux tétons. Cette fois, elle n'émet pas de son mais devient toute pâle. À la douzième femme il ordonne de se retourner et lui caresse les fesses, fait entendre un grognement, passe à la suivante, dont il agrippe des deux mains le col haut de sa robe foncée, qu'il déchire, pour exposer ses seins. Pur réflexe, la femme essaie de les couvrir. Von Blixen la frappe très durement au visage.

Frau Knesebeck : «Herr Oberst.»

La pensionnaire abaisse les mains, les yeux.

Le commandant poursuit son inspection. Bientôt, il ne prend plus la peine de déchirer lui-même chemises ou robes, il se contente de beugler un ordre et la femme s'exécute. La lassitude le gagne. Il retourne à la tête de la table, remplit le verre qui l'attendait à sa place, en boit d'un trait le contenu, s'essuie la bouche avec le dessus de la main, reprend son inspection. Maintenant, il ordonne aux femmes de soulever leurs jupes et de retirer leurs dessous, certaines de dos, d'autres de face. Il jette un coup d'œil à leur bas-ventre, tire sur leurs poils pubiens, introduit un doigt dans la vulve, le retire avec dégoût quand il découvre que la femme a ses menstrues. Comme la suivante, et ainsi de suite.

«Herr Oberst, le supplie Frau Knesebeck.

– *Gottverdammt!*» beugle von Blixen, furibond. Il retourne à la table, ordonne à ses officiers de compléter l'inspection à sa place. Chaque fois, les officiers retirent un doigt rougi de sang. Le colonel se contente de terminer sa revue à quelque distance des pensionnaires alignées contre le mur, de jeter un coup d'œil, en passant, à un visage qui semble un instant attirer son attention, de signaler à l'officier le plus proche de la pensionnaire en question de faire une analyse plus intime de celle-ci. Avec le même résultat.

Le colonel ne s'immobilise que devant la gamine, Katja.

«Toi, viens ici.»

Katja essaie de se cacher derrière Hanna X.

«Viens ici!» hurle le colonel, si fort que plusieurs femmes poussent un cri de peur.

La fille, tremblante, avance d'un pas ou deux. Il lui ordonne d'approcher encore. Elle se retrouve devant lui.

«Bien, ma fille... Tu n'as rien à craindre.» Avec une douceur surprenante, quasiment paternelle, il prend son visage dans sa main, se penche et dépose un baiser sur son front. «C'était si horrible que ça? s'enquiert-il.

– Non.» Elle parvient à sourire, un petit sourire discret.

«Et ça?» Von Blixen la prend par les épaules (ses épaules si maigres, omoplates saillantes comme des ailes qui lui pousseraient dans le dos). Il presse

le corps frêle contre le sien, avec la même gentillesse.

La gamine, momentanément, semble vaincre sa
peur, elle penche même la tête contre l'épaule de
von Blixen.

«Montre-moi tes nénés, fait-il.

— Je n'en ai pas», avoue-t-elle dans un murmure. Timide, espiègle, honteuse, terrifiée? Difficile de savoir.

Frau Knesebeck revient à la charge : «Herr
Oberst.

— Je prends celle-ci», réplique-t-il en agrippant
la main de l'adolescente.

De la gorge de Hanna X s'échappe un son guttural de protestation.

Un discret brouhaha parcourt les rangs des
femmes — personnel comme pensionnaires.

«Silence!» crie le colonel, le visage, une fois de
plus, brillant de sueur. La sueur perle même sur les
poils entre ses articulations. Sa grosse main n'a pas
lâché la menotte de Katja. Un instant encore, il
braque les yeux sur l'assemblée de femmes, avant
de se tourner vers la porte la plus proche, entraî-
nant l'adolescente.

«Je suis désolée, Herr Oberst.» Soudain, Frau
Knesebeck est résolue. Elle se lève de table et
dépasse rapidement le colonel pour l'empêcher de
passer. «Vous ne pouvez prendre cette enfant. Elle
est sous notre protection particulière.

— Ôtez-vous de mon chemin!» beugle-t-il.

La femme de petite stature hésite un instant,
puis fait non de la tête. «Je crains qu'elle ne soit
ici sous dispense spéciale.

— De qui? Quelle différence cela fait-il?»

Frau Knesebeck tient bon. «Nous avons des ordres du général en chef de l'armée germanique dans la colonie, l'Oberbefehlshaber Dame en personne», déclare-t-elle sans ciller.

Il la dévisage en silence, abaisse le regard sur la fille. «C'est vrai?» Écumant soudain de rage, il la secoue comme un chien s'acharne sur un tapis.

Katja pleurniche.

Von Blixen se tourne vers son hôtesse. «Je ne vous crois pas, réplique-t-il, mais sa voix a perdu de son assurance.

— J'ai ordre de faire un rapport directement au gouverneur von Lindequist, répond Frau Knesebeck avec calme. Si quoi que ce soit arrive à cette fille, qui est la nièce de l'Oberbefehlshaber Dame, vous devrez lui en répondre personnellement.»

8

Pendant toute une minute (à ce qu'il semble), le colonel von Blixen fixe du regard cette femme minuscule, son hôtesse, les yeux dans les yeux. Puis il se détourne de la gamine. Il se dirige vers la femme suivante, lui saisit le coude et aboie : «Viens!» En quittant la pièce, de sa main libre, il saisit une fiole de cognac sur la table.

Les jambes en coton, Katja retourne vers Hanna X, qui passe son bras sur ses épaules et la serre contre elle. Les autres officiers les évitent, les contournent comme un torrent un rocher, chacun s'arrogeant une pensionnaire (proie ou trophée), qu'il entraîne par la porte la plus proche dans les espaces vastes et variés au-delà. Sans daigner jeter un autre regard à la gamine, Frau Knesebeck se tourne vers les membres du personnel réuni près de la porte qui mène à l'escalier. «Qu'attendez-vous? lance-t-elle. Nettoyez-moi ce fouillis!»

Au cours des heures interminables de l'après-midi, la bâtisse résonne et tremble des bruits que produisent les hommes en vaquant à leur bestiale besogne. Les murs répercutent hurlements et jurons, cris des femmes, fracas et tonnerres du mobilier et d'ustensiles que l'on brise : lits, chaises, cruches, brocs, pots de chambre, miroirs, vitres, portes, coffres. Dans sa chambre nue, assise sur son lit étroit, le dos droit, Hanna caresse en silence les frêles épaules de la gamine, qui, allongée à côté d'elle, somnole, geignant de temps à autre, comme un chiot empêtré dans un rêve. Par moments, le vacarme semble décroître, avant de repartir de plus belle, courant d'une aile de la bâtisse à l'autre, montant et descendant les escaliers, débordant dehors par les portes et les fenêtres, avant de rentrer. De la cour montent les bruits des premiers chevaux que l'on selle et prépare à reprendre la route.

C'est alors que la porte s'ouvre inopinément et qu'un homme apparaît, titubant, sur le seuil de la chambre de Hanna. C'est le colonel von Blixen.

«Ah, s'exclame-t-il en s'appuyant au chambranle pour ne pas perdre l'équilibre. Je t'ai cherchée partout. Ma petite salope pulpeuse !»

La fille se redresse de son mieux, encore drappée dans les bribes confuses de ses rêves. Elle paraît calme mais tout son corps se contracte.

«Viens ici», ordonne le colonel. Sur son visage rougeaud, un sourire comme une entaille. Il a sur l'uniforme et les mains des traces de sang.

Katja fait non de la tête.

«Viens ici!» tonne-t-il.

Hanna X presse la fille contre elle de plus belle.

L'officier, cramoisi, manifestement ivre mort, fulmine. Il trébuche en voulant approcher, parvient à s'accrocher à une colonne du lit, reste là, titubant, pendant un moment, puis se précipite sur les deux femmes.

Hanna X essaie de s'interposer mais, avec la puissance de l'emportement, le colonel l'écarte de son chemin et l'envoie valdinguer.

«Vous avez entendu Frau Knesebeck, dit Katja dans un murmure.

— Qu'elle aille au diable! Que l'Oberbefehlshaber Dame aille au diable!»

Hanna se lève, lissant pour le remettre en place le kappie avec lequel elle cache toujours son visage. Elle produit un son. Le colonel ne tourne même pas la tête.

«Viens ici», répète-t-il. Les deux femmes sentent son odeur: l'ivrogne, l'homme, le soldat qui a traversé le désert pendant des jours, des mois peut-être, et qui a traversé le labyrinthe de l'après-midi en baisant et en vomissant.

Cette fois, comme paralysée, Katja obtempère.

Von Blixen approuve: «Voilà une bonne enfant.» Il avance les deux bras, raides, avec une concentration féroce, et les pose sur la poitrine de Katja. La gamine rougit mais semble avoir trop peur pour bouger. «Ce sang! lâche le colonel en crachant sur le plancher. Toutes ces drôlesses qui saignent, on dirait un abattoir ici. Mais toi, tu es trop jeune pour ce genre de chose, j'en suis sûr. C'est toi que je veux.»

Il la caresse par-devant avec une main, qu'il met en entonnoir sur son pubis, avec un grognement de satisfaction.

Il se passe plusieurs choses en même temps. La fille, d'un mouvement brusque, échappe à l'étreinte du gradé, perd l'équilibre contre le côté du lit et tombe sur le dos. Ses jambes se débattent brièvement. «Je saigne! hurle-t-elle à von Blixen. Je saigne comme toutes les autres.»

Hanna X retire son kappie pour montrer son visage.

À cet instant précis, Frau Knesebeck lance, depuis le chambranle de la porte : «Herr Oberst!»

Le colonel von Blixen a la réaction d'un homme mordu par un serpent. Ce qui le fait ployer en fin de compte, nul ne le saura jamais : la résistance de la gamine? le visage de Hanna? l'apparition de Frau Knesebeck? Quoi qu'il en soit, sans un mot, le militaire se relève, carre les épaules, sort d'un pas martial. Les femmes l'écoutent quand il descend le grand escalier. La porte d'entrée claque. Dehors, on entend le bruit que font les soldats, les montures. Les sabots de chevaux partant au trot, martèlement qui s'amenuise au fur et à mesure qu'ils s'éloignent. L'infini silence du désert reprend ses droits.

«Remets-toi en ordre», ordonne sèchement Frau Knesebeck à l'adolescente.

Katja se lève et ajuste sa robe, chiffonnée dans sa chute. Hanna X remet son kappie. La maîtresse de Frauenstein sort et referme la porte derrière elle avec un bruit sec, à la fois décidé et posé.

C'est plusieurs heures plus tard, après la tombée de la nuit, après que la fille est retournée dans sa chambre, que le colonel revient, seul, tremblant d'une colère muette qui ne retombera pas tant qu'il n'aura pas donné libre cours à ce qui couve en lui depuis trop longtemps.

Le silence règne à Frauenstein. L'obscurité a restauré l'amère innocence des lieux. La triste innocence d'un orphelinat, quand tous les sons ordinaires de la journée se sont tus.

9

Les sons ne disparaissent pas, jamais... pas vraiment. Hanna le sait depuis son plus jeune âge. Ce qui arrive quand ils semblent s'évanouir, comme un carillon sur une place, surtout la nuit, c'est qu'ils diminuent suffisamment pour se faufiler dans un endroit où ils ne peuvent pas être débusqués par ceux qui ne savent pas écouter. Dans une étroite cavité comme un coquillage. C'est, en tout cas, ce que Hanna découvre sur l'étroite berge grise de la Weser, face à l'Europahafen, un jour où Frau Agathe a emmené en sortie les orphelines des Petits Enfants de Jésus. La journée est morne et froide, mais le fleuve fascine Hanna. Pas en lui-même : plutôt parce qu'elle sait qu'il va se jeter dans la mer, qu'elle n'a jamais vue qu'en rêve. Et peut-être au cours de son existence perdue, avant qu'on l'abandonne à l'orphelinat, vie antérieure qu'elle ne se rappelle que par le biais d'instantanés sans lien les uns avec les autres, dont l'un est la mer, ses bruits, ses odeurs, ses blancs brisants. La mer est un lieu miraculeux et magique. Elle s'étend jusqu'à Bremerhaven, sur l'autre rive du monde, d'où vient le vent, où poussent les palmiers de la Bible des Enfants, où trottent des chameaux et où le soleil brille constamment. Il n'y fait pas froid et gris comme ici au bord de la Weser, à Brême, il y règne une chaleur continuelle. On peut y être nue et sentir la caresse du soleil sur son corps, qu'il dore uniformément. Ici à l'orphelinat, être nue, c'est très mal. Il y a une petite fille, Helga, une nouvelle qui reste toute la journée au lit, à pleurer : alors, Hanna se glisse contre elle, elles ôtent leurs vêtements pour être plus près l'une de l'autre et la tristesse de Helga s'évanouit et celle de Hanna aussi, mais alors Frau Agathe les découvre ensemble et il se trouve que le mal qu'elles font est si mauvais qu'il ne suffit pas que Frau Agathe les punisse, on doit encore les emmener dans la rue, nues toutes les deux comme des fruits pelés, jusqu'au presbytère, où l'on s'occupera de leur cas ; là-bas les attend le pasteur Ulrich, extraordinairement rond et gras, face de lune rougeaude, ponctuée de billes de sueur, le devant de son gilet noir maculé de taches laissées par les repas de la semaine passée (jaune d'œuf, chou, betterave, viande et sauce), grosses mains toutes molles reposant sur la panse. De sa voix haut perchée, il leur dit que leur nudité est un mal, un péché qui ne sera jamais, au grand jamais, pardonné. À l'avenir, il fera venir Hanna tous les dimanches après l'office pour qu'elle lui fasse part de ses péchés de la semaine et, toutes les semaines, il s'efforcera de découvrir par lui-même (il le peut, avec sa main bien grasse) si elle est retombée dans le péché. Et il la pincera là, il lui fermera férocement les lèvres menues, jusqu'à ce qu'elles bleuissent et saignent

65

même, parfois. Le son de sa voix, comme les carillons ou le beuglement des bestiaux à l'abattoir où on les emmène, le long des murs de l'orphelinat dans Hutfilstrasse, tous ces sons rétrécissent et rapetissent incommensurablement pour se cacher. C'est la même chose avec les bons sons. Comme les bruits du plein hiver, quand chacun met ses plus beaux habits pour sortir (sauf les orphelines qui sont toujours vêtues de gris), pour aller patiner sur la Weser gelée. Toute la ville, jusqu'aux patriarches qui ne peuvent plus marcher sans qu'on les aide, mais qui peuvent encore Dieu sait comment patiner si on les met droits sur la glace, toute la ville est là; la foule est si dense que Hanna est convaincue que même ceux qui sont morts depuis des lustres sont sortis pour l'occasion; et le bruit que tout ce monde fait ressemble à la sonnerie du trombone de la fanfare qui joue sur la place de l'hôtel de ville les jours fériés, avant de s'amenuiser progressivement jusqu'à se faufiler dans un recoin secret du coquillage que, ce jour-là, elle rapporte de la berge grise de la Weser jusque dans sa chambre.

C'est une petite fille qu'elle a rencontrée là-bas, dans les quelques centimètres d'eau lumineuse sur la berge, qui le lui a donné. Elle s'appelle Susan, annonce-t-elle sans que Hanna le lui ait demandé. Elle vient de très loin, d'une île qui s'appelle l'Irlande, et elle ne parle pas très bien allemand (elle explique qu'elle est venue avec son père, qui est employé au port, avec beaucoup d'autres étrangers catholiques, de Thuringe, de Bohême et d'autres endroits, des pays où les hommes ne trouvent pas de travail). Hanna demande à voir le coquillage et la petite fille le lui tend avec un charmant mélange de timidité et d'enthousiasme. Il est beau, déclare Hanna tout bas, presque trop beau pour être vrai. Mets-le contre ton oreille, lui dit Susan, tu entendras la mer. Hanna proteste : elle n'a jamais entendu parler d'une telle merveille ! La petite Irlandaise hoche la tête, l'air grave, et insiste : écoute donc, crois-moi. Hanna écoute donc et, en effet, elle entend la mer, au loin, la mer qui siffle tout doucement dans son oreille et lui apporte tous les sons perdus de la planète, même de rivages à l'autre bout du monde, où il y a des palmiers, d'où vient le vent, et puis le chant du soleil, parce que, oh oui, le soleil chante. Elles jouent ensemble tout le restant de la sortie, Hanna et la petite Susan, avec ses yeux bleus et sa crinière de jais, et c'est comme si la sortie tout entière pouvait elle-même se lover dans le coquillage, qui ne cessera jamais de produire ce son distant, discret, parfait.

À un moment donné, Hanna a besoin de faire pipi et elle veut courir loin, alors Susan lui dit : sois pas bête, accroupis-toi là, je vais vérifier que personne vient, et après ce sera à mon tour, et toi tu surveilleras. Elles font d'abord un trou rond dans le sable et puis Hanna s'accroupit pile au-dessus, pieds bien écartés et la robe remontée si haut qu'elle ne la mouillera pas. Quand elle se relève pour remettre en place ses vêtements, Susan, voyant son ventre, fait les yeux ronds et demande : qu'est-ce que c'est, ça ? en posant un doigt prudent sur le nombril de Hanna. C'est mon nombril ! Quoi d'autre ! répond Hanna. Tu n'en as pas, toi ? Et Susan de remonter sa petite robe rouge pour prendre son tour, exposant un nombril tout doux, à l'échancrure toute lisse. (Elle a un petit grain de beauté juste au-dessous, légèrement à droite.) Tu vois ? fait Susan. Le tien, il est vraiment pas pareil. Ça doit être parce que t'es pas catholique. C'est alors que, de là où sont restées toutes les autres orphelines, Frau Agathe appelle Hanna. Oh, Seigneur Jésus, je vais passer un mauvais quart d'heure, lâche-t-elle, le souffle coupé par l'angoisse. Elles rejoignent le groupe en courant toutes les deux ; Hanna tient pressé dans sa main moite le petit coquillage reçu en cadeau. Je t'interdis, tu m'entends, dit Frau Agathe, je t'interdis... Tu ne dois plus jamais adresser la parole à des enfants que tu ne connais pas. Ils sont catholiques, et c'est pire que les païens. Le dimanche, Hanna doit aller voir le pasteur Ulrich qui, comme à l'accoutumée, lui demande de venir près de lui pour qu'il puisse sentir avec son gros index si elle a péché, mais ce n'est pas son nombril pas catholique qu'il tient à sonder. Il lui ordonne de prier encore, d'être vigilante, de se repentir de ses mauvaises manières d'enfant de neuf ans, et il lit un passage de la Bible, des choses terribles sur l'enfer, le soufre et la damnation : que la musique des mots est belle, quel que soit leur sens, enfermée dans son petit coquillage magique avec tout plein d'autres sons ! De ce côté-ci du coquillage : le silence. Quand on le met à bout de bras, on n'imaginerait jamais ce qu'il renferme, une mer, tout un univers sonore, passé et présent et, qui sait, à venir ? Si on écoute bien, quand on le colle à l'oreille, on entend tout ! Pas seulement les bruits de l'autre rive du monde, mais ceux de l'autre rive de tout, et même les bruits au-delà du silence.

Ce silence est enfermé au tréfonds d'elle-même, depuis le temps perdu d'avant qu'elle arrive à l'orphelinat, un temps d'avant le vrai temps des heures et des cloches et des voix tonitruantes, le temps de la mer invisible, un temps où elles baignaient dans le silence, elle et ses trois amies que personne d'autre ne voyait mais qui étaient aussi réelles à ses yeux que son nombril ou son visage étroit dans la glace : elles s'appelaient Trixie, Spixie et Finny. Quand on l'avait emmenée aux Petits Enfants de Jésus, hélas, elle les avait perdues en chemin et elle ne les avait jamais retrouvées. Elle avait pleuré pendant des journées entières, jusqu'à ce que Frau Agathe, avec sa sangle, mît un terme à ces fadaises en déclarant que de telles créatures ne pouvaient être que des manifestations du Malin. N'empêche... Hanna continua de faire des fugues et d'être rattrapée et battue chaque fois par Frau Agathe, et sondée par le pasteur Ulrich.

On bat constamment les enfants aux Petits Enfants de Jésus parce que c'est un établissement chrétien où le mal est défendu. On est battu : quand on arrive en retard à la prière ou en classe ; si on n'est pas capable de réciter dans l'ordre les noms des Livres de l'Ancien Testament ; si on oublie d'apporter son linge sale à la buanderie ; si on salit ses habits ; si on traîne les pieds ; si on parle le soir après l'extinction des feux ; si on fait pipi au lit ; si on a des poux dans les cheveux ; et, par-dessus tout, si on se rend en cachette à la cathédrale sur la grand-place pour se dissimuler derrière un pilier et écouter l'organiste qui répète un air de

Bach. Parfois, une raclée ne suffit pas. Elle doit être accompagnée d'autres formes de punition. Alors : on t'envoie te coucher sans manger ; on t'enferme dans la buanderie tout un après-midi ou toute la nuit et le lendemain sans souper ; on t'ordonne de t'asseoir pendant un temps donné dans une baignoire emplie d'eau froide ; ou de tenir debout perchée sur deux briques dans un coin jusqu'à ce que tu t'évanouisses ; ou bien encore, tu dois apprendre par cœur de longs passages de la Bible (jamais les faciles ou les intéressants... les généalogies) et, si tu te trompes, tu prends un coup (un par erreur) sur les mains, les jambes, la plante des pieds ou sur les fesses nues, devant toutes les autres. Mais ça n'est pas arrivé à Hanna depuis un bon moment, car elle n'a plus besoin de s'échapper pour partir à la recherche de ses amies, parce qu'elle a une nouvelle camarade, Susan, de la lointaine Irlande, avec qui, un jour, elle s'enfuira, et puis elles vivront heureuses ensemble, comme ça se passe dans les histoires.

Son histoire préférée, c'est celle des musiciens qui s'échappent : l'âne, le chien, le chat et le coq dont les maîtres cruels ne veulent plus parce qu'ils sont tous vieux et pauvres, et qui prennent d'assaut la maison des voleurs au fond des bois, où, enfin, à leur tour, ils peuvent vivre heureux et longtemps. C'est pourquoi Hanna convoite la miniature en porcelaine qu'une fille qui s'appelle Ute apporte en classe un jour. Convoiter, c'est pécher. Dieu sait que sa punition sera sévère quand on découvrira sa faute mais il y a pire péché encore, c'est voler. Tu ne... point. Tu ne... point. Où qu'elle aille, Hanna est entourée d'une haie dense de « Tu ne dois point ». L'exquise miniature en porcelaine, un groupe qui représente l'âne, le chien, le chat et le coq, est ce qu'elle convoite le plus au monde : elle décide donc de la voler. Par quel autre moyen pourrait-elle réussir à la tenir dans ses mains, à la chérir, à caresser ses contours délicats ? À la récréation, elle se glisse dans la salle de classe et prend le bibelot dans le cartable d'Ute, puis elle ressort de la classe et court cacher son trésor derrière les W-C. Après la récréation, quand on découvre la disparition de l'objet, les écolières doivent toutes ouvrir leur cartable et rester assises, bras croisés, pendant que la maîtresse passe dans les rangées et fouille leurs maigres biens. Naturellement, elle ne trouve pas le bibelot. Hanna le laisse toute une semaine dans sa cachette, vérifiant tous les jours qu'il s'y trouve encore, après quoi elle l'emporte dans son lit aux Petits Enfants de Jésus. Elle l'abrite dans son tiroir, enveloppé dans son unique culotte de rechange ; la nuit, la figurine dort sous son oreiller. Or l'une des plus jeunes orphelines découvre le pot aux roses et, quand Hanna essaie de cacher la miniature, elle la fait tomber et la voilà ébréchée ! Ainsi Hanna apprend qu'on ne peut jamais garder longtemps ce qu'on aime. À présent, il ne lui reste plus qu'à s'en débarrasser, mais comment ?

Dieu en personne lui procure la solution. Ça va être la kermesse de Pâques, après plusieurs semaines de carême, période pendant laquelle les rations des orphelines, déjà maigres en temps normal, sont réduites jusqu'à passer une fraction en dessous du niveau de subsistance (il faut savoir souffrir pour le Seigneur). Les orphelines sont censées fabriquer de petits objets qui seront vendus à la kermesse, pour contribuer de quelques pfennigs aux coffres de l'Église et à la gloire du Créateur. La plupart tricotent des chaussettes informes ou des napperons au crochet. Hanna fabrique une commode miniature plutôt bancale, avec des allumettes qu'elle colle ensemble maladroitement, et un miroir en carton de guingois, recouvert de papier argent. Sur la commode, bien au centre, elle installe les Musiciens de Brême dans toute leur fragile aura. Voilà, se dit-elle, qui devrait calmer Dieu et peut-être même annuler mes péchés de convoitise et de vol. Elle s'en est déjà séparée... Maintenant, Dieu peut la récupérer. Il possède déjà tellement de choses inutiles... Depuis quelque temps, Hanna entretient de sérieux doutes quant à Dieu. Il ferait mieux de faire attention, ou alors elle ne croira plus du tout à lui.

Après la kermesse, Frau Agathe la fait venir dans son bureau pour la questionner sur le bibelot; Hanna reste très sérieuse en répondant qu'elle l'a «trouvé» et a pensé que Dieu aimerait peut-être bien l'avoir. Même la main fureteuse du pasteur Ulrich ne réussit pas à lui soutirer une confession plus circonstanciée et on la laisse aller avec un simple avertissement. Cette nuit-là, soulagée, étendue dans son petit lit, elle écoute la pluie qui tombe à verse et, l'oreille collée à l'unique bien auquel elle tient, son coquillage, elle écoute le lointain sifflement de la mer : elle s'imagine partant très loin, main dans la main avec la petite fille à la crinière de jais et aux yeux très bleus, et ensemble elles parcourent toutes les mers du monde, pour aller rejoindre les palmiers d'une oasis caressée par la brise et le soleil.

10

Dans le désert qu'elles traversent à présent, il n'y a pas de palmiers. Et pas de vent : seule l'effroyable torpeur de février qui pèse comme une chape sur la bâche du chariot et s'accumule à l'intérieur, jour après jour, suffocante, accablante. Mais Hanna X n'en est que lointainement consciente. Elle ne se soucie pas de découvrir comment, pourquoi et quand elle s'est retrouvée dans ce chariot qui l'emmène vers un endroit qui, pour l'heure, n'est qu'un nom pour elle : Frauenstein. Elle a mal au dos (pas une partie de son corps qui ne lui fasse mal... c'est donc ça, le feu éternel de l'enfer!) : sous elle, le mouvement du chariot, qui cahote, tangue et balance, ressemble tant au remous de l'océan que, de là où elle se situe, à l'orée de la conscience, elle croit encore être bercée par les flots lors de son nonchalant mais implacable voyage du cœur de l'hiver au cœur de l'été.

Fini, le voyage en train. Dieu sait comment, sans doute par quelque miracle aussi pervers qu'inopportun, elle a dû y survivre également. Elle refuse d'y penser. C'est, dans sa mémoire, un trou noir qu'elle n'a pas envie de visiter. Dans ses pensées, il n'a pas eu lieu, il n'aura jamais lieu. (À l'instant même, tandis que, debout face au vieux miroir du palier devant sa chambre, à Frauenstein, elle étudie son reflet, elle refuse de penser au voyage en train. Pas maintenant. Bientôt. Avant de détourner le regard, il va lui falloir l'affronter, tout affronter; mais, pour l'instant, plaise à Dieu... pas encore.)

L'adversité, répétait le pasteur Ulrich, est une épreuve envoyée par le Tout-Puissant. Et les catastrophes... c'est bien pire encore! À quoi correspond alors ce trajet en chariot? La question n'a aucun sens. Hanna et le Tout-Puissant ne se parlent plus depuis longtemps. Lequel a abandonné l'autre? La question est à débattre. Mais cela ne peut durer : la souffrance doit bien cesser un jour! Pour l'instant, tout ce qui se passe, c'est qu'ils avancent. Elle ne pourrait rien supporter de plus. Elle ignore même où on l'emmène. Elle ignore qui se cache derrière ce «on».

Le voiturier et ses deux compagnons ne font aucun effort pour s'adresser à leurs passagères, leur cargaison. Ils sont noirs, et elle a peur d'eux. Elle n'avait jamais vu de Noirs; à Hambourg, avant son départ, quand les gens ont su où elle allait, ils lui ont raconté des histoires terrifiantes sur les Noirs. Si on était missionnaire, encore pouvait-on espérer trouver là-bas une forme de rédemption, mais aller, tout simplement, ainsi dans le désert des sauvages nus et abandonnés de Dieu...? C'est une colonie allemande, répliquait-elle. De bons Allemands tout ce qu'il y a d'ordinaire vivent là-bas. Ils ont besoin de ménagères et de bras. Et d'épouses! insistaient ses interlocuteurs, d'un air entendu. Cela reste à voir, disait-elle. Cela reste encore à voir.

Le chariot est escorté par quatre soldats bourrus. De bons Allemands tout ce qu'il y a d'ordinaire. Après ce qui est arrivé dans le train, elle les craint davantage que les Noirs; mais, au moins, à l'instar du voiturier et de ses compagnons, ils n'essaient pas d'engager la conversation. Régulièrement, deux d'entre eux partent au galop dans le désert, pour revenir avec une antilope drapée sur la croupe de l'une de leurs montures. *Kudu, gemsbok.* Elle ne connaît pas ces mots-là.

Il y a quatre autres femmes dans le chariot, rebuts comme elle. Elles non plus ne sont guère loquaces. De temps à autre, l'une d'elles s'approche de sa mince paillasse pour lui essuyer le visage, chasser les mouches ou, à l'aide d'un chiffon sale, humecter ses lèvres (ou plutôt ce qu'il en reste). Au début, l'une d'elles, apparemment la plus jeune, essaie de lui parler. «Qu'est-ce qu'ils t'ont fait?» demande-t-elle. Hanna remue la tête; elles ne savent pas qu'elle a dans la bouche ce moignon qui palpite et lui fait atrocement mal. «*Pourquoi* ils t'ont fait ça? insiste la fille. Pour l'amour de Dieu, qu'est-ce que tu leur as fait qui les a provoqués? Pourquoi tu les as pas laissés tranquilles? On n'est pas censées résister aux hommes. Ils font toujours ce qu'ils veulent. Une femme doit savoir rester à sa place.» Manifestement, la fille le savait : à quoi ça lui avait servi? La voilà dans le même chariot, emmenée dans la même direction que Hanna, destinée ou destination, selon. La fille se tait un moment; puis elle reprend, d'un ton geignard : «On sait jamais, bien sûr. J'ai vraiment

75

essayé de faire à leur goût, mais ils me voulaient pas, c'est aussi simple que ça. Qu'est-ce que tu crois que j'aie fait de mal?» Hanna ne propose aucune réponse. «Tu me méprises, continue la fille. Je le sais. Mais de quel droit? Regarde-toi donc! Bah, quel homme voudrait de toi, de toute manière?» Hanna détourne la tête. Ensuite, on la laisse tranquille. Quand le vertige ou la douleur lui en laisse le loisir, elle observe ses compagnes. Elles n'ont pas de blessures ou de cicatrices comme elle; mais elles n'en sont pas moins marquées. Leur corps porte tout autant que le sien les stigmates de leur destinée. On le voit à leur façon d'être assises ou de se tenir debout ou allongées : épaules basses, genoux relevés, visages détournés, larmes muettes qu'elles ne tentent pas de réprimer, morve qu'elles ne prennent pas la peine d'essuyer sur leurs joues, odeurs d'aisselles et d'aine qu'elles ne font plus rien pour dissimuler. Des rebuts, toutes. Pourtant, ces choses ne comptent guère, ce sont des signes, rien de plus. Il y a d'autres cicatrices, invisibles, qui sont bien pires et qui ne guériront pas.

La douleur ne passe jamais, pas même un instant. On dirait une masse liquide dans laquelle Hanna aurait été plongée. Quelles souffrances, Dieu, quelles souffrances! Pourquoi n'est-elle pas morte? Aucun péché ne peut être assez atroce pour mériter un tel châtiment. Pourquoi ne pas tout bonnement l'abandonner là, la laisser mourir en paix? Ce serait si facile. Mais aucune mort n'a été assez forte, jusqu'ici, pour emporter Hanna. La douleur continue de plus belle. Et eux poursuivent leur route.

À chaque secousse du chariot, elle se sent diminuée, érodée, démantelée, os par os. Elle n'est plus elle-même. Elle n'est plus rien de ce qu'elle a jamais été, d'ailleurs : mais seulement ce qu'elle pourrait être, une simple potentialité d'elle-même, circonscrite par la douleur.

Elle aurait pu trouver du réconfort dans son coquillage, mais elle a dû le perdre en route, sans doute au cours de son supplice dans le train. Il avait beau être minuscule, sa perte marque la différence entre mémoire et vide total, entre espoir possible et certitude du désespoir.

Presque imperceptiblement, le chariot chemine dans l'immensité sous un méchant soleil. Les femmes avisent une tortue, un lézard à tête bleue sur un rocher plat et brun, un gemsbok au loin, avec ses cornes héraldiques. Ou bien des oiseaux : cailles fusant dans les airs, voletant, poussant des cris rauques à l'approche des bœufs ; de petites perdrix tachetées ; quelquefois, les mouchetures d'un vautour à l'ample envergure, qui plane sur d'invisibles courants d'air. Une fois, miraculeusement, un vol de cigognes aux ailes terminées de noir, au bec trempé dans le sang. Hanna les reconnaît. À la fin de l'été, à Brême, elle les voyait se rassembler, avant leur grande migration, dans les arbres et sur les toits. «Vers le sud», disaient les gens. Personne ne précisait. Or les voici. Vers le sud. Le sud du perpétuel été, sans doute... L'espace d'un instant, elle se sent envahie par une ivresse étonnante. Elle aussi a émigré, comme un oiseau. Qui sait, peut-être apprendra-t-elle à voler? L'idée seule lui donne le vertige. Le soleil blanc l'aveugle. Peut-être tout n'est-il que le fruit de son imagination.

C'est le pays de l'imagination, ici. Il y a des mirages à l'horizon, de vastes lacs qui chatoient dans la fournaise et disparaissent aussi soudainement qu'ils sont apparus. Une plage bordée de palmiers qui se balancent au vent, tête en bas. Des enfants jouent sur le sable : elle voit les taches colorées de leurs vêtements qui se détachent sur l'éclat de la lumière du jour. À nouveau, elle s'évanouit. Mais les visions persistent. Une fillette espiègle à la crinière de jais et aux yeux bleus. Et, brusquement, un âne, un chien, un chat, un coq au plumage extravagant. Elle les entend, l'un qui brait, l'autre qui aboie, le troisième qui miaule, le dernier qui fait cocorico. Et puis, à nouveau, le noir complet.

Quand elle se réveille, le paysage est le même. Il est aussi vide que précédemment (plus vide, en fait, parce que les créatures éphémères ont disparu), aussi vide que le monde devait l'être quand Dieu eut dit : «Que la lumière soit!», et avant qu'il y ait quoi que ce soit d'autre. À moins que ce désert soit l'ultime accomplissement de la Création. La terre ferme se liquéfie aux extrémités, se fond dans le ciel. Son néant est entier. Il ne requiert rien d'autre, il est ce qu'il est, rien de plus, rien de moins : ce ciel, cette terre, ce glorieux vide plein de lui-même. Dieu s'en est retiré avant que son suprême échec, l'homme, ait pu y imprimer sa marque. La seule incongruité est ce chariot, avec ses bœufs, son escorte masculine, ses femmes serrées les unes contre les autres, elle, Hanna X. Sans eux, sans elle, le paysage serait parfait.

Il s'étend de tous côtés pour aller rejoindre la voûte brûlante du ciel. Il ondule légèrement. Tel l'océan à l'équateur. Aussi infini. À nouveau, Hanna s'abandonne au balancement. Elle se retrouve sur le pont du navire. Il n'y a personne d'autre. Et soudain, voici qu'elle sait ce qu'elle doit faire. Enfin, elle trouvera la paix, monde sans fin. C'est tellement facile! Pourquoi n'y a-t-elle pas pensé plus tôt? Qu'elle se contente d'aller jusqu'à la rambarde, de se pencher, un petit saut et la voilà qui passe par-dessus bord : une chute, une chute, une chute dans le néant − elle n'essaiera même pas de nager ou de remonter chercher l'air, elle sombrera, sombrera, sombrera dans les différentes strates de douleur, dans le profond oubli, un murmure, s'effacera, s'effacera, tandis que, enfin, elle mourra.

11

Il existe à l'orphelinat une punition que Hanna finit par apprécier, tout en prenant grand soin de ne pas le montrer, sans quoi on lui en concocterait une autre. Cette punition consiste à passer des heures, quelquefois tout un après-midi, assise sur un banc très dur, à l'une des longues tables nues du réfectoire, et à lire la Bible. Ensuite, elle doit raconter à Frau Agathe ce qu'elle a lu. Longtemps, elle déteste cette punition, parce que la Bible est le livre de chevet des gens qu'elle craint le plus, qui la poursuivent jusque dans ses rêves. Mais, par la suite, elle découvre les belles histoires qu'on peut y lire. Peu à peu, elle découvre celles qu'elle préfère à toutes les autres. La plupart concernent des femmes qui, d'une manière ou d'une autre, vainquent l'adversité par la ruse, la séduction, le combat ou des moyens détournés. Il y a Ruth qui, pauvre et misérable, glane les champs du riche Booz (quoi que cela signifie) jusqu'à ce qu'un soir, elle se glisse sous la couverture de Booz afin que, la distinguant, il l'épouse. (Hanna trouve l'histoire plutôt bête, mais au moins Ruth se tire-t-elle d'affaire.) Il y a Esther la rusée, qui épouse le roi Assuérus après qu'il a, sans cœur, rejeté son épouse Vasthi : une fois mariée, elle use de sa position pour promouvoir ses amis et punir ses ennemis. Et il y a, naturellement, la fabuleuse Salomé qui, par sa danse, trouve le chemin du cœur du roi Hérode et le persuade de lui servir sur un plateau la tête de saint Jean-Baptiste ; plutôt horrible, cette histoire-là... mais comment la belle aurait-elle pu, autrement, parvenir à ses fins ?

Il y a encore d'autres histoires qui procurent une sombre, une ardente et profonde satisfaction : la sœur de Moïse leurre la fille de Pharaon dans le but de sauver son frère cadet ; Tamar parvient à attirer dans sa couche son beau-père, afin de révéler toute l'hypocrisie de ce seigneur et maître ; Hagar, après avoir été rejetée par l'homme qui l'a abusée suivant le méchant conseil de sa vieille épouse Sarah, est sauvée par un ange dans le désert ; les filles de Loth enivrent leur père et partagent sa couche pour que la tribu ne s'éteigne pas (Hanna ne sait pas très bien comment le fait de partager la couche d'un père empêche que la tribu ne s'éteigne mais, en tout cas, ça a l'air d'être une façon intéressante de parvenir à ses fins) ; Déborah, quant à elle, devient juge de toute la nation et mène les armées de Baraq contre l'ennemi Sisera ; Yaël, par la cajolerie, réussit à faire boire du lait à ce même redoutable personnage, Sisera, pour étancher sa soif, après quoi elle le recouvre d'une couverture et le fait dormir dans sa propre tente pour ensuite lui planter un long clou dans la tempe et le clouer ainsi au sol (bien joué !) ; Dalila, pour le bien de son peuple, trahit Samson et le rase, ce sauvage, ce conquérant, pour lui faire payer d'avoir battu à mort avec la mâchoire d'un âne de nombreux hommes. Et ainsi de suite, tout au long des pages du volume à la tranche passée à l'or fin, jusqu'à la vision triomphante de la femme parée de pourpre et d'écarlate, juchée sur une bête écarlate de même, à sept têtes et dix cornes : voilà, songe Hanna, comment elle aimerait parader à cheval dans les rues de Brême, accompagnée par toutes les grandes cloches de la cathédrale.

12

Je n'ai jamais compris pourquoi le chariot ne s'était pas arrêté ou n'avait pas rebroussé chemin. Même si l'on n'avait remarqué l'absence de Hanna X que bien plus tard, la logique ne voudrait-elle pas que la petite bande soit revenue sur ses pas autant que nécessaire ? Ou serait-ce possible qu'ils aient effectivement rebroussé chemin et, ayant trouvé la balafrée inerte sur la piste, l'aient laissée pour morte et soient repartis ? Mais, dans ce cas, n'auraient-ils pas au moins essayé de lui donner une sépulture, se fussent-ils contentés de recouvrir son corps avec des pierres et des branchages ? Il n'est bien sûr pas impossible que la communication entre les femmes, d'une part, et leurs voituriers et leur escorte, d'autre part, ait été restreinte au point que la disparition n'aurait été découverte qu'à l'arrivée à Frauenstein : dans ce cas, quand ils seraient retournés le long de la route, le corps aurait déjà disparu — rien d'inhabituel à cela, compte tenu du nombre de charognards qui écumaient le désert. Mais ses compagnes de voyage, alors ? Étaient-elles tellement abîmées dans leur propre abjection qu'elles n'auraient rien remarqué ? Ou ne s'étaient-elles pas souciées de sa disparition ? On sait que l'une d'elles, la plus jeune, s'inquiétait suffisamment du sort de Hanna pour s'occuper de la malade de temps à autre – préféra-t-elle ne pas attirer l'attention sur elle ? Mystère agaçant... Ce n'est pas le seul, d'ailleurs, dans cette histoire. Hanna X a la fâcheuse habitude de s'évaporer à tout bout de champ derrière le symbole rebattu de l'inconnu.

Elle ne meurt pas, cela va de soi, bien qu'à l'époque elle croie mourir. Lorsqu'elle revient à elle (quelques heures plus tard ? quelques jours ?... elle l'ignore et peu importe), elle est entourée de Nama, dans leur campement, au milieu du désert. Sa première pensée, lorsque, avec peine, elle sort des ténèbres pour rejoindre la clarté, traversant de multiples épaisseurs de douleurs et de vertiges, c'est qu'on doit donner une représentation musicale à l'orphelinat et que tout le monde s'est déguisé – quoique «déguisé» soit un terme péjoratif pour désigner l'étrange mélange de vêtements et d'ornements que chacun porte : des bonnets en civette ou en chat sauvage grossièrement coupés, mais aussi de grands couvre-chefs dans lesquels sont plantées des plumes d'autruche ou de faisan ; des chemises et des jupes mais aussi des colliers de coquillages ou de touffes de queues de chacal ou de zèbre ; quelques vestes, mais aussi d'amples *kaross* en peau de *dassie* ou de gazelle ; pantalons en taupe mais aussi minuscules tabliers en peau avec lesquels on cache ses parties honteuses. Plusieurs hommes sont armés de fusils, d'autres ont des arcs et des flèches. Les femmes, torse nu, exhibent des poitrines qui vont des boutons pubères jusqu'à des replis de peau vidés de leur chair et pendant jusqu'au ventre fripé, avec des tétons qui ressemblent aux têtes écailleuses des lézards : les mamelles des vieilles.

Tout ce monde bavarde et émet des bruits comme des gazouillis, d'étranges coups de langue, des sifflantes et des gutturales. Lorsqu'on s'aperçoit que Hanna a ouvert les yeux, certains s'approchent, tout excités, et se mettent à lui parler en une approximation d'allemand qu'ils ont dû apprendre au contact de l'occupant. Hanna ne peut leur répondre qu'en secouant la tête. Comme ils insistent, à contrecœur, elle ouvre la bouche et désigne son absence de langue. Des exclamations, le choc, la surprise et peut-être de la compassion. Mais cet infime effort l'épuise au point qu'elle sombre derechef dans l'oubli, consciente, cependant, que des mains lui haussent la tête et qu'on presse une calebasse contre sa bouche endolorie : on lui fait avaler un liquide âcre, nauséabond et caillé. Douleur, rien que douleur.

Cela dit, elle doit aller mieux. Les intervalles de ténèbres raccourcissent. Les retours à la douloureuse lucidité sont de plus longue durée, ses pensées gagnent en cohérence, la mémoire lui revient lentement. Elle préférerait être morte et en veut à ses hôtes (mais qu'y faire ?) de ne pas la laisser mourir en paix. La douleur, note-t-elle toutefois, presque à son corps défendant, la douleur s'amenuise peu à peu, reflue, s'estompe, n'est plus (toujours) épuisante.

Elle sent un liquide chaud entre ses cuisses. Elle vérifie avec un doigt et découvre qu'elle a ses règles : le vieux saignement de l'intérieur, pas le saignement des blessures. Des femmes, les plus âgées, lui écartent les jambes et l'étanchent avec des touffes d'herbe ; elle les entend claquer de la langue, *tsk-tsk*, en observant la façon dont son sexe a été mutilé. Alors seulement, le cauchemar du train lui revient, et le souvenir lui donne un haut-le-cœur. D'abord, les soldats lui lacèrent le visage. Ensuite, ils lui ouvrent la bouche de force, lui placent un morceau de bois entre les dents pour que la langue soit accessible. Le sang manque l'étouffer. Et puis ils lui coupent les tétons. Ils excisent les foies de poulet visqueux des lèvres de son sexe. Oh, mon Dieu, mon Dieu ! Donnez-moi un couteau, que je me tue, comment pouvez-vous me laisser vivre ainsi ? Je ne suis plus une femme, je ne suis plus un être humain, je suis une chose.

Que dirait le pasteur Ulrich s'il la voyait dans cet état ? Elle gémit, grimace. La cache du Diable : c'est ainsi qu'il appelait cette partie de son corps. Après ce qui est arrivé à Hanna dans le train, que ses sondages, ses pincements et ses caresses furtives semblent innocents !... Mais non, au contraire ! La bile monte en elle. Les femmes nama doivent, de force, l'empêcher de se lever. Elle tente de crier *Non !* mais aucun son reconnaissable ne gargouille dans sa gorge. Il n'y avait rien d'innocent dans ses tripotages, songe-t-elle avec fureur tandis que, futiles, des larmes de rage coulent sur ses joues en feu. Sans doute y avait-il une différence de degré — mais pas de nature. Ce qu'a subi la femme dans le train n'était qu'une variation et une extension de ce qu'on avait fait subir à la jeune fille. C'est la même chose, rien n'a changé, jamais.

Elle pleurniche et gémit d'impuissance, la douleur en est ravivée, et cela se poursuit indéfiniment, jusqu'à ce que, du moins, survienne le répit d'un nouvel évanouissement. Cette fois, quand elle revient à elle, elle n'a plus l'énergie de la révolte. Elle ne peut que gémir et rester prostrée, genoux repliés. Il n'y a aucun espoir, aucun, toute résistance évanouie. C'est sa vie, elle doit être vécue, un point, c'est tout.

Pendant des jours et des nuits, les vieilles femmes nama la soignent, apportent à son chevet des herbes aux odeurs répugnantes et des poudres qu'elles appliquent sur ses plaies, lui font prendre des potions infectes plus qu'il n'est possible de le décrire, la forcent à tirer sur une longue pipe dont elle doit inhaler la fumée douce et rance à vous soulever le cœur, qui atténue cependant la tension et la douleur, et en fin de compte apporte l'oubli. Elles la cajolent pour lui faire accepter de boire du lait caillé, sucer des racines au goût étrange, des bulbes et des tubercules du veld, à gober le jaune d'un œuf d'autruche mis à cuire dans un coquillage sur la braise. Jusqu'au jour où, enfin, avec d'infinies précautions et non sans mal, elle parvient à mastiquer de la viande coupée menu. De la volaille, sans doute. Et, plus tard, des lanières de viande de jeune antilope, quelquefois crue (succulente!), parfois bouillie ou rôtie, et, d'autres fois encore, séchée.

Plus que la nourriture, les médicaments ou les claquements de langue de réconfort avec lesquels et l'une et les autres sont administrés, Hanna se rappellera la façon dont les femmes nama l'abreuvent de contes, dont la plus vieille semble posséder un répertoire inépuisable. Cela commence peu après son premier réveil, quand elle se retrouve allongée, en proie à une sorte de stupeur, le regard vide porté sur le paysage qui palpite de soleil et d'intemporalité, sous un ciel dont toute couleur a été brûlée à blanc. Après avoir longuement examiné Hanna, la plus vieille des femmes nama, qui s'appelle Taras (elle précise que cela signifie «Femme»), d'un geste ample, désigne le désert environnant. «Tu te demandes comment il peut être aussi sec? commence-t-elle dans un allemand approximatif. Cela vient de la femme. La femme Xurisib, qui était très belle, mais très vaniteuse, la plus vaniteuse de tout le Namaland. Tous les jeunes gens la désiraient au point que leurs figues pendantes et violacées traçaient des zigzags dans la poussière. Même les vieillards se réveillaient la nuit, un pieu fiché dans les reins, parce qu'ils rêvaient d'elle.» Hanna, allongée, les paupières closes, laisse les paroles de la vieille couler sur elle et la laver comme une eau fraîche et limpide. «Xurisib, continue Taras, était si vaniteuse qu'elle dédaignait jusqu'aux fleurs qui recouvraient la terre après que le dieu bénéfique Tsui-Goab avait envoyé la pluie. "Elles ne durent pas, se moquait-elle. Demain, elles se friperont et mourront, alors que ma beauté ne flétrira jamais." Les uns et les autres la mettaient en garde, encore et toujours, mais Xurisib n'en avait cure. Or Tsui-Goab descendit lui-même sur terre sous la forme d'une mante dans un buisson qui brûlait toujours sans jamais se consumer. "Tu m'infliges une grande douleur, Xurisib, lui confia-t-il. C'est moi qui fais fleurir ces fleurs après les pluies, je suis le pourvoyeur de toutes les bonnes choses." Xurisib, dans sa fierté, se contenta de rire et de secouer la tête, et sa poitrine frémit et ses bracelets chantèrent. "Qu'ai-je besoin de fleurs! répliqua-t-elle. Qu'ai-je besoin de toi! Ma beauté me suffit." Tsui-Goab, affligé, se retira, et c'est pourquoi le Namaland est sec comme il l'est aujourd'hui. Les rivières s'évaporèrent, les arbres dépérirent, les joncs flétrirent, les oiseaux se turent et, tout ce qui resta, ce fut le sable blanc ou rouge et les longues épines qui égratignaient désormais les jambes de Xurisib. Quand celle-ci rentra à son village, les gens de son peuple, ayant décidé de partir, faisaient leurs paquets. Ils emmenaient tous les jeunes gens avec eux. La fille voulut les accompagner mais le chef le lui interdit, l'accusant d'être frappée par une malédiction. Depuis ce jour-là, les Nama ne sont jamais restés en un seul lieu. Sans cesse, ils se déplacent. Xurisib demeura dans le village, sa peau fut bientôt aussi sèche que la mue d'un serpent, ses cheveux de jais blanchirent et, en un rien de temps, elle devint une vieille harpie. Elle s'étendit par terre pour mourir. C'est alors que la mante revint la visiter et lui dit, depuis le buisson ardent : "Xurisib, ta vie touche à sa fin. Mais prononce mon nom et j'ôterai la malédiction qui pèse sur toi." Tout doucement, doucement, Xurisib murmura le nom de la divinité. Et, quand sa voix se tut, des fleurs jaillirent de la terre aride. Encore et toujours, Xurisib répéta le nom du dieu : "Tsui-Goab, Tsui-Goab, Tsui-Goab...", jusqu'à ce que, à son dernier souffle, elle hurlât si fort que les koppies au loin renvoyèrent son cri. Et les pluies vinrent, et le veld se couvrit de fleurs à perte de vue, et Xurisib redevint une jeune fille, avec un visage luisant, des jambes fortes et de belles mains. Alors, elle dansa la danse de la pluie.»

La voix de la vieille parcheminée se lança dans une psalmodie, qu'entonnèrent également d'autres femmes :

«Ô, danse de notre Sœur!
Lors, elle porte par-delà la colline un
regard furtif,
    farouche,
    et rit doucement.
Puis, de loin, fait un signe de la main,
ses bracelets miroitent, ses perles
chatoient,
    elle appelle doucement.
Elle raconte la danse aux vents
et les invite à danser, car la cour est
grande et le mariage
    princier.

Les bêtes affluent des plaines,
    se rassemblent sur les hauteurs;
leurs narines se gonflent
    et inhalent le vent;
ils se baissent pour suivre ses traces
subtiles dans le sable.
Les petites créatures des tréfonds, au
bruissement de ses pieds,
    se rapprochent et chantent
doucement :
    "Notre Sœur, notre Sœur! Tu es
venue! Tu es venue!"

Ses perles pendillent
et ses anneaux de cuivre luisent dans
l'agonie du soleil.

Son front arbore la plume-feu de l'aigle
des montagnes;
    elle descend des hauteurs;
elle porte le kaross gris sur ses deux bras;
    le souffle du vent se meurt.
    Ô, danse de notre Sœur!»

S'ensuit un long silence. Puis la vieille reprend :
«Quelques jours plus tard, les fleurs pâlirent, se
ratatinèrent, moururent, et Xurisib mourut tranquillement avec elles. Et, depuis ce jour-là, si la
pluie vient au Namaland, écoute très attentivement, et tu entendras dans le tonnerre, au loin, la
voix de Xurisib : "Tsui-Goab! Tsui-Goab! Tsui-
Goab!" Alors, nous savons que le pays va
renaître.»

Il y eut des tas de contes comme celui-ci, jour
après jour, nuit après nuit, pour passer le temps,
pour que Hanna oublie, pour guérir sa mémoire. À
tout ce qu'elle voit ou entend, à tout ce qui fait
silence ou se déplace dans le campement de fortune, huttes de joncs construites à la va-vite, nattes
de paille ou de peau posées sur un treillage de
branches courbes, à chaque chose correspond une
histoire; parfois, il y a des contes différents sur le
même objet ou sur le même événement – pierre,
faux acacia, naissance ou mort. Nul koppie,
rocher, aloès, tremble, lit de rivière asséché, tourbillon de poussière, fossé de ravinement ou arête
de calcaire qui n'ait sa divinité, bienveillante ou
maléfique; tout cela au son de la bataille éternelle
entre le bon Tsui-Goab qui vit dans le ciel rouge
et le diabolique Gaunab, qui vit dans le ciel noir.

Quand Hanna lève les mains pour demander ce que toutes ces histoires signifient, la vieille Taras sourit et répond par une question : «Tu souffres toujours autant?» Hanna hoche la tête en dénégation : elle se sent mieux. Et Taras de dire : «Ça sert à ça, les histoires.»

Il lui arrive de sombrer dans l'oubli, d'écouter seulement la musique des vocables, de se laisser bercer par le flot de paroles, les rythmes, les cadences, les répétitions, fût-ce dans l'allemand hésitant et tronqué de la vieille : *Dann liefen sie, dann liefen sie. Sie treckten, treckten, treckten*, alors ils ont marché, marché. Ils ont cheminé, cheminé, cheminé. Pure et complexe musique des contes.

À d'autres moments, Hanna écoute ses hôtes qui bavardent entre eux dans leur langue. Tous ces coups de glotte... tellement compliqués! Parfois, elle ouvre sa bouche muette pour imiter les mouvements des leurs, mais elle abandonne bientôt. Comment pourrait-elle jamais converser avec eux? Réduite au silence, elle ne l'est pas seulement à cause de la perte de sa langue : il y a aussi le fait de savoir que rien, dans le langage qu'elle a charrié avec elle jusque dans ce pays, ne pourrait, c'est certain, exprimer ce qu'elle voudrait tellement partager : les choses de cet endroit, de cet espace, dans des vocables qui ne seraient pas encore contaminés par d'autres mots ou d'autres lieux. Impossible. Ses mots, se dit-elle, amènent leur lot de passé, leur propre géographie. Ceux des Nama sont différents. Elle écoute avec attention quand Taras les répète patiemment, comme si elle s'adressait à un enfant benêt. *Khanous*, l'étoile du berger; *sobo khoin*, les gens des ombres, les fantômes ; *sam-sam*, la paix ; *torob*, la guerre. Noms d'animaux : *t'kanna, khurob, t'kaoop, nawas, t'kwu.* Des mots qui la repoussent et lui tournent le dos.

Quand, finalement, on persuade Hanna de faire quelques pas dehors, d'abord soutenue par les femmes, plus tard soutenue par elle seule, elle a presque peur de poser le pied par terre, de crainte de sentir sous ses semelles non pas le sol mais des histoires, des êtres vivants et cachés, naturels et surnaturels alternativement, ou simultanément.

13

Toute la tribu nama, cinquante ou soixante personnes, hommes, femmes et enfants, accompagnent Hanna X quand, enfin, elle se sent prête à être emmenée à Frauenstein. Ils marchent, marchent et marchent, ils cheminent et cheminent dans un paysage de conte, jusqu'à ce que s'élève à l'horizon une bâtisse étrange, d'un autre monde.

À ses abords, ils longent des potagers, surprenants dans le désert, et ce qui ressemble à un jardin sec, à l'écart, et qui doit être un cimetière. Il est clos d'un mur bas et l'on y voit des entassements irréguliers de pierres. Il n'y a pas de dalles tombales. On compte une bonne cinquantaine de tombes alignées. Chacune est marquée par une croix rudimentaire en bois, sans aucune inscription. Il n'y a pas de fleurs non plus, aucun signe qui montrerait que quelqu'un s'est soucié d'entretenir l'endroit ou d'y mettre un semblant d'ordre. La dernière rangée est incomplète, mais les trois ou quatre tombes qui restent vacantes (si ce sont bien des tombes) ont déjà été creusées. Recouvertes sommairement de vieilles planches vermoulues. Flanquées chacune d'un monceau de terre, elles attendent patiemment, pour l'heure, de recevoir ce qui se présentera.

La modeste cohorte des Nama s'arrête un instant pour inspecter ce site qui semble tellement moins permanent que les tumulus élevés par leur peuple sur la terre aride afin de commémorer ses défunts et les nombreuses victimes de son dieu chasseur Heiseb : en chemin, ils n'en ont pas passé moins de trois. Après un certain temps, néanmoins, ils s'acheminent vers l'imposant édifice de pierre.

Lorsqu'ils frappent à la massive porte d'entrée, c'est une femme qui répond. Son vêtement est terne. Elle recule d'un pas en voyant tous ces Noirs massés sur le seuil mais, alors qu'elle s'apprête à leur fermer la porte au nez, elle remarque une femme blanche parmi eux, la peau cloquée par le soleil, hagarde, le visage mutilé : elle hésite.

«Qu'est-ce que vous voulez? s'enquiert-elle.

— Nous avons amené cette femme que nous avons trouvée dans le désert, répond le chef de la tribu, Xareb.

— Pourquoi êtes-vous venus ici? Pourquoi ne l'avez-vous pas emmenée à Windhoek?

— On nous a dit que c'est un endroit pour les femmes ici.»

La femme tourne vers Hanna X un regard horrifié. «Que vous ont-ils fait?»

Hanna se contente de hausser les épaules, geste pathétique.

Xareb se tourne vers elle et lui fait signe d'ouvrir la bouche. Comme elle hésite, il le fait à sa place, en pressant ses doigts pointus sur ses joues creuses. Elle gémit de douleur car la blessure à travers laquelle on voit ses dents n'est pas totalement cicatrisée. S'ensuit une vive altercation entre Xareb et la vieille Taras, en langue nama.

«Attendez», s'interpose la femme de Frauenstein. Elle repart dans l'obscurité de l'intérieur; elle se ravise, revient fermer la porte.

Frau Knesebeck ne fait son apparition qu'après un long moment, flanquée de plusieurs membres de son personnel. Deux d'entre ces femmes ont des fusils, bien que, à la façon dont elles les tiennent, on puisse douter qu'elles sachent s'en servir. S'ensuit une discussion interminable entre Xareb et Frau Knesebeck, au cours de laquelle on demande encore à Hanna d'ouvrir la bouche.

Puis une nouvelle attente devant la porte close. Plusieurs enfants nama s'impatientent. Ils sont assaillis par des essaims de mouches. Le chant crissant des cigales leur casse les oreilles. Le soleil est au zénith.

Quand Frau Knesebeck revient, elle est accompagnée par les quatre femmes qui se trouvaient sur le chariot avec Hanna X.

«Mon Dieu!» s'exclame l'une d'elles. C'est Dora, la plus jeune, qui s'était occupée de Hanna quand elle délirait. «Nous te croyions morte!

, — Vous la connaissez donc?» s'enquiert Frau Knesebeck, inutilement.

Toutes les quatre acquiescent à grands cris, avant de paraître honteuses de leur aveu et d'essayer de se réfugier à l'intérieur, hors d'atteinte.

«Vous n'avez jamais parlé d'une autre femme, leur lance Frau Knesebeck, les défiant.

« — Nous l'avions perdue dans le désert, explique Dora. Elle était plus morte que vive. On pouvait rien pour elle. Et les soldats qui nous escortaient...

— Eh bien?»

Un silence. «Ils ont dit qu'ils voulaient pas d'histoires.»

Frau Knesebeck souffle du nez dédaigneusement. Elle fait un pas vers Hanna. «Entrez. Vous avez besoin de soins. Dieu sait ce qui vous est arrivé chez ces sauvages.»

Hanna émet un son, lève un bras : futile protestation. Puis, elle s'avance.

«Nous avons soigné elle, se récrie Xareb.

— Vous!» Frau Knesebeck fait un geste de congédiement. «Une Blanche, une Allemande, entre vos mains, à *vous*!» Contrariée, pragmatique, elle prend Hanna par l'épaule et la tire sur le seuil. «Partez maintenant ou je vous garantis que vous aurez des problèmes, de sérieux problèmes! Tous autant que vous êtes.»

Xareb tient bon. «Nous avons besoin manger.

— Bons à rien!» rétorque Frau Knesebeck, glaciale de rage.

Elle referme brutalement la porte. Le bruit se répercute en échos dans la bâtisse obscure, qui paraît humide jusqu'au beau milieu de l'été. Sur le seuil, s'élèvent des voix indignées, des pleurs d'enfants retentissent. Puis le silence.

«Nous allons devoir vous faire prendre un bain, déclare Frau Knesebeck. Dieu sait de quelle vermine ils vous ont infectée.» Elle donne des ordres; des femmes vont tirer de l'eau et la faire bouillir. Elles attendent longtemps, afin d'être certaines que les Nama soient repartis vers la monotonie du

97

désert, mirage parmi les mirages, tour joué par la mémoire. Puis on fait ressortir Hanna par la porte d'entrée, on lui fait contourner la bâtisse jusqu'à l'arrière ; on ne peut pas la laisser infecter et infester toute la maisonnée, on doit la nettoyer, la laver, la récurer.

Il faut près d'une heure pour écarter (au prix de quelles souffrances pour Hanna !) toute menace de contamination, pour lui donner une tenue qui couvrira la honte de son corps brisé et couturé, pour l'emmener dans une chambre à l'étage. La pièce a dû rester fermée longtemps, parce qu'elle empeste la pourriture et la décomposition.

« Nous prierons pour le salut de votre âme, annonce Frau Knesebeck. Dieu seul peut vous avoir secourue dans votre épreuve au milieu de ces charognards sauvages... » Une fois encore, Hanna lève la main pour protester, mais son geste est interrompu par la formidable petite femme devant elle, qui prend une profonde inspiration. « À moins que ce soit le Diable. » Sinistre, elle ajoute : « Quand nous en aurons fini avec vous, *Fräulein*, vous serez pure comme un nourrisson. Entre-temps, nous prendrons contact avec Windhoek. »

Comment, Hanna ne le saura jamais. Sans doute grâce à un smous qui se trouve passer par Frauenstein trois jours après.

Ce qu'elle apprend, par contre, un mois plus tard, c'est le résultat du courrier. Un modeste détachement de soldats se présente à Frauenstein. (À leur arrivée, Hanna, folle de peur, va se réfugier dans le grenier.) Ils expliquent qu'ils viennent de participer à une expédition punitive contre les malfaiteurs. Au beau milieu du désert, ils ont encerclé la tribu qui avait enlevé et terrorisé la femme blanche du chariot, et ils ont tué tout le monde : hommes, femmes et enfants. «On ne peut pas laisser faire ça à nos femmes», conclut le commandant victorieux ; Frau Knesebeck transmet fidèlement cette information à Hanna – qui, l'entendant, vomit.

Cette triste nouvelle sera, dans sa mémoire, à jamais imprégnée de l'odeur des cuisines, où on lui en fait part après qu'elle a été déménagée du grenier. L'odeur de la soupe aux choux. L'odeur de l'orphelinat.

14

L'orphelinat est imprégné de mauvaises odeurs. Urine, acide phénolique, vieux cuir, moisi, désespoir. Relents des cuisines : choucroute, poireaux, pommes de terre, têtes de poissons bouillies dans la marmite. Mais de bonnes odeurs aussi. Pain sortant du four, lait tout juste jailli des pis de la vache, moussant dans le seau, linge repassé, cirage, bougie qu'on vient de souffler. Le presbytère sent la crotte de rat et la moisissure. Mais, pour Hanna, la religion aura à jamais l'odeur du pasteur Ulrich. L'odeur du renfermé, d'un vieux canapé où des chiens ont dormi. « Approche, ma fille, approche. Quels péchés nous as-tu apportés aujourd'hui ? » Il est tout ouïe. Elle récitera sa petite litanie, sachant par avance qu'il répondra : « Je ne suis pas certain que tu aies tout dit. Mais nous le découvrirons bientôt, n'est-ce pas ? » D'abord, il la sermonnera, avec ces mots qui, giclant de sa bouche, la polluent : ce doit être pour ça, songe-t-elle quelquefois, qu'il porte sa ridicule barrette, afin de rattraper le flot de paroles qu'il déverse maladroitement comme les éclaboussures de ses repas qui maculent son gilet.

Après ce sermon vient le moment de meurtrir ce qui, pour lui, a toujours été le siège du mal. Elle sait qu'il s'attend à ce qu'elle fasse la grimace, à ce qu'elle piaille, à ce qu'elle crie, mais elle n'en fait jamais rien. Cela aggrave les choses. Elle ne risque pas de lui donner ce plaisir!

Quand, un soir, elle remarque pour la première fois le saignement, elle croit qu'il est dû à ces pincements. Ce n'est que lorsque le saignement persiste le lendemain qu'elle comprend qu'il se passe quelque chose d'anormal. Va-t-elle mourir? Dommage, parce que, dans un mois à peine, ce sera le concert de Noël, qu'elle attendait avec impatience. Toutes les orphelines auront droit à une robe blanche empesée. Pas une neuve, mais plus neuve, en tout cas, qu'elles n'en ont jamais eu. Elle ne voudrait pas la maculer de sang.

Elle fait part de son inquiétude au seul professeur qu'elle aime bien, Fräulein Braunschweig, qui enseigne la géographie et l'encourage à lire quand elle découvre combien la jeune fille aime les livres. Il arrive que Hanna passe des heures après l'école dans la salle de classe de Fräulein Braunschweig, à lire et lire encore, oubliant que le temps s'écoule. Mais il est vrai que, pour une fois, elle n'a rien à craindre. Si elle rentre en retard à l'orphelinat, elle peut arguer qu'elle a écopé d'une retenue; Frau Agathe est favorable à une discipline de fer. Quand Hanna ne lit pas, elle et Fräulein Braunschweig parlent à bâtons rompus. La maîtresse a beaucoup voyagé, partout en Allemagne, de Hambourg au nord jusqu'aux Alpes bavaroises, de Dresde à l'est jusqu'à Sarrebruck. Et même jusqu'à Vienne, Prague et Budapest. Et une fois à Paris.

«Quand je serai grande, moi aussi je veux voyager, déclare Hanna. Je ferai le tour du monde. Je veux tout voir.» Dans sa poitrine brûle une fièvre particulière. Elle pose la main sur la surface lisse du globe dans la salle de classe de Fräulein Braunschweig. Le globe tourne lentement sous ses doigts. «Tous ces endroits aux noms mélodieux...» Son index glisse au hasard : «Cordoba, Carcassonne, Tromsö, Novgorod, Grande Muraille de Chine, Bosphore, Tasmanie, Saskatchewan, Arequipa, Terre de Feu, Sierra Leone, Yaoundé, Okahandja, Omaruru. Je veux aller là où les oiseaux vont l'hiver. Dans les contrées chaudes. Au-delà du vent. Là où il fait soleil, où il y a des animaux étranges, des cannibales, des dragons et des palmiers.»

Fräulein Braunschweig l'encourage dans ces excursions imaginaires. «Un jour, dit-elle, je t'accompagnerai peut-être.

— Vous!?»

À sa grande surprise, Fräulein Braunschweig rougit comme une petite fille. «J'ai toujours rêvé de voyager aussi, avoue-t-elle. Il y a des années, j'étais fin prête au départ. Je devais partir avec... un ami.» Elle marque une pause. «Et puis il est mort.

— Je suis désolée.»

L'institutrice étonne toujours l'écolière. Aux yeux de tous, Hanna est l'empotée, celle qui renverse tout, qui se cogne, qui fait tomber les objets des tables et des commodes, qui égare ses souliers, son chapeau, sa blouse, oublie de fermer les portes et les fenêtres, perd les socquettes au lavage, trébuche sur tout ce qui se trouve sur son chemin, celle qui ne sait pas nouer ses cheveux correctement ni plier les draps comme il faut, dont les bras et les jambes sont perpétuellement tachetés de bleus, anciens ou récents. Or, pour Fräulein Braunschweig, elle est plus une compagne qu'une enfant.

Par-dessus tout, Fräulein Braunschweig se soucie d'elle. Elle lui envoie des médicaments quand elle ne se sent pas bien : la fait s'allonger sur le canapé avec une bonne couverture quand, en classe, elle s'évanouit parce qu'on l'a privée de petit déjeuner après qu'elle a commis une infraction. C'est donc elle qui s'aperçoit qu'il y a un problème, ce jeudi de début novembre. Elle lui demande : «Que se passe-t-il, mon enfant? Tu es toute pâle.»

D'abord, la timidité empêche Hanna de se confier. Mais, quand Fräulein Braunschweig insiste, elle avoue, la tête penchée de côté, le visage en feu : «Il y a deux jours que je saigne, Fräulein.

– Où ça?»

Honteuse, d'un geste vague, Hanna indique son bas-ventre.

«Quel âge as-tu, Hanna?

– Douze ans. J'en aurai treize ce mois-ci, le 25.»

L'ombre d'un sourire passe sur le visage du professeur. «Je crois que tu es en train de devenir une femme, Hanna.»

Celle-ci est trop estomaquée pour répondre. Elle a peur d'admettre qu'elle pense encore que la vraie raison est que le pasteur Ulrich lui a causé un mal irréparable. Parce que, dans ce cas, il lui faudra fournir trop d'explications.

«Désormais, tu saigneras tous les mois, mon enfant.

— Comment est-ce possible?

— Cela nous arrive à toutes. Assieds-toi et écoute-moi bien.»

À la fin, Fräulein Braunschweig tire plusieurs bandes de toile d'un tiroir dans lequel elle conserve un assortiment infini des choses les plus inimaginables pour toutes les urgences imaginables; elle confie à Hanna une lettre à l'intention de Frau Agathe, ainsi qu'un livre qu'elle pourra lire à l'orphelinat.

15

Ce livre marquera Hanna pour le restant de ses jours. Ce n'est pas un recueil de contes ou un carnet de voyage, comme la plupart des ouvrages que Fräulein Braunschweig l'encourage à lire, mais un livre d'histoire. C'est le récit de la vie et de la mort de Jeanne d'Arc. En temps voulu, il comblera le vide laissé par la perte de ses amies imaginaires, Trixie, Spixie et Finny; Jeanne deviendra plus réelle à ses yeux que toutes ses camarades de l'orphelinat, y compris la petite Helga. Le soir, dans l'odorante obscurité après que les bougies ont été soufflées, Hanna exorcisera sa crainte du noir en imaginant que Jeanne est étendue à côté d'elle dans son lit étroit; elles auront de longues discussions qui continueront parfois jusqu'à l'aube. Maintes fois, la Pucelle racontera les simples faits de sa brève existence : ses corvées domestiques dans la sombre masure familiale, à Domrémy, dans la vallée de la Meuse; les jours où elle fait l'école buissonnière, dès qu'elle en a la possibilité, pour aller visiter la minuscule chapelle blanchie à la chaux de Bermont, isolée dans les bois, où elle est attirée par des tintements de cloches. Toute sa vie, elle sera charmée par les carillons. C'est à l'âge de douze ans, par un jour d'été, dans le jardin de son père, qu'elle entend pour la première fois les fameuses voix qui lui apprennent qu'elle a été élue par Dieu pour endosser des vêtements masculins et mener une armée dans le but de libérer le roi Charles VII des forces anglaises qui ont occupé la France. Mais, pour l'amour de Dieu, que peut-elle donc faire? Elle est toute chétive, elle a peur du vaste monde des hommes violents, des intrigues politiques et des armées qui bataillent loin des humbles masures de Domrémy : d'ailleurs, qui l'écoutera? Son père préférerait la noyer de ses propres mains plutôt que de la savoir en compagnie de soldats. Mais, au fil des ans, les voix insistent. Régulièrement, Jeanne se demande si elle n'est pas devenue folle. Cela, Hanna ne peut l'accepter. N'a-t-elle pas, elle-même, passé quantité d'heures avec Trixie, Spixie et Finny? Des voix comme les leurs ne sont que trop réelles.

Enfin, Jeanne parvient à convaincre un cousin crédule de consentir à l'emmener à Vaucouleurs, la petite ville de garnison à un peu plus de trois lieues en amont : elle y rencontre Robert de Baudricourt, premier de ses puissants mécènes. Après des négociations sans fin, Jeanne vient d'avoir dix-sept ans lorsqu'il accepte de l'envoyer à Chinon, où elle rencontrera le Dauphin, les genoux cagneux, l'œil fourbe, le nez volumineux, mais que d'aucuns appellent déjà Charles VII, bien qu'il ne soit pas encore couronné. Charles devine en elle la possibilité de servir ses propres intérêts sans s'exposer lui-même. Après des examens complets à Poitiers, Tours et Blois, dont une auscultation intime par la reine de Sicile en personne, belle-mère du Dauphin, pour établir sa virginité, permission est donnée à Jeanne de mener une armée de sept mille hommes jusqu'à la ville d'Orléans assiégée. Officiellement, plusieurs hommes se partagent le commandement (ah, comme Hanna, qui aime tant les noms exotiques, goûte la saveur de ces vocables sur sa langue : maréchal de Sainte-Sévère, maréchal de Rais, Louis de Culen, Ambroise de Losé, le rude et grossier La Hire); mais dès le premier jour, nul ne peut douter que Jeanne a bien pris la tête de l'armée. Le 8 mai 1429, elle réussit à lever un siège qui aura duré six mois. Les Anglais battent en retraite; dans tout le royaume, le nom de Jeanne d'Arc, une fille qui ne sait ni lire ni écrire et signe avec une croix, acquiert la force d'une légende. Des nuées de papillons accompagnent son étendard de bougran et de soie, bleu, argent et or; des vols d'oiselets quittent arbres et buissons pour la voir combattre. Or il ne se sera pas passé un an qu'elle sera trahie et faite prisonnière; une autre année encore, et elle sera d'abord condamnée à mort par le tribunal inquisitorial, présidé par un gros plein de soupe, Pierre Cauchon, évêque de Beauvais, puis, sur fond de carillons enfiévrés, brûlée vive comme une sorcière, sur la place du Vieux-Marché, à Rouen. Qu'il est mince, l'intervalle entre virginité et sorcellerie! On inflige à Jeanne une ultime disgrâce : on lui arrache ce qui reste de ses hardes calcinées pour exposer son sexe noirci à la foule qui hue. Néanmoins, du bûcher, un soldat anglais voit s'envoler une colombe blanche qui, échappant aux flammes, s'envole vers le cœur du royaume. Bientôt l'Anglais sera bouté hors de France. En 1456, un nouveau tribunal lavera le nom de Jeanne de toute ignominie et annulera sa condamnation.

Ce qui prouve, insiste cent fois Fräulein Braunschweig, qu'il existe des choses plus importantes que la vie et la mort. Ce qui compte, c'est que Jeanne soit restée fidèle à elle-même de bout en bout. Elle avait réussi ce que personne ne croyait réalisable. Elle avait permis que le royaume fût libéré. «Il est impossible de vraiment la comprendre, même alors que quatre siècles se sont écoulés, arguë Fräulein Braunschweig avec feu. Tout ce que nous pouvons affirmer, c'est qu'elle nous donne à penser et à réfléchir. Elle révèle les zones d'ombre auxquelles nous craignons de nous confronter.»

Brûlant de fierté et de résolution, pendant des nuits et des nuits, Hanna voguera vers le sommeil en tenant Jeanne contre elle, si près dans son lit étroit qu'elle sera comme la chair de sa chair, le rêve de ses rêves. À l'aurore, l'ouvrage l'attendra sous son oreiller.

16

Les livres causeront sa perte. À peine une semaine avant le concert de Noël, Frau Agathe somme Hanna de venir la voir à son retour de l'école. Nous sommes en plein hiver mais la lumière est éclatante : Hanna devine donc que Frau Agathe sera pire que d'ordinaire. Il en va toujours ainsi : quand il fait soleil, elle parle du froid qui ne manquera pas d'arriver et de tuer toutes les fleurs ; quand elle voit des fruits, elle songe aux vers qui les habitent immanquablement ; quand elle entend un rire, elle prédit les larmes à venir ; quand tout le monde célèbre quelque fête, Frau Agathe sait que cela ne durera pas et que toutes les orphelines peuvent être assurées qu'elles s'en repentiront en temps voulu. Rien n'attire tant les punitions que le bonheur. Si bien que, en cette journée lumineuse, quand la virago à l'air grave et drapée de noir attend Hanna, les doigts refermés en une étreinte griffue sur le dernier ouvrage qu'a lu la jeune fille, celle-ci sait que l'orage menace.

« Qu'est-ce que ceci, que j'ai trouvé dans votre commode ?

— Un livre.

— Voudriez-vous me dire quel livre?

— Un livre que je lis. Il est très beau.

— *Les Souffrances du jeune Werther*! lance Frau Agathe, montrant les dents.

— Oui, admet Hanna, incapable de comprendre que l'on en fasse une telle histoire. Par M. Goethe, ajoute-t-elle, espérant clarifier les choses.

— Ce n'est pas une lecture appropriée pour une jeune fille.» Frau Agathe tremble de rage. «Ce n'est pas une lecture appropriée pour qui que ce soit.

— Je ne comprends pas, Frau Agathe.

— Ne faites pas la sotte avec moi.» Les traits anguleux de la femme pâle et maigre sont déformés par la furie. «Des cochonneries, ni plus ni moins! Cela ne sert qu'à égarer la jeunesse, à dépraver les esprits. Je ne tolérerai pas de telles cochonneries sous mon toit. Je dirige une institution *chrétienne*.

— Fräulein Braunschweig ne m'autoriserait pas à lire des "cochonneries", rétorque Hanna avec véhémence.

— Vous osez me tenir tête! Une bouche comme la vôtre mérite d'être lavée au savon!»

Hanna montre les talons.

«Où allez-vous?

— Je vais vous chercher le savon noir.

— Fille du Diable! Dieu sait que nous avons tout fait pour vous! Mais vous êtes incorrigible. Allez brûler ce livre dans le poêle. Je vous accompagne.

— Je ne peux pas, il n'est pas à moi.

– Vous avez raison. Ce livre appartient au Diable. Allons à la cuisine.

– Je ne le brûlerai pas.» Hanna ne prend pas une attitude de défi ouvert mais plutôt de résolution tranquille. Frau Agathe en perd son sang-froid. Elle frappe la jeune fille avec le plat du livre.

«Suivez-moi.»

Hanna porte la main à la joue, qui lui brûle, et suit la directrice à la cuisine. Frau Agathe ouvre d'un coup le petit loquet noirci à l'avant du poêle, à l'intérieur duquel, un instant, flamboie un rougeoiement soutenu.

«Prenez le livre.» Frau Agathe le lui flanque dans les mains.

Hanna le presse contre sa poitrine.

«Brûlez-le.»

Hanna fait non de la tête. Frau Agathe prend un tisonnier suspendu à un crochet au mur. L'espace d'un éclair, il semble qu'elle veuille s'en servir contre la jeune fille... mais elle le replace, d'un geste lent, le souffle court. «Vous irez voir le pasteur Ulrich», dit-elle. Le ton de sa voix trahit une drôle d'exaltation. «Je vous donnerai une lettre. Nous verrons bien.»

Une demi-heure plus tard, Hanna est en face du gros bonhomme au presbytère.

«Ah, Hanna, fait-il. Qu'est-ce qui t'amène ici par cette belle journée?

– Je vous apporte une lettre de Frau Agathe», répond-elle d'un air guindé. Elle tend la lettre, recule d'un pas.

Il la parcourt en silence. Son visage prend la teinte pourpre du fanon d'un dindon, signal infaillible de ce qui va suivre.

«Où se trouve cet ouvrage?

— Je l'ai rangé, mon révérend.

— Ne t'avait-on pas ordonné de l'apporter?

— Si, mon révérend. Mais il appartient à Fräulein Braunschweig. On ne peut pas le brûler.»

Le pasteur Ulrich émerge de son fauteuil profond, frôle Hanna, va fermer la lourde porte, tire le verrou. Hanna reste immobile.

Il revient. Il a la démarche d'un gros gibier d'eau tout noir. Il se retourne vers elle.

«Viens ici», fait-il, le visage luisant de sueur.

Hanna ne bouge pas d'un pouce.

«Je ne veux pas qu'on me touche aujourd'hui», réplique-t-elle. On dirait la voix d'une autre : une voix qui la surprend elle-même. Hanna a l'impression de ne pas vraiment être en compagnie du pasteur mais quelque part, très haut dans les poutres, et elle les regarderait, tous les deux, le bonhomme à la silhouette informe, ce gros baluchon de linge enveloppé dans un tissu noir, et la godiche.

Le pasteur Ulrich lui adresse un sourire bénin. «Et pourquoi ne veux-tu pas te laisser toucher aujourd'hui?» s'enquiert-il d'une voix onctueuse. Il semble presque apprécier ce signe de défi.

«Parce que Fräulein Braunschweig m'a dit il y a un mois que j'étais une femme maintenant.

— Vraiment?» Il lève un sourcil chargé. Il sue plus abondamment encore; elle le sent. «Et comment sait-on cela?»

D'abord, elle cède à la panique. Puis un calme étrange la pénètre. Elle lève la tête et répond : «Je saigne.»

La réaction du pasteur la surprend, un instant : «Il est donc temps que tu commences à prendre grand soin de toi.

— Merci, mon révérend. Je prendrai soin de moi. Fräulein Braunschweig me l'a déjà recommandé.»

Il plisse les yeux comme s'il la soupçonnait de sarcasme. «Ton corps est le temple du Seigneur, déclare-t-il. Les hommes pourraient être tentés de le souiller.» Il sort un grand mouchoir pour s'essuyer le visage, et s'en sert pour se moucher.

«Que voulez-vous dire, mon révérend?

— Ils pourraient...» Il s'éclaircit la gorge. «Ils pourraient essayer de te toucher de diverses façons impudiques.

— Comme vous, mon révérend?»

Il paraît sur le point d'exploser, au comble de l'indignation. «Comment oses-tu parler ainsi? murmure-t-il.

— La façon dont vous m'avez touchée, mon révérend... ce n'est pas un péché, mon révérend?

— Ce que j'ai fait, ma fille, je l'ai fait avec une grande pureté d'esprit et générosité d'âme, au nom du Seigneur, pour exorciser les démons qui résident en toi. Là...» Et d'indiquer, d'un geste... mais non, il se ravise, laisse retomber sa main. S'ensuit un long silence. Sur quoi, il s'approche d'elle à pas lents. «Ce dont tu as besoin pour l'heure, dit-il, c'est d'une bonne purge. Avant d'être consumée par les feux de l'enfer qui brûlent dans cet endroit secret de ton corps.

— S'il y a des démons en moi, ce ne sont pas les miens. Et vous n'avez aucun droit de les chasser», réplique-t-elle. Elle est maintenant envahie par une impudence et une passion qui semblent exciter son interlocuteur plus qu'il ne peut le supporter.

Il approche encore. Elle recule. Il la suit. Un témoin pourrait trouver la scène comique; pour eux, qui en sont prisonniers, elle revêt un grand sérieux. Hanna recule toujours plus. Le pasteur la suit. Jusqu'à ce qu'elle sente le mur contre ses omoplates et sache que toute retraite est impossible. Le pasteur approche encore.

«Ne faites pas ça, mon révérend.» Sa voix tremble, un instant.

«C'est pour ton bien.» Dans l'haleine du pasteur, les relents de son repas : poireaux, oignons, poulet. «Il est de mon devoir de te prendre en charge.

— Vous ne pouvez pas laisser ça à Dieu? Ou croyez-vous que lui aussi pourrait profiter de moi?» Pour la première fois, son attitude de défi est patente; mais elle se bat pour sa survie.

«Blasphème!» Il a le souffle coupé. «Ne crains-tu pas la mort? *C'est chose effroyable que de tomber entre les mains du Dieu vivant.*»

Elle sait qu'elle ne devrait pas le dire mais elle ne peut s'en empêcher : «Si Dieu vous ressemble, mon révérend, je ne veux plus avoir affaire à lui. Plus jamais.»

17

Les conséquences sont fâcheuses. Durant les années à venir — et ce soir même, tandis que, d'un regard sombre, elle scrute son reflet dans la glace du palier —, elle y pensera comme à sa première mort. (La toute première, avant qu'elle soit abandonnée aux Petits Enfants de Jésus, celle-là ne compte pas, puisqu'elle l'a complètement oubliée.) Le pasteur Ulrich la raccompagne en personne à l'orphelinat. En chemin, à plusieurs reprises, il essaie de lui prendre la main, mais elle l'évite chaque fois.

Elle doit passer une semaine enfermée dans la cave à tourbe. Une obscurité telle qu'elle ne parvient pas à voir ses doigts quand elle les passe devant les yeux. Elle a toujours eu une peur bleue de l'obscurité mais elle est cette fois tellement au-delà de la terreur qu'elle n'est plus capable de ressentir consciemment sa peur : celle-ci est réduite à un point logé en elle, une noirceur dans laquelle elle se retire et qui la paralyse. On lui a pris tous ses vêtements. On ne lui donne pas à manger. De l'eau, deux fois par jour. Une fois par jour, quelqu'un vient la fouetter avec une canne. Quand, enfin, on l'autorise à sortir, c'est à peine si elle peut marcher. La lumière taraude ses yeux, les perce comme des éclats de verre. On l'emmène dans le bureau de Frau Agathe, une pièce encombrée d'un mobilier lourd et foncé. Le pasteur Ulrich est là. Hanna sent son odeur avant même de le voir.

«Mon enfant, commence-t-il, la voix marinée dans une préoccupation aimante. J'espère que tu as mis à profit ce temps pour penser à Dieu et à sa miséricorde.»

Aucune réaction de la part de la punie.

«C'est le Diable, lâche Frau Agathe dans un murmure.

– Qu'as-tu à dire? l'aiguillonne gentiment le pasteur Ulrich.

– Pourquoi est-ce que vous me détestez tant? s'enquiert Hanna, les lèvres sèches.

– Tu as tort, ma fille. Nous t'aimons. Dieu t'aime. Ce que nous haïssons, c'est le fait que le Diable ait pris possession de toi. Nous nous débarrasserons de lui à n'importe quel prix.»

Le haussement d'épaules exprime toute la lassitude de l'orpheline.

«À la fin de la semaine se déroulera le concert de Noël, lui rappelle-t-il. Es-tu prête à prendre part à l'esprit de célébration, l'âme et le corps lavés de tout péché, pour la plus grande gloire de Dieu?

– Je ne veux rien avoir à faire avec votre concert. Je ne veux pas de votre Dieu.»

Frau Agathe s'assoit, cherche l'air comme un poisson hors de l'eau. Elle est trop horrifiée pour parler.

Le pasteur, lui aussi, a du mal à respirer. «Qu'est-ce que tu veux? demande-t-il.

— Je veux mes livres. Je veux retourner voir Fräulein Braunschweig.

— À moins de vous repentir, vous ne retournerez jamais à l'école, réplique Frau Agathe d'une voix perçante. Tout ce que vous en rapportez, ce sont de mauvaises habitudes et un cœur mauvais.»

Hanna n'en croit pas ses oreilles. Elle fixe les adultes du regard. Elle est désemparée. Ses pensées désordonnées se bousculent dans son esprit. Elle se tait.

Frau Agathe se lève. «Je vais vous laisser seule avec le pasteur Ulrich», annonce-t-elle. Avant de refermer la porte derrière elle, cependant, elle ajoute : «Je prierai Dieu pour le salut de votre âme immortelle. Mais j'ai peu d'espoir.

— Ne partez pas, madame, je vous en supplie.»

Frau Agathe la regarde. Un froncement sépare ses yeux gris pâle. «Que voulez-vous dire?

— Le pasteur Ulrich pèche quand il est seul avec moi.»

La grande femme maigre la dévisage comme si on l'avait confrontée à un spectre. Avant de prendre sa tête osseuse dans les mains et de se mettre à trembler. «Co... comment o... osez-vous? Co... comment o... osez-vous?» Hanna ne sait si elle s'adresse à elle ou au pasteur.

Ce dernier est livide. De colère ou de crainte?

«Crois-tu qu'un homme, quel qu'il soit, demande-t-il d'une voix si basse que c'est à peine si Hanna parvient à l'entendre, crois-tu que moi, un homme de Dieu, je songerais même à poser un doigt sur une créature aussi méprisable, misérable, maligne et laide que toi?» Sa respiration, presque un râle, est inégale, comme quand il est seul avec elle.

Je suis peut-être méprisable, pense-t-elle. Et je sais que je suis misérable. Je suis peut-être maligne. Mais ne me dis pas que je suis laide. Pour l'amour de Dieu, ne dis pas ça.

On la reconduit à la cave pour une autre semaine. Elle ne ressent plus la faim. Elle est à peine consciente de la douleur quand vient l'heure du fouet. Mais elle ressent le froid. Il la pénètre jusqu'à la moelle. Elle frissonne jour et nuit. Sa tête palpite de douleur, elle est terrassée par la fièvre. Parfois, elle entend des voix. Fräulein Braunschweig lui dit : «Tu dois lire ceci... *Les Souffrances du jeune Werther*. C'est un très beau livre.» Les voix aiguës de camarades invisibles, Trixie, Spixie et Finny. Des voix inconnues, psalmodiant la musique de noms lointains : Guadalquivir, Machu Picchu, Smolensk, Ondangua, Barbezieux et Paramatta. Les voix des anges, peut-être? Quelquefois, elles se transforment en cris d'animaux, braiment, aboiement, meuglement et cocorico des musiciens de Brême, noyés par le glorieux tonnerre de la cloche de la cathédrale, et puis le silence, rien que le silence.

«Cette enfant est mourante», annonce, un jour, une voix inconnue.

La voix de Frau Agathe répond : «Elle joue la comédie.»

L'obscurité, derechef. Des rats détalent. Ils lui rongent les cheveux, les doigts, ses orteils gelés. Ils lui parlent avec leurs couinements surnaturels. Viens avec nous, lui disent-ils. Sortons d'ici, chassons les adultes des Petits Enfants de Jésus et prenons l'endroit. Mais, demande-t-elle, comment sortir de ce gouffre noir? Pas de problème, répondent-ils, nous sommes en train de ronger le bois de la porte.

Ils font si vite leur besogne que ce n'en est pas croyable. Une faible lueur du jour filtre dans la cave.

Viens, crient-ils. On peut pas attendre, on doit les prendre par surprise! Sa faiblesse, la fièvre, ses tremblements, tout, miraculeusement, reflue quand elle se lève et, saisissant une pelle à charbon pendue au mur près de la porte en morceaux, les suit dans l'escalier dilapidé. Les rats ont dû précédemment entrer en communication avec des congénères de leur tribu parce que, lorsqu'ils arrivent au rez-de-chaussée, ils sont rejoints par des milliers d'autres rongeurs qui affluent de toutes parts, par les portes, les fenêtres, cascadant des cheminées, dégringolant des plafonds.

Tel un océan noir, ils s'écartent tous pour la laisser passer. Tu dois nous guider, lui disent-ils. Tu connais les lieux. Mène-nous directement à eux.

Hanna à leur tête, ils convergent sur la chambre de Frau Agathe. Quand Hanna essaie de l'ouvrir, elle découvre que la porte est fermée à clef. Elle entend, à l'intérieur, le bourdonnement de conversations à voix basses et inquiètes. Frau Agathe, d'autres femmes, le pasteur Ulrich. Voilà qui est parfait. D'un geste, Hanna indique à son escorte de prendre la pièce d'assaut. Comme ils l'ont déjà fait, les rats se ruent sur la porte. En quelques minutes, il ne reste qu'un tas de copeaux blanchâtres et un trou béant. Les adultes se blottissent contre le mur du fond.

«Comprends-nous, explique le pasteur d'une voix de fausset. Nous avons agi au nom du Seigneur. Nos intentions sont bonnes. Nous ne te voulons aucun mal.»

On ne leur accorde aucune autre défense. Les rats bondissent et renversent les cinq ou six figures en noir. On entend un énorme bruit de rongement, à l'intérieur duquel on distingue des remous plus faibles : va-et-vient mouillé de mastications, crissements de mêlées et batailles entre qui se dispute une phalange ou un orteil. En un rien de temps, il ne reste que des os, lisses, immaculés.

Sur quoi, les rats fusent dans toutes les directions. Ils libèrent les petites filles des dortoirs et des salles d'étude où elles étaient enfermées. Par vagues, en proie à une frénétique jubilation, ils s'élancent dans les couloirs et se répandent dans les rues. Ils se dirigent vers le fleuve, et de là vers la mer – Hanna n'en doute pas. Dès que la tâche est accomplie (le vaste bâtiment s'effondre dans leur dos et sa chute soulève un énorme nuage de poussière), elle les rejoint. La mer, la mer! Tandis qu'elle joue sur la grève, ignorant tout de la catastrophe dans son bonheur innocent, tandis qu'elle construit un château de sable à la lisière dentelée de l'eau, une petite fille à la crinière de jais, aux yeux les plus bleus qu'on ait jamais vus, resplendit dans l'éclat du soleil. Derrière elle, des palmiers se balancent, grandes mains qui font signe d'approcher. Par ici, par ici.

Hanna revient à elle, dans sa brume mentale, quand de nombreuses mains ramassent son corps et qu'on lui jette une couverture ; on l'emmène à l'étage.

« Je crains qu'il ne soit trop tard, affirme une voix. Elle est morte.

– Elle devait accomplir sa punition, réplique Frau Agathe. Qu'adviendrait-il de la discipline si nous cédions à la moindre lubie ? Au moins, nous avons chassé les démons, Dieu soit loué... »

Quand elle se réveille à nouveau, Hanna se trouve dans une pièce blanche qu'elle ne connaît pas. Est-elle morte, est-ce le paradis ? Dieu pourrait arriver d'un moment à l'autre... Cela risque d'être problématique, du fait qu'elle ne croit plus en lui. Elle devrait peut-être lui dire ceci : pouvons-nous convenir d'un accord ? Je ne croirai pas en vous si vous promettez de ne pas m'en tenir rigueur.

Mais l'homme qui arrive n'est pas Dieu. C'est le pasteur Ulrich. (Son plastron révèle qu'il a mangé des œufs au petit déjeuner, et des saucisses.)

Hanna a beau fermer les yeux, il ne part pas. À travers ses paupières tremblotantes, elle le scrute. Il reste un long moment, debout, à l'examiner, avant d'aller chercher une chaise dans un coin de la pièce et de la tirer tout contre le lit

« Ma fille », commence-t-il.

Hanna fait mine de dormir.

« Hanna. »

Elle ne dit toujours rien. Ne se lassera-t-il donc pas ? Ne va-t-il pas partir ?

Non. Elle devine un mouvement sur les draps. Il a passé la main sous la couverture. Pendant un moment, il reste immobile et puis la main approche, animée, dirait-on, par une volonté indépendante, comme un gros crabe. Elle touche la hanche de Hanna, et s'arrête. Hanna ne bouge pas d'un pouce. À vrai dire, rien ne lui indique si cela arrive vraiment ou se passe simplement dans un rêve.

Dans un murmure : «Hanna.»

Elle ne répond toujours pas.

«Cela ne peut pas en valoir la peine, déclare le pasteur, comme en son for intérieur. Nous pouvons trouver un compromis. Tu pourras retourner à l'école. Tu pourras même continuer à lire tes livres, pourvu qu'ils ne soient pas trop lascifs ou impies.»

Elle ne dit mot.

«Mon seul souci est ton bien-être. Tu nous as causé à tous beaucoup de souci. Fichtre, une double pneumonie! Mais tu récupéreras vite, le docteur l'a dit. Tu n'es pas contente?»

Hanna reste blottie dans le silence comme dans un cocon. Aucun papillon en vue.

«Tu es une bonne fille, en fait, Hanna. Je suis prêt à parler à Frau Agathe.»

Elle ne dit rien, mais son corps entier se fige. Le pasteur doit bien savoir qu'elle ne dort pas. Sa main franchit la hanche. Elle parvient à l'endroit qu'elle cherche, où elle se pose, doigts boudinés recourbés au-dessus.

«Hanna?

— Je le dirai à Dieu», lâche-t-elle, dents serrées, yeux fermés hermétiquement.

Il lâche un petit rire dur. «Si Dieu doit choisir entre toi et moi, qui penses-tu qu'il croira?

— Alors, je le dirai à Fräulein Braunschweig. Elle, elle me croira.»

122

La main se fige, s'ouvre mollement. Hanna peut se remettre à respirer.

«Quoi qu'il arrive, dit le pasteur, c'est toi qui l'auras voulu. Tu comprends ça, n'est-ce pas?

— Je vais mourir», dit-elle paisiblement.

Tout à coup, il éclate : «Alors, meurs! hurle-t-il. Pour l'amour de Dieu, meurs! Mais ne reviens pas mendier ton pardon ensuite!»

Elle ne daigne même pas répondre. Elle n'a pas ouvert les yeux et ne les ouvre pas avant qu'il ait quitté la pièce. Le lit tangue, balance, entraîné, tel un esquif sur la mer, par un doux courant invisible.

18

Cent dix hommes et femmes ont embarqué sur le *Hans Woermann*, qui appareille à Hambourg par une lugubre journée de mi-janvier. Comme le navire emporte vingt passagers de première classe, les femmes à marier qu'on emmène aux colonies sont logées dans des quartiers d'autant plus modestes. Trente d'entre elles, enregistrées comme étant les plus cultivées du lot, les *gebildeten Mädchen*, parce qu'elles ont pu se permettre de contribuer à leur voyage à hauteur de cent cinquante marks, sont logées dans des cabines de deuxième classe : chacune bénéficie d'une couchette individuelle. Mais la majorité, les soixante *einfachen Mädchen*, transportées aux frais du gouvernement en troisième classe, sont entassées dans des cabines crasseuses au-dessous du niveau de flottaison, à deux par couchette une place, quatre couchettes par cabine. C'était la seule façon d'accueillir les cinq mille tonnes de fret qui permettent de rentabiliser le voyage ; la compagnie fait donc comme si de rien n'était et les listes de passagers sont modifiées en conséquence.

C'est sur la liste procurée par Frau Charlotte Sprandel, de la Kolonialgesellschaft de Berlin, pour le compte de Johann Albrecht, Herzog zu Mecklenburg, que, auréolée d'un gros pâté inopportun d'encre noire, apparaît pour la première fois une passagère qui porte le nom de Hanna X.

La femme désignée pour partager sa couchette est Lotte Mehring. Le prénom évoque instantanément les souvenirs les plus intimes du passé de Hanna, *Les Souffrances du jeune Werther*. Mais c'est beaucoup plus qu'un prénom. C'est une nouvelle réalité. Lotte est une fille toute frêle, aux cheveux blonds emmêlés, un air de petite souris mais pas laide. De quelques années la cadette de Hanna, veuve à vingt-deux ans, elle a été embarquée par sa belle-famille avant d'avoir pu réclamer sa part du maigre héritage que les sept frères du défunt ont préféré garder pour eux. Non qu'elle eût souhaité conserver le moindre souvenir de ce bref mariage qui ne lui a guère apporté que larmes et sueur, yeux au beurre noir, un bras cassé et une fausse couche, qu'à voix basse elle détaille à Hanna, au cours des longues nuits pendant lesquelles elles restent allongées ensemble sur l'étroite couchette qui empeste le désespoir et l'urine croupie.

«Pourquoi t'es-tu mariée avec lui, alors? demande Hanna, un soir.

— Il me voulait, répond Lotte simplement.

— Tu ne savais pas qu'il te traiterait mal?

— Non. Même si j'avais su...» Lotte presse son petit front sur l'épaule osseuse de Hanna. «Je suis sûre que j'aurais épousé n'importe quel homme qui serait venu m'enlever à ma famille.»

Hanna dodeline de la tête : elle ne comprend pas. «Au moins, tu en avais une, de famille. Moi, je n'avais que l'orphelinat, jusqu'à ce qu'on me place comme domestique.

— Tu sais pas la chance que tu as eue.

— Tu ne sais pas de quoi tu parles, Lotte. Tu aurais dû voir cet endroit... Si je te racontais comment se comportait Frau Agathe...» Elle en a des frissons. «Et le pasteur Ulrich.

— Il pouvait pas être pire que mon père. Et que mes deux frères.

— Mais tout de même...» Hanna ne peut continuer.

«La première fois qu'il est venu me trouver, la nuit, j'avais pas dix ans. Mes frères ont commencé peu après.

— Et où était ta mère, alors?

— Elle faisait semblant de pas voir. Elles avait trop peur, tu comprends. Si j'allais la trouver, elle se mettait en colère, elle disait que je mentais. Ensuite, elle lui racontait tout et lui, mon père, il me battait. Et il la battait par-dessus le marché.»

Lotte gémit doucement, comme si elle avait mal quelque part, et Hanna la serre contre elle. Elle la berce très gentiment jusqu'à ce qu'elle arrête de pleurer.

«S'il te plaît, dit Lotte après un long silence, continue de me tenir comme ça.» Dans le noir, elle passe les doigts sur le visage de Hanna, avant de s'interrompre, surprise. «Tu as les joues mouillées? Toi aussi, tu as pleuré?»

Hanna ne peut parler. Elle ne fait que hocher la tête. L'obscurité rend possibles les confessions qui seraient impensables autrement.

« Mais tu...

– Ne parle pas maintenant », dit Hanna.

Dans le noir, dans la danse lente du navire sur la houle, elles se tiennent l'une l'autre, le corps frêle et le corps plus robuste mais gauche. Elles se tiennent ainsi longtemps, elles se tiennent l'une l'autre. Lotte est presque aussi réelle pour Hanna que Jeanne d'Arc, il y a tant d'années, dans son lit étroit à l'orphelinat... Et, presque imperceptiblement, leurs mains se promènent sur le visage l'une de l'autre, plus légères que le tressaillement de l'aile d'un papillon.

« Tu sais..., avoue Hanna un soir, personne ne m'a jamais tenue dans ses bras. Pas même quand j'étais toute petite. Personne ne venait nous border. On nous apprenait à être fortes, à nous consacrer à Dieu et au bien. Toucher, c'était mal, ça vous affaiblissait, comme ils disaient. Hormis une fois, quand une nouvelle est arrivée, Helga. Elle pleurait tant... elle m'empêchait de dormir la nuit. Alors je suis allée mettre mes bras autour de ses épaules, et je l'ai tenue. Tenue, simplement. Et puis Frau Agathe nous a découvertes.

– Raconte-moi tout. »

Ainsi, c'est le tour de Hanna. Et puis encore le tour de Lotte. Et, dans le noir, elles se pressent l'une contre l'autre, corps contre corps, elles ressentent la chaleur nouvelle qu'elles produisent entre elles deux. Comme elles sont conscientes, toujours, de la nuit au-dehors, et de la fraîcheur marine, des insondables profondeurs, noires ou presque, sous la coque du navire, cette chaleur se révèle extrêmement précieuse, une complétude, une modeste mais courageuse assertion : oui, elles sont bien là, Hanna et Lotte, deux solitudes jointes, deux histoires, devenues un être unique, animé d'un seul souffle, beau dans les ténèbres, vulnérable mais fort tant qu'il dure. Qu'est-ce que ce *moi*, qu'est-ce que ce *toi*? De quels horizons incommensurables venons-nous, vers quelle lumière, vers quelle obscurité nous dirigeons-nous? (Nuits baignées d'étoiles, palmiers qui se balancent à la brise, miroitant au soleil.) Combien d'éternité peut se lover dans une heure, un instant? Je t'aime.

Hanna invente non seulement la géographie du corps de Lotte, mais également celle de son propre corps. Or elle fait une découverte renversante : son corps, qu'elle avait appris à mépriser, à haïr, est capable d'éprouver un plaisir immense et de procurer une grande joie!... Ce qui était source de souffrance et de révulsion est devenu affirmation, lieu de célébration! Cela, tu me l'as donné, et je peux te le rendre. Me voilà telle que je suis, enfin, et pour l'éternité. Moi, Hanna X.

Leurs corps se tournent, se meuvent lentement, leurs mains bougent, leurs doigts s'étreignent, se séparent : quels voyages au long cours n'entreprennent-elles pas, à travers des paysages nocturnes de corps qui, pliés ensemble, mêlés, métamorphosent le quotidien en miracle (toi, moi, nous, toujours...), nomment et débaptisent oreilles, yeux, gorge, épaules, coudes, poitrine, ventre, genoux, pieds, monts et vaux, palmiers, fontaines enfouies, profondeurs à jamais secrètes et plis de ton anatomie, mien et pas à moi, tien et pas à toi, langue contre langue, souffle de mon souffle, murmure de mon chuchotement, toi, moi, nous.

Si quelqu'un les découvre, ce sera forcément terrible : elles prennent donc grand soin de ne jamais se montrer ensemble dans la journée. Elles vaquent à leurs occupations avec les autres femmes. Les einfachen Mädchen de troisième classe doivent aider les matelots dans leurs corvées : nettoyer les cabines, brosser le pont, servir aux cuisines. Mais la nuit leur appartient. Étendues, Hanna et Lotte parlent pendant des heures, parfois jusqu'à l'aube (même si on ne la voit pas, dans les ténèbres constantes des ponts inférieurs). Elles font l'amour, ou restent allongées dans un infini enlacement.

« Qu'est-ce qui se passera quand on arrivera là-bas ? demande Lotte.

— On trouvera un endroit pour vivre ensemble, répond Hanna.

— Le gouvernement a payé pour notre voyage, on nous demandera de rendre des comptes. On le doit à ces gens. »

Hanna ne connaît-elle pas ce genre de dette ! C'est ce qu'elle a appris à haïr par-dessus tout dans ses embauches. « Je ne laisserai pas ça arriver, s'insurge-t-elle.

— Mais *comment* ? Notre sort est entre leurs mains, nous avons pas le droit de prendre des décisions, nous sommes des femmes.

— On trouvera une solution.

— Ça arrivera pas tout seul, insiste Lotte. Il faut avoir un plan avant de débarquer là-bas.

— Il arrive toujours quelque chose... Tu n'as pas prévu la mort de ton mari, elle est arrivée, voilà tout.

— C'est un de ses frères qui l'a tué.

129

— Mais tu as été sauvée. Et tu n'as pas pris part à son assassinat.»

S'ensuit un long silence, avant que Lotte n'avoue : «Si. C'est moi qui ai tout organisé. J'ai soudoyé son frère pour qu'il le tue.

— Comment t'y es-tu prise ?

— Je lui ai fait une promesse... Aucune importance. Ça a marché, c'est tout ce qui compte.

— Et ça marchera encore.

— Ils trouveront un moyen de nous en empêcher.»

Avec toute l'insouciance attachée à la découverte de son nouvel état, Hanna réplique : «Rien ne peut nous arrêter.

— Ma Hanna, ma Hanna.» Par amour et désespoir, Lotte entame le mouvement caressant dont elle sait qu'il conduira Hanna à un indicible plaisir.

Lotte a raison, bien sûr. Ça ne peut pas durer. L'irruption dans leur intimité se fait sans crier gare. Le voyage se prolonge... Les marins se mettent à rendre visite aux femmes la nuit, notamment aux plus vulnérables, celles des troisièmes classes. Et le fait qu'ils soient fort bien accueillis par certaines (pour toutes sortes de raisons qui prolifèrent dans le noir) les encourage à imposer leur présence à d'autres. Il n'y a pas de petits profits : de ces rencontres, les femmes peuvent espérer des faveurs sous diverses formes — nourriture, cadeaux sans importance, vagues promesses. Cela adoucit l'ennui des semaines passées en mer, instillant des lueurs d'espoir chez celles qui n'en n'ont plus ou qui se sont résignées aux mensonges et aux désillusions.

Pendant un temps, Hanna et Lotte ne sont pas dérangées. Elles habitent une île qui paraît inviolable. Jusqu'à ce que, une nuit, plusieurs hommes plus qu'éméchés déboulent dans leur cabine au bout de la coursive. Sans prendre la peine de choisir, les marins tâtonnent dans le noir la chair féminine mal dissimulée par des vêtements de coton ou de toile. L'un d'eux entraîne Lotte. Elle se débat avec la hargne d'un rongeur pris au piège, ce qui ne fait qu'exciter l'homme. Hanna intervient, l'attaque par-derrière, parvient quasiment à le maîtriser. Mais elle est alors assaillie par un autre marin, qui, d'un coup sur la tête, l'envoie valdinguer dans un angle. Le temps qu'elle se relève, ils ont emmené Lotte.

L'une de ses voisines de chambrée la prend par la main. «Laisse-les faire, chérie. Ils sont dans un tel état qu'ils te tueront si tu t'en mêles.

— Mais tu ne comprends pas! Ils ne peuvent pas prendre Lotte. Ils n'ont pas le droit.» Hanna pleurniche.

«Ils ont tous les droits, ma fille. Nous devrions être heureuses, voilà tout, d'avoir été épargnées. Ce soir, en tout cas. Il reste encore six nuits.»

Elle éprouve alors une nausée qui n'est pas corporelle. Elle reste prostrée dans un coin de la couchette, elle attend que Lotte revienne, elle prie, les yeux grands ouverts, elle prie le dieu en lequel elle ne croit plus, pour qu'il lui accorde que les marins ne fassent pas trop de mal à Lotte. Comment tout cela peut les affecter, toutes les deux, elle a trop peur, elle est trop engourdie pour l'imaginer.

Lotte ne revient pas. Le marin l'a-t-il tuée?

Non, découvre-t-elle le lendemain. C'est bien pire. Il la veut pour lui seul. Lotte passera le reste de la traversée dans sa couchette, avec lui. Même le jour, il la surveille d'un œil de faucon tandis qu'elle vaque à ses occupations, il n'est jamais loin. Les deux amies n'ont plus une minute à elles pour discuter ensemble.

Or tout cela se termine bien vite. Deux jours après, l'après-midi, la nouvelle se répand de pont en pont : une jeune femme s'est suicidée. Elle s'est ouvert les veines au lavabo. Hanna n'a pas besoin qu'on lui dise qui a fait ça.

C'est le lendemain, au cours d'un office célébré hâtivement par le capitaine, lorsque le corps de Lotte, son corps frêle et bien-aimé, cousu dans un sac de toile, est juché sur un brancard d'où, sans plus de cérémonie, on le fait glisser par-dessus bord, on le confie à la mer, suivi par quelques couronnes de fortune, que Hanna découvre la fatale erreur. On a donné à la morte son nom à elle · Hanna X.

Elle se précipite chez le capitaine pour faire corriger cette erreur, mais les officiers qui entourent leur capitaine lui refusent l'accès. Quand elle finit par en saisir un par le pan de la veste, elle hurle, démente, qu'elle, Hanna X, est encore en vie, que la morte était Lotte Mehring. Il se dégage, irrité, et promet de s'occuper de cette affaire. Quand elle parvient à le croiser, le lendemain, il lui dit qu'elle se trompe. On a fait une enquête, on a vérifié le numéro de cabine et de couchette : la morte s'appelle bien Hanna X.

«Mais c'est moi, Hanna X! s'exclame-t-elle. Moi, qui suis devant vous. Vous pensez que je ne sais pas qui je suis?

– Écoute, femme.» Il l'écarte brutalement, d'un revers de la main. «J'ignore ce qui te prend, mais nous avons parcouru tous les dossiers, tu nous as donné beaucoup de mal, alors pourquoi ne pas accepter les faits?

– Les faits se trompent. Regardez-moi.»

Il lui adresse un regard condescendant. «Suppose, réplique-t-il, suppose seulement que tu aies raison... bien que tu aies tort... Tu crois vraiment qu'on prendrait la peine de modifier les documents? Imagines-tu combien de formulaires nous avons dû remplir?

– Alors, qui suis-je? Si vous en êtes si sûr, dites-le-moi.

– Je m'en moque éperdument, rétorque l'officier. Maintenant, laisse-moi en paix, et accepte le fait que Hanna X est morte et enterrée.»

19

Le vent. Le vent vient toujours *d'ailleurs*. La nuit, à l'orphelinat, encore alitée mais s'éloignant peu à peu de l'orée de la mort, elle écoute le son réconfortant de son ami, le vent. Elle devait être très jeune lorsqu'elle en a pris conscience pour la première fois. Elle avait un mauvais rhume et ne trouvait pas le sommeil; le vent lui a tenu compagnie. Le matin, elle a dit à Frau Agathe : «Le vent doit avoir un rhume comme moi, parce que je l'ai entendu renifler toute la nuit.»

Frau Agathe a répondu : «Si vous êtes capable d'imaginer des sottises pareilles, c'est que vous n'êtes plus malade. Alors, levez-vous, faites votre lit et allez désherber le jardin.»

Depuis lors, elle veut partir en voyage, découvrir d'où vient le vent. L'au-delà du vent sera aussi l'au-delà du silence.

20

Les premières semaines après son arrivée à Frauenstein avec la tribu nama, Hanna passe le plus clair de son temps dans la chambrette grise qu'on lui a assignée. Face à tous ses souvenirs. L'intermède chez les Nama, entre une vie antérieure et le début d'une nouvelle, entre l'océan et le désert, entre le train et Frauenstein, entre la vie et la mort, la conscience et l'oubli, tout cela demeure un fluide, un assortiment confus d'images, aquarelles fondues sur une feuille de papier, espace d'histoires, de possibilités et d'impossibilités. Elle laisse errer ses pensées. Le voyage en train... Non, pas ça, il faut l'effacer de sa mémoire. La traversée sur le *Hans Woermann*, plutôt. Lotte. Pour la première fois, Hanna a le loisir de faire son deuil, et elle s'y attelle. Deuil autant d'elle-même que de la jeune femme qui a brièvement partagé sa couche, sa vie. Une femme perdue par les lubies de la bureaucratie lorsque le nom de Hanna X a été inscrit sur un registre. Hanna est morte, songera-t-elle. C'est la stricte vérité, car rien ne reste de la personne qu'elle était naguère ou peut avoir été. C'est donc qu'elle doit être morte! Cela ne fait que la lier plus fatalement et plus merveilleusement à Lotte.

Plus besoin de craindre le monde extérieur, désormais. Le pire qui pouvait lui arriver est arrivé. La mort de Lotte, le drame du train, sa propre mort dans le désert. On ne peut plus rien lui prendre. Elle est parvenue à un calme inviolé. La négligence du greffier du *Hans Woermann*, scellée par ce qui s'est passé dans le train, l'a éloignée des vies ordinaires des gens ordinaires.

Tout cela est confirmé, si besoin est, par ce qui se passe lorsque le commando apporte la nouvelle du «triomphe» de l'expédition punitive contre les Nama, en représailles du mal que ces derniers sont censés lui avoir fait. Pour célébrer la victoire, les soldats sont invités pour plusieurs heures à Frauenstein, comme il est coutume dans l'établissement : ils ont droit à un banquet et la demeure est à leur disposition. Comme cela est arrivé dans le passé et se répétera à l'avenir. Hanna, qui s'est d'abord cachée dans le grenier, se calfeutre à présent dans sa chambre, pétrifiée par la nouvelle, et plus encore par ce qu'elle ravive : les souvenirs du train. Mais Hanna n'a rien à craindre. Lorsque trois, quatre, cinq soldats font irruption dans sa chambre, installée à un guéridon rudimentaire, elle leur lance un simple regard et, quand ils voient son visage, ils s'immobilisent, bouche bée, et, l'air grave, battent en retraite, fermant la porte derrière eux. Confirmation éclatante qu'en effet elle n'a plus rien à craindre. Confirmation douloureuse, également, d'un rejet définitif et total. Même ces charognards n'ont pas voulu d'elle. Elle est descendue plus bas que la femme, plus bas que les animaux et les melons sauvages dont ces hommes se servent pour copuler lorsqu'ils n'ont rien d'autre sous la main.

À partir de ce jour-là, elle ne montrera plus jamais son visage. Son grand kappie pointu lui couvrira le crâne et plongera sa figure dans l'ombre, jour et nuit. Même les remontrances de Frau Knesebeck ne la feront pas changer d'avis. Mais pourquoi le porte-t-elle, vraiment? Pour épargner les autres ou s'épargner elle-même? Pour confirmer, en fin de compte, son indignité ou sauvegarder l'ultime lambeau d'une dignité pathétique?

Non que les autres pensionnaires se soucient de la questionner. Elles savent, maintenant, qu'elle ne peut pas leur fournir de réponse. Mais il y a plus. Parce qu'elle ne peut parler, elles semblent croire qu'elle n'a pas toute sa tête. Quand elles s'adressent à Hanna, elles emploient des mots simples et articulent très lentement, en accentuant toutes les syllabes. Elle aimerait leur crier : pour l'amour de Dieu, je ne suis pas sourde, je ne suis pas idiote, je comprends parfaitement! Les premiers jours, les premières *semaines*, une fois seule, elle en pleure de rage; elle arrache les rideaux aux fenêtres, elle casse tout, frappe du poing contre les murs ou se tape la tête contre eux jusqu'à se faire saigner les articulations ou se faire des bleus au front, qui enflent méchamment par la suite. (La seule réaction de ses compagnes consiste à agiter les mains en signe de commisération : pauvre créature, c'est une folle, une détraquée, soyons patiente avec elle, traitons-la avec encore plus de circonspection, elle a le cerveau d'une enfant.) À la longue, elle se résigne. Toute résistance est vaine. C'est sa vie, désormais. Il faut la vivre, bon an mal an. Ce repli forcé sur soi-même, pire qu'avant, n'est peut-être pas sans consolation.

À l'orphelinat, elle faisait tout son possible pour plaire à Frau Agathe et aux autres, pour s'attirer leur approbation sinon leur amour. Certes, à leurs yeux, elle n'en a jamais fait suffisamment. Elle était incapable de se prostrer à tout bout de champ, de s'insinuer dans les bonnes grâces des gens, de devenir obséquieuse : raison pour laquelle on a continué à penser qu'elle était butée et insoumise – et on la punissait avec une sévérité d'autant plus grande. Bien sûr, elle avait sa longue cascade de longs cheveux, qui convainquait toutes les femmes du personnel qu'elle sacrifiait probablement au péché d'orgueil. Mais ce qu'elle souhaitait ardemment, parce qu'elle était si maladroite et renversait toujours tout, cassait sans cesse et disait ce qu'il ne fallait pas, c'était leur faire comprendre (Dieu, viens-moi en aide !) qu'elle essayait, qu'elle aussi avait besoin d'être reconnue, fût-ce à contrecœur. Or, maintenant, même cet effort-là n'est plus nécessaire. Elle peut se retirer entièrement et cela ne leur fera rien : elle est comme ça, diront-elles, après ce que ces sauvages de Nama lui ont fait, comment lui refuser le droit de ne pas être «comme nous» ? Pauvre fille, pauvre laideron !

Au début, surtout après la visite du commando punitif, Hanna éprouve un besoin irrépressible de se confier. Elle doit révéler à Frau Knesebeck ce qui s'est réellement passé chez les Nama. On ne peut passer sous silence l'effroyable erreur de la soldatesque. Mais comment communiquer cela avec des grognements, des gémissements et des lamentations? C'est la seule réaction qu'elle peut avoir lorsque quelqu'un raconte l'épisode, et le personnel croit qu'elle a perdu la raison à l'évocation de ce qu'elle a enduré chez les sauvages. On l'emmène dans sa chambre, de force, quoique avec toute la sympathie de la communauté. C'est pourquoi elle décide d'écrire son histoire. Au prix de gestes éperdus, elle réussit à obtenir de Frau Knesebeck, qui la croyait analphabète, une rame de papier, une plume, des becs de rechange et un encrier : cela la calme. C'est le dernier moyen qui lui reste de découvrir à tâtons le mur de silence qui l'entoure, de chercher un interlocuteur capable de lui répondre. Il doit bien y avoir quelqu'un, quelque chose, au-delà...

Toute la nuit, à la faible lueur de son unique bougie, elle écrit, de l'ample calligraphie enfantine qu'on lui a enseignée à l'orphelinat. L'écriture est irrégulière et les pages sont criblées de taches, d'éclaboussures et de pâtés, parce qu'elle ne contrôle pas encore ses émotions. Elle casse deux plumes. Elle a les mains maculées d'encre (elle en a aussi un peu sur le visage). De temps à autre, elle doit s'arrêter pour se calmer; elle fait le tour de sa chambre ou monte et descend les escaliers de l'immense et lugubre bâtisse. Mais, chaque fois, elle retourne à son labeur, mue par le besoin de raconter son histoire. Soit, elle ne peut plus rien pour les Nama (qu'elle appelle mentalement : «mes» Nama), mais, au moins, il faut que quelqu'un *sache*! Cela pourrait changer le sort d'autres indigènes.

Laborieusement, minutieusement, elle consigne tout ce qu'elle se rappelle de son séjour dans la tribu : ses souvenirs confus des premiers temps, les visages, les mots ; la façon dont les femmes se sont occupées d'elle, les herbes médicinales et les décoctions qu'elles la forçaient à avaler, les pommades et les onguents qu'elles appliquaient sur ses blessures. Les chants qu'elle écoutait, les danses à la pleine lune, les curieux instruments de musique, les rythmes monotones mais entêtants du *t'koi-t'koi* et du *ghura*. Et puis les contes en petit nègre, les inventions sans fin des vieilles. Le soin qu'elles avaient pris d'elle, la généreuse attention qu'on lui avait prodiguée pour s'assurer qu'elle ne se fatigue pas trop durant la longue marche jusqu'à Frauenstein.

À l'aurore, elle descend jusqu'au bureau de Frau Knesebeck le tas de feuilles noircies de ses pattes de mouches.

«Vous êtes levée bien tôt!» s'exclame la directrice, tirée à quatre épingles.

Hanna se contente de hausser les épaules avec impatience, fourrant les feuilles dans les mains de son interlocutrice.

«Très bien, dit Frau Knesebeck sur le ton qu'on emploie avec les gamins. Hum, ce n'est pas très soigné mais je suis sûre que vous avez fait de votre mieux.» Et d'ouvrir un tiroir pour y glisser les feuilles de papier.

Agitée, Hanna contourne la table de travail, rouvre le tiroir et, tout excitée, pointant l'index, désigne les papiers.

«Ne vous inquiétez donc pas, je vous promets de lire votre prose avec une grande attention.»

Hanna tire le coude de la femme, désigne ses yeux, caresse les feuilles, les ressort du tiroir. Elle essaie de lui dire : *Lisez, lisez maintenant!*

«Calmez-vous donc!» Frau Knesebeck la réprimande avec fermeté, non sans un soupçon d'agacement dans la voix. «Je suis très impressionnée par votre effort mais il faut m'accorder un peu de temps pour lire.»

Le souffle court, Hanna reste plantée là un certain temps. Frau Knesebeck doit lui faire comprendre plus clairement qu'elle a d'autres chats à fouetter pour que, épaules basses, Hanna se résigne à s'en aller. En fin d'après-midi, entendant que Frau Knesebeck est à la buanderie, Hanna retourne au bureau, sort ses feuilles du tiroir et les remet au beau milieu de la table de travail.

Ce soir-là, épuisée, elle ne trouve pas le sommeil. Elle se remet à l'ouvrage, passe des heures à sa table. Mais, cette fois-ci, elle ne décrit pas son séjour chez les Nama : elle note, au petit bonheur, tout ce qui lui passe par la tête et qui a trait à son passé plus lointain : l'orphelinat; Frau Agathe; le jour, perdu dans la nuit des temps désormais, où, sur la berge, elle a rencontré la petite étrangère (le coquillage a disparu, écrit-elle, perdu dans le cauchemar du train, perdu à jamais, le son de la mer avec). Elle évoque également ses compagnes Trixie, Spixie et Finny. Le lendemain matin, elle descend au bureau déposer sa nouvelle production.

Frau Knesebeck lui fait signe de poser cette deuxième offrande sur le coin de la table.

Hanna reste plantée là.

«Qu'attendez-vous?» Après un instant, Frau Knesebeck force ses lèvres fines à exécuter l'un de ses sourires qui ressemblent tellement à une grimace... «Oh, je vois.» Elle ouvre le tiroir, en sort la précieuse liasse, la pousse sur le bureau vers Hanna. «Oui, hum...» Elle joint les doigts. «J'ai lu votre prose avec grand intérêt. Cela a dû être insupportable, d'être soumise aux lubies et aux cruautés de ces indigènes. Pire que ce que j'avais imaginé. Tu es très courageuse, certes. Je t'en félicite. Maintenant...» Elle se lève vivement. «Espérons que, grâce à l'écriture, tu auras balayé tout cela de ton esprit. Tu te sentiras bientôt une nouvelle femme.» Frau Knesebeck jette un coup d'œil à la nouvelle liasse sur sa table : «Je lirai ceci dès que possible. Mais je te conseille de tirer un trait sur cet épisode. Il ne faudrait pas que tu reviennes sans cesse sur ce mauvais souvenir, n'est-ce pas? Le crime a été puni, ta souffrance a été vengée. À présent, nous pouvons aller de l'avant.»

La troisième nuit, de plus en plus lasse, désespérée, plombée, Hanna n'essaie même pas de tirer une logique de ce qu'elle écrit sur les nombreuses feuilles qu'elle noircit de ses notations vagabondes : citations qu'elle se rappelle de la lecture de vieux ouvrages; bribes des vies de Werther et de Jeanne d'Arc; rimes faciles; comptines enfantines; slogans des rues de Brême; longs mots dont elle se souvient de dictées à l'école, mal orthographiés à dessein; et puis, en proie à une rage qu'elle ne peut s'expliquer elle-même, tous les jurons et insultes qu'elle a jamais entendus, ceux qui lui valaient autrefois qu'on lui rinçât la bouche avec un savon noir qui empestait. Et jusqu'à l'inoubliable phrase prononcée par le gradé dans le train, cette fameuse nuit...

Le lendemain matin, presque joyeuse, elle porte la nouvelle livraison à Frau Knesebeck et l'échange contre la précédente.

«Une autre tentative?» s'enquiert la directrice. L'irritation fuse maintenant à la surface de la voix. «J'ai jeté un coup d'œil à votre effort d'hier. Très bien, naturellement... Mais je crois vraiment que nous avons épuisé le filon.» Elle glisse la nouvelle livraison dans le tiroir. «Je lirai ces pages aussi, bien sûr. Mais vous comprendrez que j'ai beaucoup de travail par ailleurs. Je vous avertirai quand j'aurai terminé.»

Trois jours après, Hanna retourne dans le bureau de Frau Knesebeck et attend patiemment à la porte que la femme lève brusquement la tête et lui demande : «Eh bien, qu'y a-t-il encore?»

Hanna désigne le tiroir.

«Oui, oui, bien sûr.» Frau Knesebeck ouvre le tiroir et en sort le manuscrit. «C'est remarquable, l'effort que vous avez fourni cette fois encore. Vous pouvez être fière de vous. Nous, nous le sommes, en tout cas.»

Tremblant d'une rage qu'elle a peine à maîtriser, Hanna se rue sur la table. D'un ample mouvement, elle ratisse les feuilles. Puis elle retourne précipitamment à la porte. Des larmes ruissellent sur ses joues mais elle ne produit aucun son.

«Néanmoins, je crois sincèrement que vous devriez vous appliquer davantage, lance Frau Knesebeck dans son dos. Cela donne l'impression d'être écrit à la va-vite. Les lettres ne sont pas tou-

jours correctement formées, les lignes sont irrégulières et il y a beaucoup trop de taches.»

Dans le four à l'arrière de la bâtisse, où on fait
le feu chaque jour, Hanna passe une demi-heure à
brûler tout ce qu'elle a écrit, feuille par feuille.
Elle se laisse emporter par sa fureur. Brûle, brûle...
comme un bûcher qui lui serait destiné. Or, au
fur et à mesure que la fatigue la gagne et que ses
mouvements se font plus lents, une satisfaction
profonde, inexplicable, l'envahit. Oui, son geste
est nécessaire. Comment pourrait-il en être autrement? Ce qu'elle a écrit ne méritait pas d'être
raconté. Ce n'était pas la vérité, ça n'aurait jamais
pu être la vérité, toute, et rien que... Comment
avait-elle pu imaginer qu'il pût en aller autrement?
La vérité ne se raconte pas : c'est précisément
pourquoi c'est la vérité.

Plus tard, ce jour-là, elle quitte Frauenstein, elle
cherche à en finir.

Un peu en dessous du nombril, légèrement sur la droite, Lotte a un petit grain de beauté. Hanna s'y arrête souvent avant que le bout de sa langue poursuive son chemin d'amour.

Il n'y a rien de furtif dans sa manière de sortir dans le désert. Enfant, lorsqu'elle fuyait l'orphelinat, elle prenait toujours garde à ce que son absence ne fût pas découverte trop tôt. À cette époque-là, elle avait toujours une idée claire de l'endroit où elle voulait aller. Un jour, quand elle était toute jeune, elle voulait aller sur la lune, un autre jour, jusqu'à l'endroit d'où le vent soufflait. Parfois, elle essayait de retrouver la trace de Spixie, Trixie et Finny. En deux occasions, au moins, plus pragmatique, en quittant l'édifice humide de la Hutfilterstrasse, elle avait emprunté le complexe labyrinthe de rues qui menaient à la place de l'hôtel de ville et à la cathédrale Saint-Petri, et traversé le quartier Schnoor puis le fleuve aux flots sombres en empruntant le bac gratuit jusqu'au Weserstrand sur l'autre rive, face au grand bassin de l'Europahafen. Mais jamais elle n'avait retrouvé la trace de la petite étrangère avec qui elle avait joué un jour. Les deux *Ausflügen* s'étaient donc soldés par un retour mélancolique.

Aujourd'hui, c'est différent. Elle ne se dirige vers rien du tout : elle fuit. D'ailleurs, elle ne dissimule ni ne met en scène sa décision. Qu'on la voie ou pas est sans importance. Au début de son séjour à Frauenstein, on ne la laissait jamais seule ; on désignait toujours des femmes qui devaient garder un œil sur elle. Mais, la chaleur aidant, leur vigilance s'est bientôt relâchée. Qu'est-ce que ça peut leur faire, qu'elle soit là ou ailleurs ? Personne ne l'apprécie, ne la déteste particulièrement. Elle est tolérée, comme toutes les autres ; ni plus ni moins.

Elle n'a rien prévu, ni vivres ni vêtements, pas même une gourde d'eau. Si elle avait encore eu son coquillage, elle l'aurait sans doute emporté ; mais elle ne l'a plus... ni lui ni les souvenirs perdus à tout jamais qui lui étaient liés. Son grand bonnet, aussi, elle l'a laissé sur place ; quelqu'un pourra en faire bon usage, il est quasiment neuf. Elle a besoin de si peu pour cet ultime voyage... Elle n'éprouve aucune tristesse, pas même de la répugnance. Le temps du départ est venu, voilà tout... À vrai dire, si elle ressent une quelconque émotion, ce serait plutôt une certaine hâte d'aller retrouver Lotte dans la mort. Elle n'espère découvrir aucun au-delà (en rejetant Dieu si tôt, elle a tourné le dos au salut comme à la damnation) mais elle éprouve un contentement serein dans l'acceptation du fait qu'elle va connaître le même sort que Lotte. D'une certaine façon, les Nama sont aussi de la partie. Sauf qu'eux n'ont pas choisi leur mort, ils en ont été les victimes. Pour Lotte et pour elle, c'est différent : c'est un acte délibéré.

C'est de Lotte qu'elle se sent le plus proche dans l'immensité du désert. Toutes les limites, y compris temporelles, se sont effacées progressivement. Dans cette extrémité, comme dans toutes, elles sont réunies. Comment Lotte aurait-elle réagi à son visage et à son corps balafrés si elle était encore là? La question est vaine. Elles *sont* ensemble, il n'y a pas de différence entre elles, elles sont une seule et même personne, un corps, un esprit, un rêve, plus intimes que dans le mariage. Ce voyage est nécessaire, dans l'intimité de soi.

En même temps, songe Hanna, il pourrait être le moyen d'approcher au plus près ce *là-bas*, cet *au-delà* dont elle a toujours pressenti l'existence sur l'autre rive de tout ce qu'elle connaissait. Enfant, il était associé à l'autre rive de la mer : pour elle, il avait alors pour nom «Irlande», cette île d'où venait la petite Susan. Beaucoup plus tard, quand elle avait postulé pour le départ en Afrique australe, il avait été représenté par cette terre lointaine accolée au turbulent Atlantique. Maintenant que *là-bas* est devenu *ici*, Hanna sait que tout est beaucoup plus complexe qu'elle ne le croyait. Ce qui définit l'*au-delà*, c'est, après tout, qu'on ne peut jamais, jamais l'atteindre. Sauf, peut-être, au cours de cet ultime voyage...

Quelque désolé que puisse lui apparaître le paysage alentour (terre rouge, rochers brûlés par le soleil, bruns et noirs, affleurements, arêtes et talus pierreux, moignons d'arbres, *bossies*, touffes d'herbe éparses), aux yeux de Hanna, il n'est pas vide mais habité par les histoires que les Nama lui ont racontées à l'envi. Les tourbillons de poussière au loin, c'est le Diable, *sarês*, en quête de victimes. Les cigales au crissement aigu chantent les louanges du dieu Tsui-Goab. Le lit à sec d'une rivière évaporée depuis longtemps est la trace d'un serpent magique. Et, quand la nuit tombe et qu'elle s'étend pour enfin se reposer, prostrée, sur le dos, les bras croisés sous la nuque afin de contempler le lent tournoiement des étoiles au firmament, elle reconnaît dans la Voie lactée les cendres blanches répandues par Tsui-Goab après qu'il eut défait le méchant dieu Gaunab, de sorte que le monde entier puisse voir quel chemin il avait emprunté pour retourner dans son domaine, le ciel noir. Et la lumière la plus lumineuse, celle de Khanous, l'étoile du berger, était jadis une éclatante fille nama qui avait repoussé une attaque des guerriers san, ces traîtres, en sacrifiant sa virginité à l'ennemi, seul moyen de sauver la tribu de son père.

Hanna est surprise de découvrir combien elle réussit à se remémorer ce que les ouailles de Xareb lui ont raconté. Même pendant les jours et les nuits où elle restait hébétée et somnolente, les histoires devaient s'être insinuées dans son corps mutilé et meurtri, tels des courants d'air et des pommades aux pouvoirs inexplicables. Elle entend encore la voix sèche de la vieille Taras lui souffler à l'oreille. «Il n'y a pas de douleur et de mal qu'une histoire ne peut guérir.»

Son voyage devient non pas un retour à son séjour dans la tribu, mais, en quelque sorte, sa consécration. Les Nama ont été les seuls êtres humains qui ne se soient pas rétractés à sa vue ou n'aient pas été médusés par le fait qu'elle ait été défigurée; pour eux, Hanna était simplement une personne dans le besoin. Même parmi les exclues à Frauenstein, elle demeurait une aberration et une curiosité. Comment, d'ailleurs, aurait-elle pu blâmer ses compagnes? Elle était un monstre à ses propres yeux. Quand elle errait de jour ou de nuit et surprenait brièvement son reflet dans la glace, elle détournait le regard ; elle ne souhaitait pas se confronter au spectre qu'elle était devenue. Or ici, dans le désert, restaurée au souvenir des petites gens qui lui ont sauvé la vie, l'ont soignée (et ont payé le prix fort pour cela), elle ne court aucun danger d'être confrontée à son reflet ; elle peut à nouveau être complète. Contrairement à ce qui se passait la nuit, dans son lit à Frauenstein, parce qu'elle redoutait d'affronter un miroir, ici elle éprouve le besoin de palper la surface et les contours de son visage, de ses seins, de son sexe, comme si, frappée de cécité depuis peu, elle devait apprendre à lire avec les doigts l'effroyable grimoire, en partie effacé, qu'elle est devenue. Ici, de retour avec les Nama de son souvenir, elle peut tout simplement *être* : nul besoin de confirmation extérieure. C'est une purification du corps et de l'esprit, un déshabillage qui la réduit à sa plus simple expression : parfaite préparation à la mort.

Il lui revient à l'esprit plus que des histoires. Le deuxième jour, quand la soif devient insupportable, la voici agenouillée à côté d'une plante ratatinée, qui ne ressemble à rien d'autre sur terre. Tandis que, instinctivement, elle se met à creuser le sol sablonneux, elle s'aperçoit soudain qu'elle fait ce que Xareb lui a montré : comment déterrer une racine de *norra*. La satisfaction que lui procure le jus frais et acide surpasse tout plaisir qu'elle se rappelle avoir goûté à Brême. L'expérience est répétée avec d'autres nourritures du veld : les feuilles hérissées d'épines de l'*aruma*, les petits melons verts du *tsamma*, les cosses orange du *kuke-makranka*. Elle a oublié beaucoup de noms mais elle se rappelle ce à quoi ces choses ressemblent, les endroits où il faut aller les quérir, leur goût. Une ou deux fois, elle commet une erreur et en paie le prix : crampes atroces, vomissements, diarrhée ; un jour, elle a tellement mal qu'elle croit mourir.

Elle se remet et éprouve une fierté immodérée. Alors, un vague sourire se dessine sur ses lèvres et elle comprend à quel point tout s'est brouillé dans son esprit : pourquoi devrait-elle être soulagée d'avoir surmonté la mort quand, en fait, elle est venue la chercher ? Elle sait, désormais, que ce n'est pas de cette manière qu'elle mettra fin à ses jours : un bon nageur sait qu'il serait vain d'essayer de se noyer.

La tribu de Xareb, comprend-elle, vient de la sauver une seconde fois. Après s'être requinquée avec les jus d'une autre racine et de feuilles d'aloès à la redoutable âcreté, elle rebrousse chemin tranquillement, repart vers l'est, d'où elle est venue. Retour sur un aller invisible : ses pas n'ont laissé aucune trace sur la croûte terrestre. Elle traverse en sens inverse le désert qui est devenu son havre. Elle rentre à Frauenstein.

Elle en est encore très loin quand elle distingue la fantastique forteresse sur fond de ciel à l'éclat menaçant. Et, un peu plus loin, l'affleurement rocheux avec son sommet d'où jaillit la source magique. De l'endroit où elle est, le rocher en forme de femme est nettement reconnaissable : le torse à moitié renversé, comme si la créature de roche se débattait contre sa pétrification pour se retourner, pour retourner vers ce qui se trouve dans son dos, quoi que ce soit. Voilà, songe Hanna, sans doute avec amertume, ce qui arrive aux femmes qui essaient de regarder en arrière.

Histoire racontée par la vieille Taras : celle du dieu escroc Heiseb qui, jeune homme, a quitté sa tribu afin de courir le monde, pour une durée intemporelle; quand, un beau jour, le fils prodigue revient, crasseux et poussiéreux, la peau flétrie de souvenirs et d'errances lointaines, il déboule, la démarche incertaine, dans son village natal qu'il a presque oublié : or il ne reste personne pour lui souhaiter la bienvenue, seulement des rochers et des tas de pierres. De là vient que, partout dans la région, les innombrables tombes des Heiseb sont encore marquées de cairns auxquels les passants, hommes et femmes, se doivent d'ajouter une nouvelle pierre. Hanna, elle aussi, rapporte une pierre de son errance et la dépose sous l'éminence, avant de passer la porte de l'inhospitalière demeure des femmes. Difficile de décrire ce qu'elle ressent. Tristesse? Regret? Crainte? Soulagement? Satisfaction? Sans doute, plutôt, une sorte de résignation : elle est partie, elle est revenue. Maintenant, elle se retrouve ici. Elle y restera jusqu'à la mort.

Elle est fatiguée, certes, épuisée même. Émaciée. Les souliers troués, les pieds en sang. Le visage cloqué par le soleil, d'un rougeoiement pourpre comme si on l'avait dépecée. À Frauenstein, elle trouvera l'ombre, l'eau, le repos. Pas forcément le sommeil : ce n'est pas l'oubli qu'elle recherche, mais une conscience au monde étale et continue.

Frau Knesebeck est dans son bureau quand elle réintègre la bâtisse. Hanna hésite sur le seuil. La directrice, assise à sa table, lève la tête. Elle ne trahit aucune surprise : «Tu es revenue...»

Hanna fait oui de la tête.

Frau Knesebeck regarde, accrochée au mur, la pendule lustrée avec ardeur : cadran strict, flanqué d'aigles aux ailes déployées, sculptés dans un bois sombre. «C'est l'heure de la traite», annonce-t-elle.

Hanna ressort. Elle n'est pas gênée de ne pas avoir le temps de se laver ou de se changer avant de se rendre à l'étable. Ça peut attendre. La routine prime, la routine qui suit son cours depuis bien avant qu'elle-même arrive dans l'institution, et qui continuera après sa mort. Dès le réveil aux aurores (on ne sonne pas de cloche à Frauenstein), les femmes sont censées suivre à la lettre le programme : traire les vaches, sortir les bêtes au pâturage, puis séparer le lait et entreposer la crème dans la glacière pour faire le beurre. Sortir les seaux hygiéniques au jardin... la dépendance tout en longueur avec sa rangée de trous dans la banquette en bois. Préparer le petit déjeuner, puis laver la vaisselle. Après quoi, ce sera l'heure de s'occuper, suivant le jour de la semaine, de la lessive, du repassage, du reprisage, du raccommodage, de laver les carreaux, de cirer les parquets, de nettoyer les abris, de couper le bois pour le feu. Une occupation pour chaque heure de chaque journée. Se rendre utile, s'occuper.

On peut trouver du réconfort dans l'invariabilité de la routine, qui laisse peu de place aux émois privés, au loisir de réfléchir à un passé défunt ou à un impossible avenir. Tout est ici, maintenant, à jamais. Hanna doit éliminer les sentiments, et jusqu'à la notion qu'une telle chose existe : trop sombre, trop dangereuse, trop imprévisible, désert dans lequel elle n'ose s'aventurer. La nuit, seulement, la traîtrise des rêves. La plupart sont des cauchemars terrifiants. Le pasteur Ulrich, Frau Agathe, la cave à tourbe, la porte du bureau du presbytère qui claque lourdement. Ou le train, le train toujours. Cauchemars tellement atroces que Hanna est réveillée par les cris qu'elle pousse en dormant. Les rêves plaisants sont plus rares. Elle entend la voix de la vieille Taras dévidant à son oreille son écheveau d'histoires; elle regarde des enfants qui jouent; ou bien elle se mêle à la tribu, tandis qu'on part en quête de nourriture, qu'on répare les huttes, qu'on rapporte des fagots ou qu'on égorge une chèvre. Plus rares encore, les nuits où Lotte prend forme dans l'obscurité pour venir partager sa couche; Hanna rêve qu'elle se réveille et sent la caresse d'une main, légère comme le murmure du vent ou un papillon qui atterrirait sur sa poitrine (elle a encore ses tétons) ou entre les cuisses (son sexe a encore des lèvres). Avec ses mains et sa bouche, elle retourne la caresse et sent un corps qui, à son toucher, acquiert de la substance. C'est ainsi qu'elle découvrira que le désir demeure possible, même s'il est insoutenable. Ensuite, elle ne dormira pas de toute la nuit, le corps rigide de désir; elle attend que la morne aurore se répande dans sa chambre et apporte les premiers sons d'une nouvelle journée, la reprise de la routine.

23

La routine est, de même, la marque de ses années de service. Peu après avoir guéri de sa pneumonie, avant même d'avoir recouvré toutes ses forces, on la «place» pour la première fois. Frau Agathe a déniché «juste les gens qu'il faut» : un couple avec quatre petits enfants, un cinquième en route. Hanna est encore abattue d'apprendre qu'elle ne retournera jamais à l'école; mais elle trouve une certaine consolation dans la perspective de quitter à jamais l'orphelinat. Elle se persuade que ses futurs employeurs, les Klatt, seront de bonnes gens. Frau Hildegard, le dos droit, le regard d'acier, cheveux blonds ramassés en un chignon serré sur la nuque, clame sa croyance en une discipline de fer; il va falloir rester sur ses gardes avec cette femme-là... mais Hanna a l'habitude. Herr Dieter semble plutôt affable et jovial. Banquier, il respire la prospérité : il a un gros visage poupin.

Il y a un problème au départ mais il ne semble pas, du moins pour l'instant, insurmontable. L'orphelinat ne l'autorise pas à emporter quoi que ce soit, à l'exception du coquillage de la petite étrangère du Weserstrand, que Frau Agathe, dédaigneusement, déclare quantité négligeable, babiole infantile! Il n'est pas jusqu'à ses vêtements usés et élimés qu'elle ne doive laisser derrière elle pour quelque triste remplaçante. Herr et Frau Klatt devront donc lui fournir une nouvelle tenue et au moins un change. L'affaire est vite réglée. Frau Hildegard et Frau Agathe décident ensemble que tout ce qui sera fourni à Hanna sera déduit de ses gages. Le remboursement sera échelonné. Comme il est d'usage que la moitié du salaire mensuel de quarante marks soit reversé directement à l'orphelinat, Hanna ne percevra que des broutilles. Dans l'absolu, cela ne la gêne guère, car elle n'a jamais eu le moindre sou. Mais cela n'en devient pas moins un problème quand elle découvre qu'il lui faut faire face à tout un tas de dépenses cachées : de menus articles comme son savon, des bougies et même le sucre; ses repas de la fin de semaine (elle est supposée avoir quartier libre mais elle n'a guère le choix que de rester dans sa chambre de bonne, grande comme un mouchoir de poche, là-haut sous les combles froids et sombres des Klatt; ce qui signifie qu'elle demeure à leur disposition pendant ce temps). Et, bien sûr, elle est censée rembourser tout bris dont elle serait responsable. Compte tenu de sa propension à casser assiettes, plats et tasses, voire des objets plus onéreux comme des vases ou des objets décoratifs qu'il faut épousseter tous les jours, les déductions excèdent bientôt ses gages. En outre, Frau Hildegard a conçu un système de pénalités pour tout ce qu'elle considère comme une transgression ou une négligence dans le service : ne pas se réveiller le matin, arriver en retard aux repas, oublier de ramasser le linge, négliger de nettoyer après les activités des enfants, lire pendant les heures de travail ou, tout simplement, «être une gêne».

Ces suppléments s'élèvent vite à une somme telle que, dès le deuxième mois, Hanna comprend qu'elle n'aura pas assez d'une année entière pour rembourser toutes ses dettes. Quand elle soulève le problème auprès de Frau Hildegard, celle-ci la rabroue laconiquement :

«Inutile de vous inquiéter. Si vous vous comportez bien, vous resterez avec nous pendant des années.

— Mais... sans aucun argent?»

Frau Hildegard hausse les épaules. «Cela dépend de vous, n'est-ce pas?»

Hanna a eu tôt fait de comprendre que Frau Hildegard n'est pas heureuse. Plus précisément, elle tire son seul bonheur d'être malheureuse. Elle garde perpétuellement rancune de tout au monde entier. La raison n'en est pas claire, puisque Herr Dieter lui assure une existence plutôt confortable, quoique, ainsi qu'elle est prompte à le rappeler, pas aussi confortable que celle dont elle jouissait chez son père. Elle garde rancune à ses enfants, elle garde rancune à la plupart de ses amies, elle garde une rancune incommensurable à sa belle-famille, elle garde rancune à sa sombre demeure et, par-dessus tout, à son époux parce qu'il sourit toujours, comme s'il était incapable de prendre la vie au sérieux. Inévitablement, elle garde rancune à Hanna...

À l'issue du troisième mois, quand Frau Hildegard mentionne en passant le total des dettes que

Hanna a contractées, cette dernière demande à voir son compte.

«Quel compte? Que voulez-vous dire? Votre compte? N'est-ce pas assez que je vous dise combien vous devez?

— Je vous prie de m'excuser mais pourrais-je voir un papier?

— Je n'ai pas le temps maintenant.

— Alors, demain?»

Après s'être enquise poliment du papier pendant quatre jours, Hanna, tandis qu'elle fait la vaisselle, voit brusquement Frau Hildegard déposer à côté d'elle un compte rédigé à la main : «Je suis certaine que vous trouverez que les chiffres concordent», rétorque sa patronne, sur un ton mordant.

Ce soir-là, après son travail, Hanna étudie attentivement chaque entrée et trace une croix à côté des indications qu'elle ne trouve pas claires. En servant le petit déjeuner le lendemain matin, elle place le document corrigé près de l'assiette de Frau Hildegard.

«J'ai marqué ce que je ne comprenais pas, dit-elle posément.

— J'ignorais que vous saviez lire, réplique Frau Hildegard.

— La petite est plus futée que tu ne le crois! lâche Herr Dieter en riant.

— Je ne trouve pas cela amusant», rétorque son épouse. Et, se tournant vers Hanna : «Je m'en occuperai quand j'en aurai le temps.»

Lorsque, le surlendemain, sa patronne, se préparant à sortir, semble avoir oublié sa promesse, Hanna la lui rappelle gentiment.

«J'ai fait les comptes moi-même. Je suis certaine qu'ils sont corrects, réplique Frau Hildegard en se retournant pour prendre son chapeau.

— Si cela ne vous dérange pas, j'aimerais les vérifier avec vous.»

Il apparaît que le document a été égaré.

«Je me rappelle ce qui n'allait pas, renchérit Hanna, sans se démonter. D'abord, vous disiez que j'avais cassé trois tasses. Je n'en ai cassé que deux. Puis que j'avais perdu une chemise de Herr Dieter. Ce n'était qu'une chaussette : la petite Gretchen l'avait prise pour en faire une marionnette. Et...»

Frau Hildegard explose : «Oseriez-vous me traiter de menteuse?

— Non, Frau Hildegard. Je dis seulement qu'il y avait des erreurs. Quand on a aussi peu d'argent que moi, un pfennig fait une grande différence.

— Allez-vous vous plaindre de vos gages, maintenant?»

À cet instant Herr Dieter arrive du jardin, prêt à partir pour la banque; il laisse des traces de boue sur le parquet, traces que Hanna devra nettoyer plus tard. «Quelle est cette chamaillerie? demande-t-il d'un air bienveillant, en adressant un clin d'œil à Hanna.

— Cette... cette *fille* m'accuse de la tromper! (Le mot qu'elle utilise est le fort insultant *Dirne*.)

— Il ne s'agit que de quelques erreurs, voyez-vous, Herr Dieter, indique Hanna d'une voix hésitante. Elle dit que j'ai perdu une de vos chemises au lavage...

— Je ne me souviens pas qu'une de mes chemises manquerait, dit-il. Une chaussette, sans

159

doute... Mais je crois avoir vu Gretchen partir avec.

— Prenez-vous le parti de cette souillon contre votre propre épouse? s'enquiert Frau Hildegard, narines dilatées. Dans mon état...!

— J'essaie seulement d'être juste, répond-il, jovial. Tout le monde peut se tromper.

— Je ne me trompe jamais.» Frau Hildegard arrache son chapeau et se réfugie dans sa chambre à coucher — où tous deux savent fort bien qu'elle passera le restant de la journée, des compresses sur le front.

«Je suis vraiment navrée, Herr Dieter, s'excuse Hanna en bégayant. Mais j'ai besoin de mon argent et, de cette manière-là, je ne gagnerai jamais rien.

— Je me débrouillerai avec elle», promet-il. Et de lui pincer gentiment la joue. «Laisse-moi régler l'affaire.» Juste avant de la quitter, il paraît changer d'avis et revient vers elle. «Aimerais-tu gagner quelques pfennigs supplémentaires?»

Elle le fixe du regard mais il ne semble y avoir aucune malice, aucune menace dans son visage poupon. «Je ferais n'importe quoi, Herr Dieter.

— À quelle heure finis-tu ton service?

— À huit heures, Herr Dieter. Mais, parfois, Frau Hildegard veut que je fasse du repassage ensuite.

— Pas ce soir.» Le ton est ferme. «Viens dans mon bureau tout de suite après huit heures.»

Hanna ne bouge pas. «Herr Dieter...?

— Tu peux y aller, maintenant», ordonne-t-il avec un large sourire.

Une foule de pensées se pressent dans l'esprit de Hanna tandis qu'elle vaque à ses occupations de la journée : faire les lits, nettoyer les planchers, emmener les enfants au parc, aller au marché, préparer le déjeuner, faire la lessive, astiquer l'argenterie, préparer le dîner, mettre les enfants au lit. Et puis il est huit heures.

Il lève la tête quand elle se présente sur le seuil de la *Herrenzimmer*.

«Ferme la porte, Hanna, dit-il en repoussant des dossiers, se calant en arrière, croisant les bras sur son puissant thorax. Approche. Tu n'as pas peur de moi, au moins?»

Elle fait non de la tête, déglutit. Soudain, la scène lui rappelle tant le presbytère du pasteur Ulrich qu'elle a une suée.

«Quel âge as-tu, Hanna?»

Elle lui dit son âge. Avant d'ajouter instantanément : «Je ne fais pas de mauvaises choses, Herr Dieter.

— Je n'imaginerais jamais que tu puisses en faire.» Le ton est tellement débonnaire que les craintes de Hanna commencent à s'atténuer. «Viens, assieds-toi ici.» Il désigne un fauteuil devant sa table de travail.

Elle approche mais préfère rester debout.

«Je serai franc avec toi, Hanna. Tu n'es pas vraiment ce qu'on appellerait une jolie fille.»

Elle lui oppose un regard vide.

«Mais tu as de beaux cheveux.»

Pas plus de réaction.

«Montre-moi tes nénés», dit-il, du ton le plus banal qui soit, comme s'il lui avait demandé de lui montrer ses ongles.

Hanna recule de plusieurs pas, tourne la tête pour évaluer la distance jusqu'à la porte.

«Je te promets de ne pas te toucher», fait-il. Plongeant une main dans la poche de sa veste d'intérieur, il en sort un assortiment de pièces qu'il pose sur le coin de sa table de travail. Hanna ne les compte pas mais un seul regard lui suffit pour comprendre qu'elles représentent plusieurs journées de gages.

Elle ne bouge pas.

«Ôte ton chemisier, répète-t-il en tapotant très légèrement, d'un doigt, la petite pile de pièces.

— Je vous en supplie, Herr Dieter..., lâche-t-elle, mais les sons restent coincés dans sa gorge.

— Je suis certain que tu as de charmants petits tétons.

— Vraiment, vous ne me toucherez pas?

— Tu as ma parole.» Il reste assis dans son gros fauteuil derrière sa table de travail.

Elle le dévisage plusieurs secondes, puis elle fixe du regard les pièces de monnaie, avant de lever les mains, avec un vague haussement d'épaules (quelles créatures étranges, ces hommes!). Les doigts engourdis, elle déboutonne son chemisier blanc tout simple. Elle lève encore les yeux vers lui. Elle lui décoche un regard de biais avant d'écarter les deux pans du chemisier.

«Enlève-le.»

Elle prend une profonde inspiration et fait glisser le vêtement, tout en se couvrant la poitrine des mains un instant, instinctivement. Ensuite, elle se résigne, les yeux rivés sur un détail du plancher. Elle sent durcir ses tétons; elle est gênée, mécontente d'elle-même.

Le silence dure si longtemps qu'elle finit par relever la tête. Une expression d'une intensité curieuse habite le visage poupin de son employeur. Qui reste muet. Enfin, il pousse un gémissement réprimé, discret, se passe une main sur le visage et déclare : «Tu peux partir, maintenant. Merci.»

Elle est si pressée qu'elle ne se reboutonne qu'à moitié; elle a déjà atteint la porte quand il dit dans son dos : «Ton argent.»

Agitée, elle se retourne, lui lance un regard circonspect. Semblant se désintéresser d'elle, il s'est replongé dans ses dossiers. En toute hâte, traînant les pieds, elle retourne à la table de travail, ramasse l'argent, laisse échapper plusieurs pièces, se penche pour les récupérer, se cogne la tête contre le rebord de la table en se relevant trop vite, et file.

Neuf jours plus tard (Hanna tient les comptes), quand elle est priée derechef de se rendre au bureau après les corvées de la journée, comme pour la forme, comme si elle ôtait une socquette, elle se dénude selon les ordres de son patron. Mais, cette fois, il se lève derrière sa table de travail et dit : «Est-ce que cela te gênerait si je les touchais?

— Seulement toucher?

— Seulement toucher.

— D'accord. Mais ce sera plus cher.»

Les semaines qui suivent, ce toucher, d'abord un simple effleurement du bout des doigts, s'enhardit; certains soirs, après que Herr Dieter s'est emporté quelque peu, ses seins fragiles, qu'il a pressés et malaxés, font mal à Hanna, lui causent des insomnies. Elle ne s'en plaint jamais mais insiste, avec moult excuses, pour être payée quelques pfennigs de plus.

Le temps vient, peu après que Frau Hildegard a mis au monde son cinquième enfant, où Herr Dieter demande à Hanna, comme une faveur insigne, si elle ne pourrait pas se mettre complètement nue. Seulement s'il promet de ne pas la toucher en dessous du nombril, prévient-elle. Il accepte. Plus tard, il lui offrira le double du tarif précédent pour avoir le privilège de toucher, mais Hanna refusera. C'est une décision difficile, parce qu'elle pourrait gagner deux marks de plus alors que, au fil des dernières semaines, le rythme des pénalités imposées par Frau Hildegard s'est emballé. Hanna tient ferme. Elle ne tolérera pas un second pasteur Ulrich, même pour de l'argent.

24

Parallèlement, la routine quotidienne est alourdie de multiples corvées. Depuis la naissance du bébé, les autres enfants sont devenus plus exigeants; il est rarement moins de dix heures quand Hanna a le droit de monter subrepticement à son grenier chichement éclairé. (Elle a pensé abandonner l'usage de la bougie pour économiser quelques pfennigs mais elle craint trop l'obscurité, à la faveur de laquelle rôdent des bêtes effroyables.) À maintes reprises, on lui demande de prendre le bébé avec elle pour la nuit, lorsque Frau Hildegard, dont la rancune à l'égard du nourrisson est invraisemblable, a besoin de dormir sans être dérangée. L'enfant semble atteint d'une diarrhée chronique et le volume de linge sale en est augmenté d'autant. En outre, Hanna doit faire toutes les courses, puisque Frau Hildegard est alitée la plupart du temps.

Les seules échappatoires de Hanna, ses rares loisirs, ce sont ses visites à Fräulein Braunschweig, dans son ancienne école. Cela lui coûte plusieurs précieux pfennigs pour le tramway mais il n'y a pas d'autre moyen car les Klatt vivent loin du centre et, si elle faisait le trajet à pied, il lui faudrait l'après-midi. Elles passent leur temps à bavarder. Il y a toujours tellement à raconter, pas sur le travail parce qu'il ne vaut pas la peine qu'on s'y attarde, et pas sur Herr Dieter, parce que Hanna trouve le sujet gênant, mais sur les enfants, qu'elle aime bien en dépit du tracas qu'ils lui donnent et des tours qu'ils lui jouent ; et sur ses pensées, les livres qu'elle a lus depuis la rencontre précédente ; sur ses rêves d'un avenir lointain quand elle ne sera plus domestique mais employée dans une bibliothèque ou une librairie, lorsqu'elle gagnera de l'argent et pourra parcourir le monde.

Ces visites ont donc d'abord pour cadre la vieille salle de classe mais les deux amies les transfèrent bientôt au petit appartement de Fräulein Braunschweig, à deux pas de là, dans une ruelle près de la Marktplatz. Au début, Fräulein Braunschweig a toujours préparé le café avant que Hanna arrive. Mais elle s'étonne de l'appétit vorace avec lequel la jeune fille se jette sur les pâtés qu'elle a confectionnés, et quelques questions en passant lui apprennent que Hanna est fort mal nourrie chez les Klatt (un régime de café noir, de pain rassis et, les jours fastes, de restes). Par la suite, elle fait en sorte qu'un repas complet attende toujours son invitée les jours de visite.

Au fur et à mesure que leur amitié s'enrichit, Fräulein Braunschweig se dévoile davantage. Elle évoque le jeune soldat, Otto, à qui elle était fiancée et en compagnie duquel elle avait prévu de voir le monde. Mais la guerre contre la France éclata et il dut partir au front.

«Le soir avant son départ, je n'ai pas arrêté de pleurer. Je *savais* qu'il allait mourir. Mais il était tellement plein de vie, tellement joyeux, il croyait tellement que la guerre lui réservait de grandes choses. Et puis... j'imagine que c'était inévitable... et puis... et puis... hum, nous étions fiancés et... alors, nous avons pensé...» Un long silence. «Et le lendemain, il est parti. Il a été tué. C'est seulement après sa mort que j'ai découvert que j'étais enceinte.»

Hanna prend la main de son professeur entre les siennes. Elle éclate en sanglots. N'est-il pas ironique que ce soit Fräulein Braunschweig qui doive la consoler?

«J'étais trop troublée pour y voir clair. Bien sûr, j'étais encore très jeune. J'étais obnubilée par la réaction de mes parents. Alors, je me suis débarrassée de l'enfant.»

Hanna sent la peau sur ses mâchoires se contracter.

«Oh, que je vous plains..., lâche-t-elle. Que je vous plains...

— Suffit..., réplique Fräulein Braunschweig d'un ton ferme. C'est arrivé il y a si longtemps...» Elle se lève, s'avance et, furtivement, presse son visage contre celui de Hanna. «D'une certaine façon, vois-tu, j'en suis venue à te considérer comme l'enfant que je n'ai pas eu. Si bien que cette histoire n'est pas aussi triste qu'elle en a l'air. Viens, je crois que c'est l'heure de tes livres.»

Fräulein Braunschweig autorise Hanna à fouiller librement dans les étagères de sa bibliothèque. Au fil des mois, sa modeste série de livres de voyage s'étoffe discrètement, afin que Hanna trouve toujours une nouvelle lecture. La Turquie, l'Inde, les îles grecques, l'Irlande, l'Amérique du Sud, l'Afrique...

Elles ne reparlent plus du passé de Fräulein Braunschweig; ce serait vain. Le professeur a dit tout ce qu'elle était prête à en dire. Et il y a tant d'autres sujets à aborder!

Maintes fois, la conversation revient sur Jeanne d'Arc, avec laquelle Hanna continue d'entretenir une relation passionnée. Certains épisodes de la vie de Jeanne ne manquent jamais de l'intriguer et de la ravir. Le trajet de Vaucouleurs à Chinon, quand elle dort innocemment, tous les soirs, entre les deux hommes de son escorte, Poulengy et Jean de Metz, qu'elle impressionne tant, par l'innocence de sa présence directe et forte, que jamais ils ne songent à la toucher. Son goût désarmant, de petite fille, pour les beaux habits : ceinture en peau de chevreau, chausses rembourrées, souliers en cuir, cotte de maille finement ouvragée en acier poli, et bien sûr, son étendard flamboyant avec son légendaire et triomphant *Jhesu Maria*. Et sa blessure au siège d'Orléans! Jeanne reçoit une flèche qui pénètre de plusieurs pouces dans sa chair, juste au-dessus du sein gauche : elle éclate en sanglots mais a tout de même le courage de la retirer de ses propres mains, avant d'autoriser les soldats à étancher le sang et à soigner la plaie avec de l'huile d'olive et du lard. Et la façon dont, prisonnière au château de Beaurevoir, en route vers son procès et le bûcher à Rouen, elle sombre dans le désespoir et, sans tenir compte, pour une fois, des avertissements des voix, elle se jette d'une tour de vingt mètres de haut, sans même se fouler une cheville!

Et ainsi de suite, les histoires se succèdent, et Hanna les absorbe comme pour calmer une soif dévorante.

Parfois, les après-midi d'été, Fräulein Braunschweig emmène Hanna en promenade dans la vieille ville et lui raconte des histoires sur le passé, des bribes d'histoire entremêlées d'inventions ; hormis l'épopée de Jeanne, Hanna est particulièrement friande des contes des frères Grimm. Comme si leur obscurité illuminait certains aspects de son existence. Elle est fascinée par les plus effrayants : l'ouverture de la chambre secrète de Barbe-Bleue, la mort du cheval du petit gardien d'oies, la mort de Blanche-Neige, l'injustice de la princesse envers Rumpelstiltskin, les marâtres, les sorcières, les méchantes reines... Si Fräulein Braunschweig est perturbée par cette fascination morbide, elle ne tente jamais, du moins ouvertement, d'influencer Hanna. La pauvre enfant, pense-t-elle sans doute, n'a pas grand-chose à quoi se rattacher dans la monotonie de ses mornes journées ; autant qu'elle se fasse plaisir. S'il y a le temps, le professeur lui fera la classe sur les sujets qu'elle préférait quand elle était encore à l'école : l'histoire, la géographie, la littérature. Cela demeure rudimentaire, mais Hanna absorbe tout comme un buvard. Quand il est l'heure de partir, c'est comme passer d'un monde à un autre.

Après chaque visite, en rentrant chez les Klatt, Hanna se sent toujours ravigotée. Son calvaire, après tout, est temporaire. Un jour, il prendra fin. Un jour, ce sera du passé, et elle et Fräulein Braunschweig partiront explorer des endroits improbables à l'autre bout du monde. Hélas, bientôt, ce vigoureux optimisme retombe. Tous les mois, quand arrive le bilan, les dettes de Hanna augmentent. Peu à peu, elle comprend que cette situation ne finira jamais, qu'elle ne peut que s'aggraver. Telle est la logique de son contrat. Pour le meilleur et pour le pire, qu'elle soit malade ou en bonne santé, il en ira ainsi jusqu'à sa mort.

La situation rend d'autant plus difficile de refuser les offres alléchantes faites par Herr Dieter. Il lui propose d'augmenter ses revenus en échange de faveurs plus exquises. Il faut de longs mois à Hanna pour accepter d'aller au-delà du simple déshabillage et de subvenir de manière plus directe aux besoins de son employeur. Elle finit par consentir seulement parce qu'il est doux et compréhensif. Tout d'abord, il se satisfait de baisser son pantalon, de se caler dans son siège et de se faire caresser par les mains bien intentionnées mais inexpertes de la domestique. Comme en tout autre domaine, la gaucherie de Hanna est douloureusement patente ; toutefois, dans cet exercice particulier, elle semble ajouter, au contraire, à la satisfaction de Herr Dieter et, l'espère-t-elle, à son plaisir. Elle n'ira pas plus loin que cette manipulation, bien qu'il la supplie de le prendre dans sa bouche ; mais cela, elle trouve que c'est sale, que c'est un péché. Non point contre Dieu, qui, de toute manière, n'existe pas, mais contre son propre corps. (Elle ne croisera le chemin de Lotte que bien des années plus tard.) Elle est stupéfiée de voir un homme installé, qui a pignon sur rue, ramper à ce point, stupéfiée de le voir plaider si ardemment, lui proposer tant d'argent, pour une faveur aussi dérisoire. Peut-être, songe-t-elle à l'occasion, n'est-ce pas un tel péché que cela en a l'air; si, au début, elle est dégoûtée par la vision et la texture de sa semence jaillissante, progressivement elle se laisse aller à un vague amusement. D'une façon détachée, elle se sent presque fière de découvrir tout le plaisir qu'elle peut procurer. Mais, instinct ou esprit de contradiction, elle ne franchira pas les limites qu'elle s'est fixées.

La routine de son travail, par ailleurs, se poursuit, s'accroît sensiblement. Et les pénalités de Hanna augmentent aussi : les enfants ayant découvert comment leur mère impose des pénalités à Hanna, ils savent désormais, par le biais du chantage, la faire acquiescer à leurs moindres désirs. Sinon, ils casseront un objet précieux et lui en feront porter la responsabilité. Il y a les pénalités, les punitions : de plus en plus mécontente du monde, Frau Hildegard prive volontiers Hanna de nourriture ou bien, saisissant le martinet, lui inflige des séances de flagellation qui la hissent à des sommets de frénésie et pendant lesquelles elle semble perdre tout contrôle d'elle-même. Mais il y a surtout l'effroyable conscience que ses dettes s'accumulent, inlassablement, allongeant, démultipliant la distance jusqu'à son éventuelle libération.

Ses seules échappatoires sont ses visites, le soir, au bureau du maître : mare de lumière dans les ombres sculptées, surface lustrée de la grande table de travail, grenat du cuir des fauteuils et du canapé, regard de son bienfaiteur qui l'observe lorsqu'elle se déshabille avec des mouvements gauches et sans grâce : elle ôte sa chemise, fait glisser sa jupe le long de ses jambes, s'extrait péniblement de sa culotte également tombée sur le plancher (le plus

171

souvent, elle se prend dedans et perd l'équilibre); ou encore, il se renverse en arrière et s'abandonne, les yeux hermétiquement clos, et elle le tripote.

Il est difficile de savoir si elle-même retire de l'opération le moindre plaisir, si elle éprouve la moindre excitation. Elle est consciente, chaque fois, du durcissement de ses tétons. De temps à autre, à vrai dire, elle mouille, ce qui la trouble et la déstabilise tant qu'elle se rhabille sur-le-champ. Car telle est la trahison la plus intime : celle de son propre corps. Mais du plaisir? Peu probable. Pourtant, ce ne sont pas des rendez-vous purement mécaniques ou mercenaires. Les rares pièces, les quatre ou cinq et parfois dix marks comptent, naturellement, et elle n'hésite pas à monter le prix quand elle se donne du mal ou que son patron a manifestement pris un grand plaisir à la chose. Mais ce n'est pas tout. Il existe aussi un échange complexe, peut-être un partage subtil; ou encore, qui sait, le fait de savoir que, ne fût-ce que quelques minutes, une demi-heure, exceptionnellement une heure, elle a rendu service à quelqu'un, elle a fait quelque chose qui est apprécié, que, d'une façon obscure et souterraine, elle a été reconnue.

Car elle se rappellera toujours le commentaire qu'il avait fait dans les premiers temps : *Tu n'es pas vraiment ce qu'on appellerait une jolie fille.* (N'oublions pas, toutefois, oh non, n'oublions pas qu'il avait ajouté : *Mais tu as de beaux cheveux.*) Et encore plus la conversation qu'elle avait surprise peu après son arrivée chez les Klatt. Frau Hildegard et une voisine, une femme allègre, à la poitrine généreuse, du nom de Käthe, bavardaient dans le salon;

Hanna avait servi le café et la *Torte*, avant de s'éclipser. En refermant la porte, elle avait entendu prononcer son nom et s'était arrêtée pour écouter.

C'est Frau Käthe qui parlait : «Pauvre créature. Tellement laide... Pas vraiment agréable à regarder, n'est-ce pas?

— Nous ne l'avons pas engagée pour son apparence, Käthe, avait répondu Frau Hildegard, caustique.

— Évidemment. Cela, au moins, c'est clair. Mais je dis toujours que l'apparence compte beaucoup chez une fille. C'est tout ce à quoi un homme s'attache.

— Eh bien, c'est tant mieux, alors.» Frau Hildegard lâche un petit rire méchant. «Nous savons ainsi que nos hommes sont à l'abri. Les jolies femmes sont l'invention de Satan.

— Ce n'est pas très flatteur, venant d'une beauté comme toi, Hildegard.

— Je parlais des domestiques.» La précision est sans appel.

«Hum, bien sûr, j'ai entendu dire que, pour certains, une femme laide était préférable parce que les laides sont plus reconnaissantes qu'ils leur prêtent attention.

— Il y a laide et laide. Celle-là, comme vous vous en êtes sans doute aperçue, est monstrueusement laide. Nous pouvons donc toutes deux reposer sur nos deux oreilles.»

Leurs rires noient les tintements des tasses de café.

Il y a donc plus qu'une touche d'ironie dans le fait que ce soit le badinage de Herr Dieter qui mette un terme abrupt à cet emploi-là.

173

Non qu'ils soient découverts ensemble. Non, rien d'aussi mélodramatique... (Si seulement! pourrait bien songer Hanna, après que tout est fini, que la poussière s'est déposée sur l'affaire et qu'elle se retrouve à l'orphelinat.) Ce qui arrive, c'est que, mue par son souci de décorum et de diligence, Frau Hildegard s'aventure, lors d'un de ses tours d'inspection de la demeure, dans la minuscule mansarde de Hanna au grenier, à une heure où la fille est partie pour le marché. Il n'y a rien de malséant dans les maigres possessions de la domestique. Sauf, peut-être, le coquillage de la petite Irlandaise sur la grève – mais il ne représente aucun intérêt pour la maîtresse de maison. Ce qui attire son attention, d'un autre côté, c'est une déchirure dans le vieux matelas souillé, poussé dans l'angle de la pièce. Est-ce la suspicion, ou bien sa méchanceté, tout simplement, qui pousse la maîtresse de maison à passer la main par l'ouverture? Quoi qu'il en soit, elle en retire une pochette en toile toute tachée, à moitié pleine de pièces! Elle n'a aucune envie de compter l'argent, qui est sale; mais elle estime qu'il y a là plusieurs centaines de marks. L'équivalent de toute une année de gages. *Avant* que la part qui revient aux Petits Enfants de Jésus soit déduite. De l'argent volé. Tout est évidemment de l'argent volé dans la maison au fil des mois. C'est la seule explication logique.

Frau Hildegard choisit, le soir même, l'heure du dîner, à laquelle toute la maisonnée est réunie autour de la table (Hanna s'affaire à l'arrière-plan, tenant à peine debout, tant elle est fatiguée), pour, l'air dégoûté, poser la pochette maculée sur le bord de la longue table, à côté de l'assiette de Herr Dieter.

Tout le monde rive les yeux sur la pochette. Hanna recule d'un pas. Son seul réconfort est qu'elle se trouve dans la pénombre et que, par bonheur, personne ne peut voir son expression.

«Et qu'est-ce donc que ceci? s'enquiert Herr Dieter, triturant la pochette d'un air vaguement dégoûté.

— Demandez-le à cette personne, répond Frau Hildegard, se tournant pour désigner Hanna. J'ai trouvé cela dans son matelas. Peut-être voudra-t-elle nous fournir une explication?»

Tout le monde attend, Herr Dieter comme les autres.

«C'est mon argent», dit Hanna. Elle s'apprête à prendre la pochette mais Frau Hildegard l'escamote avant qu'elle puisse poser la main dessus.

«Autant que je le sache, vous n'avez que des dettes. Et il y a là une somme rondelette.

— J'économise pour payer mes dettes.

— Je me moque de ce que vous souhaitez faire de cet argent, ma fille. Ce que je veux savoir, c'est où vous vous l'êtes procuré.

— Je l'ai gagné, dit Hanna, remuant à peine les lèvres.

— Vous l'avez *gagné*?»

Un autre long silence. Hanna lance un regard à Herr Dieter, qui se concentre sur la bouteille de bière avec laquelle il remplit sa chope. Il détourne franchement la tête.

«Au marché, dit Hanna. En travaillant pour les gens là-bas quand j'y vais. Je transporte des choses.

— Je vous surveille de près, réplique Frau Hildegard. Vous n'êtes jamais restée dehors assez longtemps... De toute manière, les gens ne paieraient pas autant pour de petites courses.

— Ça a pris des mois. Depuis que je suis ici.

— Vous me mentez, Hanna.» Un silence. «N'est-ce pas?»

Cette fois, le silence est presque insupportable.

«Oui, j'ai menti, finit par lâcher Hanna.

— Alors, quelle est la vérité?

— J'ai gagné cet argent avec mon corps.»

Herr Dieter manque s'étouffer avec sa bière.

«Qu'avez-vous fait?»

Hanna lance un regard implorant à Herr Dieter, qui continue de détourner les yeux.

Après un autre silence, Hanna répond, si bas qu'on a du mal à l'entendre : «Vous me payez si peu, je n'ai pas le choix.»

Frau Hildegard se lève. Les pieds de sa chaise raclent le parquet ciré.

«Une voleuse et une prostituée! lance-t-elle en séparant les mots. Je ne tolérerai pas cela sous mon toit. Nous sommes une famille respectable. Demain, Herr Dieter vous ramènera à l'orphelinat. Avec un peu de chance, vous terminerez en prison. Il est regrettable qu'on n'envoie plus les criminels au pilori.»

25

Le lendemain de son retour du désert à Frauenstein, Hanna, calmement, de façon délibérée,
coupe sa longue crinière. Quand elle pénètre dans
la salle à manger pour le déjeuner, Frau Knesebeck
lui adresse un regard désapprobateur avant de se
ressaisir aussitôt; la directrice se contente de dire :
«Était-ce nécessaire? N'étiez-vous pas déjà assez
laide?»

26

La vie à l'orphelinat se poursuit comme si Hanna ne l'avait jamais quitté. Elle écope de la punition de routine pour les employées qui ont été renvoyées de chez leurs patrons : la coupable est mise au pain sec pendant une semaine et exposée (plusieurs fois) aux railleries collectives de l'assemblée des orphelines et du personnel. Après quoi, grâce aux talents considérables de Frau Agathe, qui a la réputation d'inventer des références impressionnantes (signées par elle-même, le pasteur Ulrich et des employeurs imaginaires), on trouve à Hanna une nouvelle place. La demeure est sensiblement plus éloignée que la précédente mais il lui est encore possible, avec une demi-heure supplémentaire de transport à chaque trajet vers le centre, de rendre visite à Fräulein Braunschweig; Hanna se résigne donc.

Le problème, ainsi qu'elle le découvre vite, c'est que les dettes contractées chez les Klatt n'ont pas été annulées mais reportées sur son nouvel emploi. Frau Agathe ayant réglé la totalité de la somme réclamée par Frau Hildegard, sans requérir ni commentaire ni vérification de la part de Hanna, ses nouveaux employeurs, les Hartmann, sont priés de rembourser les Petits Enfants de Jésus.

Il s'agit d'une famille unie mais guère heureuse. Ses membres semblent occuper le même espace sans vraiment entrer en contact les uns avec les autres. À douze ans, l'enfant unique, Peter, est d'une constitution si frêle qu'il ne peut aller à l'école et que sa mère, professeur avant son mariage, doit lui faire la classe à la maison. Herr Ludwig travaille dans un bureau, dans une entreprise qui s'occupe d'importations et d'exportations dans un vaste bâtiment à l'Europahafen. Les Hartmann ont loué les services de Hanna comme femme de charge, de sorte que Frau Liesel puisse se dévouer entièrement à Peter. Ce qui ne l'empêche pas de sortir peu après que son époux a quitté la maison, et de ne revenir qu'en milieu d'après-midi. Hanna doit faire la classe à Peter. L'arrangement satisfait toutes les parties. Il est probable que Herr Ludwig, s'il était au courant, ne serait pas d'accord, mais il est maintenu soigneusement dans l'ignorance par son énergique épouse, qui attire Hanna dans la conspiration avec un clin d'œil, quelques sombres menaces et de sporadiques et infimes récompenses.

Peter semble souffrir d'asthme mais Hanna pense que ses parents le protègent trop, suite à la perte de trois bébés avant sa naissance : deux d'entre eux mort-nés et l'autre décédé peu avant son premier anniversaire, ainsi que Frau Liesel ne manque jamais de le rappeler à sa jeune domestique, à voix basse et avec des intonations mélodramatiques. Aux yeux de Herr Ludwig, la survie de son fils et seul héritier est d'une importance capitale, lui-même étant le dernier d'une longue lignée d'hommes presque éminents, pour la plupart militaires. (La seule raison pour laquelle il s'est tourné vers le commerce, c'est que sa propre santé n'a jamais été excellente. Sans compter que deux de ses frères étaient aussi dans l'armée : personne ne pouvait prévoir qu'ils mourraient tous deux à quelques mois d'intervalle, l'un au combat en Afrique orientale, l'autre dans un duel rarement évoqué par la famille.)

S'occuper du travail scolaire de Peter permet à Hanna de reprendre ses propres leçons et lectures. Son entrain illumine aussi d'une faible lueur le visage du garçon, qui, cependant, demeure accablé par un poids : il se doute qu'il ne sera jamais aussi brillant que ce que ses parents attendent. Du moins Hanna peut-elle partager avec lui son enthousiasme pour les souffrances du jeune Werther, pour les exploits de Jeanne et pour les contrées lointaines.

Quand Frau Liesel rentre à la maison, l'après-midi, le visage souvent en feu et ses yeux émeraude tout brillants, elle demande à Hanna de lui faire couler un bain, dans lequel elle se prélasse pendant une heure, et dont elle sort juste à temps pour assister aux leçons de son fils. Parfois, quand Herr Ludwig rentre en avance, il se joint à la petite compagnie et abreuve immanquablement son fils de louanges, à la moindre lueur d'intelligence démontrée par son rejeton. D'autres fois, quand celui-ci faillit, Hanna ne peut se retenir de lui souffler les réponses avec entrain (les dates de la guerre de Sept Ans, la capitale du Pérou, le fleuve qui constitue la frontière septentrionale de la nouvelle colonie allemande du Sud-Ouest africain) : ce faisant, elle attire l'attention de Herr Ludwig. Un jour, en fin d'après-midi, les révisions faites, quand la mère et le fils se sont retirés dans la chambre de Peter pour y ranger ses livres et s'adonner à leurs caresses coutumières, Herr Ludwig, se tournant vers Hanna, la regarde si fixement qu'elle commence à s'agiter et fait tomber la tasse qu'elle allait poser sur le plateau.

«Tu es une fille intelligente, Hanna, lui dit-il tandis qu'elle se baisse pour ramasser les débris de porcelaine. Pourquoi n'as-tu pas fini l'école?»

En déposant les débris sur le plateau, elle fait tomber une petite cuiller.

«J'ai dû m'engager comme domestique, Herr Ludwig, répond-elle, consciente que ses joues s'empourprent tandis qu'elle se baisse à nouveau.

– Il faut continuer.»

Comment? s'exclame-t-elle à part soi, cédant à un bref accès de colère. Mais elle se contente de hocher la tête et de marmonner avant de se relever. Elle manque de faire tomber le plateau de la desserte mais, heureusement, elle parvient à le récupérer *in extremis*.

«Pourquoi ne viendrais-tu pas dans mon bureau ce soir quand tu auras terminé ton travail? J'aimerais te montrer quelque chose.»

Seigneur, songe-t-elle, au désespoir, ça ne va pas recommencer!

«Hanna?

– Herr Ludwig...?» dit-elle d'une voix qui se casse. Elle n'ose lever les yeux.

«Je t'ai posé une question.

— Je... non, je ne peux pas, Herr Ludwig. Sauf votre respect.»

Et, cette fois, elle lâche le plateau.

Lorsqu'elle a fini de ramasser les débris et de nettoyer le plancher, il dit posément : «Je t'attendrai.»

Après le dîner, après avoir mis deux fois plus de temps que d'habitude pour faire la vaisselle, Hanna s'assoit à la table de la cuisine et examine ses mains rougies par l'eau chaude. Mentalement, elle se répète toutes les questions et réponses qu'elle peut se rappeler des leçons de l'après-midi. Puis elle regarde le carillon fixé au mur. Il est près de neuf heures. Il a certainement dû aller se coucher.

Traînant les pieds, elle va jusqu'au bureau. Il y a un filet de lumière sous la porte. Il a peut-être laissé brûler la lampe.

Non, il travaille encore, engoncé confortablement dans un gros fauteuil, un paquet de feuilles sur les genoux.

Il lève les yeux et lui adresse un sourire indulgent. «Il t'en a fallu du temps...

— Je suis désolée, je...» Elle laisse sa phrase en suspens.

«Il faut que je parle à Liesel. Nous ne devrions pas te surcharger de travail.

— Non, non, s'il vous plaît... ça va très bien comme ça, vraiment.»

Et, de but en blanc, il lui demande : «Comment connais-tu l'existence du Cunene?»

Elle lui oppose un regard vide.

«La frontière septentrionale de la colonie du Sud-Ouest africain..., l'aiguillonne-t-il.

– J'essaie d'écouter quand Peter apprend ses leçons», avoue-t-elle, parlant entre ses dents, craignant de se trahir, de dévoiler un secret et de nuire ainsi à Frau Liesel. Et d'ajouter précipitamment : «J'aime les noms des endroits lointains, Herr Ludwig.

– Les navires de ma compagnie mouillent dans les ports du monde entier. En Chine, en Afrique, en Amérique, partout.» Il ôte ses lunettes de lecture et l'observe. «Peut-être, si tu poursuivais tes études, pourrais-tu venir travailler pour moi un jour et aller dans certains de ces endroits.

– Ne vous moquez pas de moi, je vous en supplie, Herr Ludwig! Comment pourrais-je poursuivre mes études?

– D'abord, tu pourrais m'indiquer quels livres je pourrais te procurer.

– Je n'ai pas d'argent hormis celui que je gagne ici et la plus grosse part me sert à rembourser mes dettes.

– Nous nous occuperons de cela», fait-il. Il pose ses papiers sur une table basse à côté du fauteuil et se lève. «Cependant, ce n'est pas la raison pour laquelle je t'ai fait venir dans mon bureau.»

Ça y est, songe-t-elle. Il vient vers elle. Elle fait un pas de côté, se fait toute petite. Mais il la dépasse pour se rendre à un guéridon en marqueterie : le plateau, un damier aux carrés clairs pour les uns, sombres pour les autres, témoigne d'un beau travail du bois. On a mis en place des rangées de pièces savamment sculptées, en ivoire et en ébène.

«Sais-tu ce que c'est? demande Herr Ludwig.

— Un jeu?» À la kermesse paroissiale, on autorisait parfois les enfants à jouer aux dames. Mais ces pièces-là sont différentes, plus variées et exquisément ouvrées.

«C'est un jeu d'échecs. Si tu le souhaites, je peux t'apprendre...

— Pourquoi?» demande Hanna d'un air suspicieux.

Il sourit. Elle observe le visage de son employeur à la lueur ambrée de la lampe, ses traits aussi finement ciselés que s'ils étaient, eux aussi, sculptés dans le bois : sourcils volontaires, pommettes saillantes, menton affirmé, nez comme l'aigle préféré du chancelier von Bismarck, qui a démissionné récemment dans la plus grande indifférence du nouvel empereur, le jeune Guillaume II. Ses cheveux ondulés, relevés au-dessus du front, sont plaqués sévèrement en arrière.

«Juste pour voir si tu t'y entends. J'ai essayé de jouer avec Frau Liesel, mais elle se lasse vite. Et Peter, je le crains, n'a pas montré la moindre aptitude, pour l'instant.

— Et si je joue mal, je serai punie.» C'est une affirmation, pas une question.

«Si tu joues mal, tu perds, voilà tout. Ensuite, tu essaies encore, jusqu'à ce que tu t'améliores.» Il lui adresse un sourire presque enfantin. «Concluons un marché : chaque fois que tu me battras, tu pourras me demander de t'offrir un livre.

— Et je ne devrai pas le payer? Même plus tard?

— Bien sûr que non. Tu l'auras gagné au jeu.

— Et que demanderez-vous si c'est vous qui gagnez?

— Je ne veux rien d'autre que le plaisir de jouer. Je m'ennuie beaucoup, le soir.

— Votre femme ne vous attend pas ?»

Il hésite un instant. «Elle lit puis elle se couche, lâche-t-il avec une infime crispation des mâchoires.

— Quel plaisir peut-il y avoir à jouer avec une fille comme moi ? insiste-t-elle.

— Il n'y a personne d'autre. Liesel n'aime pas que j'invite mes amis.

— Vous pourriez sortir.

— Je ne peux pas la laisser seule.» Et il ajoute, presque sur le ton de l'excuse : «Vois-tu, après la perte de nos enfants... et la santé de Peter étant ce qu'elle est...

— Ah oui, je comprends.» Lentement, la bouche de Hanna se crispe en un rictus amer. «Vous voulez quelqu'un que vous puissiez battre. Vous m'apprendrez seulement parce que vous savez que je ne peux pas vous battre.

— Pourquoi ne veux-tu pas essayer ? Si, à un moment donné... que ce soit demain, dans une semaine, un mois, qu'importe..., tu décides que tu n'aimes pas ce jeu, nous arrêterons.»

S'ensuit un long silence — il n'est rien, jusqu'à la lampe, qui ne semble le respecter.

Alors Hanna répond : «Montrez-moi.»

Il est minuit lorsqu'il finit par devoir insister pour qu'elle aille se coucher.

Le lendemain, entre diverses corvées, même lorsqu'elle est censée s'occuper de Peter, elle trouve le temps (*se donne* le temps) de se glisser dans le bureau et de répéter les mouvements des pièces sur l'échiquier. «Imagine que c'est une campagne militaire, lui a dit Herr Ludwig. Pense que c'est un plan de bataille. Pour tout mouvement que fait ton adversaire, il en existe d'autres qui te permettront de le contrer : l'arrêter, lui tendre une embûche, anticiper ses mouvements, l'attirer dans une direction différente, s'abattre sur lui par l'arrière... À chacun de tes mouvements, tu peux être certaine que, de son côté, il trouvera une parade ; alors, laisse-le deviner, ne lui montre pas ce que tu as en tête avant qu'il soit trop tard pour lui. Essaie toujours d'avoir un tour d'avance, essaie de lire dans ses pensées. »

Hier soir, elle s'est d'abord dit : *Je n'y arriverai jamais, je ne suis pas assez intelligente.* Mais, tout au long de la nuit, d'autres pensées, ouvertures, manœuvres, stratégies et mouvements se sont bousculés dans son esprit. Et la voilà exténuée ; pourtant, elle ne trouvera pas le repos avant de les avoir essayés. Quand Peter se plaint qu'elle ne s'occupe pas de lui, elle essaie de l'intéresser au jeu mais l'attention du garçon baisse rapidement et elle n'a d'autre solution que d'abandonner la partie.

Le soir, après avoir fait la vaisselle, elle n'a qu'une hâte, c'est de se rendre au bureau. À son plus grand désespoir, elle est si fatiguée qu'elle joue encore plus mal que la veille et Herr Ludwig l'envoie se coucher tôt. Les semaines suivantes sont frustrantes. Hanna ne joue pas très bien ; mais elle ne veut pas abandonner et sa patience est infinie. Un soir, survient une crise inattendue quand Herr Ludwig, pour qu'elle prenne confiance en elle-même, fait un mouvement idiot à un moment crucial, perd sa reine et voit son roi mis en échec.

Or, au lieu de jubiler, comme il s'y était attendu, voilà que Hanna fulmine; l'emportement de la jeune femme le confond. Il n'avait jamais pensé que cette fille placide pourrait s'emporter de la sorte. Elle recule avec une telle violence et se lève avec une telle fureur qu'elle renverse sa chaise; d'un revers de la main, elle envoie valdinguer par terre toutes les pièces.

«Pourquoi as-tu fait ça? lance-t-elle, écarlate, les traits déformés. Tu n'as pas le droit de m'humilier. Simplement parce que je suis une domestique!

— Je suis na... navré, Hanna, dit-il, sincèrement troublé. Mon esprit a vagabondé un instant, j'ai fait le mauvais...

— C'est faux! hurle-t-elle. Tu n'es pas idiot, tu l'as fait exprès. Tu m'as laissée gagner. Parce que tu me méprises, parce que tu crois que je ne peux pas gagner par mes propres moyens. Je ne jouerai plus avec toi, plus jamais!» Et de courir jusqu'à sa chambrette en pleurnichant.

Durant la nuit, sa fureur se mue en honte. Qu'est-ce qui lui a pris? Elle ignorait qu'elle abritait cette violence en elle-même. Quand tout est dit, il n'existe qu'une vérité, simple et terrible, à laquelle elle doit se faire : Herr Ludwig est le maître, il a le droit d'agir comme bon lui semble, elle-même n'a aucun droit de le remettre en cause, aucun, quoi qu'il veuille faire. Mon Dieu, s'en prendre à lui de cette manière! Le tutoyer! C'est la fin. Elle sera encore renvoyée, elle retombera en disgrâce. Et à juste titre. Elle a tout gâché. Toute chance de le battre, de gagner des livres, d'étudier, de travailler un jour dans son entreprise et de parcourir le monde, tout, elle a tout perdu.

Quand elle lui sert le petit déjeuner le lendemain matin (Frau Liesel et Peter ne sont pas encore levés), elle cherche à s'excuser mais fond en larmes et ne peut achever. Herr Ludwig se lève de table, la prend par les épaules et dit gentiment : «Je suis désolé, Hanna. Je suis vraiment, honnêtement, navré. Je ne voulais pas te blesser ni te faire insulte. Pourras-tu me pardonner?»

Ce qui ne fait que redoubler ses larmes. Mais, le soir même, tout naturellement, et sans revenir sur l'incident, ils reprennent ensemble le chemin du guéridon poussé contre le mur.

Un mois s'écoule, peut-être plus, et voici que l'inimaginable survient. Après une partie intense et très longue, qui aura duré deux soirées et, qu'elle a essayé de jouer en s'inspirant de ce qu'elle a lu sur le siège d'Orléans, elle prend conscience qu'elle tient son adversaire à sa merci. Un mouvement de son fou et le roi adverse sera coincé. Il n'a pas d'issue. Elle a réussi. Jamais dans sa vie elle n'a ressenti une telle sensation de pouvoir. Alors, elle recule sur son siège, l'ombre d'un sourire parcourt ses lèvres, elle savoure l'instant, un instant à peine. Et puis elle se penche en avant une fois de plus et dégage son fou pour libérer le roi d'ivoire tout lisse. Lui permettant ainsi de capturer son roi à elle.

Désarçonné, Herr Ludwig lève les yeux. Il étudie le visage de sa partenaire comme il le ferait d'une carte d'état-major, et ne peut croire ce qu'il découvre.

«Qu'as-tu fait? s'enquiert-il d'une voix étouffée. Hanna...?

« — Que voulez-vous dire? fait-elle, imperturbable. Vous avez gagné.» Sous la caresse de la lumière, son visage paraît sans âge, bien plus vieux que ses tendres années (quel âge a-t-elle? quinze, seize ans?) mais, en même temps, infiniment plus jeune, doté de la complexe innocence d'un enfant qui construit des châteaux de sable.

Ils continuent de jouer le soir; la plupart du temps, c'est lui qui gagne, quelquefois ils font partie nulle, mais de temps à autre c'est elle qui le bat, en toute équité, loyalement (et elle gagne un livre par la même occasion). Surtout lorsqu'elle imagine que Jeanne se trouve dans son dos, à lui répéter ses premiers triomphes (Jargeau, Beaugency, Patay) ou à essayer de nouvelles stratégies qui convertiront des défaites en victoires, jusque sous les murailles de Paris et de Compiègne.

Mais cela ne peut durer. Par la suite, c'était prévisible, elle en viendra à penser que c'était inévitable depuis le début; le fait même que le bonheur existe signifie qu'il doit s'achever un jour. C'est simple comme Baptiste.

Ce qui se passe... on peut en rendre directement responsables les échecs. Frau Liesel n'ignore rien de ces vespérales parties, qui ne suscitent en elle guère plus qu'une bouffée passagère d'agacement, aucune suspicion digne de ce nom; le fait qu'elles ont lieu, à vrai dire, augmente sa latitude dans ses propres évolutions diurnes. La situation ne devient problématique que lorsque Hanna commence à négliger les leçons de Peter pour élaborer ses stratégies d'échecs.

Un après-midi, tandis que, au bureau, elle élabore un nouveau mouvement, Peter, s'ennuyant à mourir, se laisse tenter par des garçons qui jouent au ballon dans le square, de l'autre côté de la rue. Hanna ne s'aperçoit de son escapade que lorsque la sonnette d'entrée retentit et qu'elle découvre Peter sur le seuil, se tordant de douleur, étouffant : ses camarades d'un jour ont disparu dans le piquant de l'air hivernal.

Au retour de Frau Liesel (où a-t-elle passé la journée?), le garçon est revenu à lui, Dieu soit loué, mais il tremble encore et il est livide. Avant même que la mère effarée ait administré des remèdes et ait terminé, hystérique, son interrogatoire de la domestique, le père arrive. Des années plus tard, se remémorant la scène, Hanna verrait un moment d'une grande confusion (tout le monde parle en même temps et le garçon, conscient d'être le centre d'intérêt, choisit de jouer son rôle sur le registre mélodramatique). Inévitablement, Hanna est reconnue coupable d'avoir abandonné son précieux protégé. Herr Ludwig cherche à savoir, en outre, où son épouse, elle, était allée. Déferle alors un ouragan d'accusations et de contre-accusations. Plus Hanna essaie de couvrir Frau Liesel, moins l'absence de cette dernière semble explicable. Il n'y a qu'une issue possible, puisqu'il serait inimaginable que la maîtresse de maison endossât toutes les responsabilités.

«Je te hais, je te hais!» crie Frau Liesel quand le cab qui emmène Herr Ludwig et Hanna aux Petits Enfants de Jésus se met en route. S'adresse-t-elle à son époux ou à la fille? ou bien à Peter, voire à elle-même? Qui sait?

«Je suis terriblement navré, s'excuse Herr Ludwig tandis que le cab file sur les pavés luisants. Crois-moi, ce n'est pas ce que je souhaitais.»

Avant qu'ils arrivent à leur destination sur la Hutfilterstrasse, il lui glisse dans la main quelque argent et l'assure que sa malle de livres lui sera envoyée le lendemain. (Les ouvrages seront promptement confisqués par Frau Agathe.) Quelques jours plus tard, on déposera un jeu d'échecs à l'orphelinat pour Hanna mais celle-ci refusera le présent. En ce qui la concerne, il n'y a, une fois de plus, qu'une vérité : elle est revenue au point de départ.

27

Le schéma se répétera si souvent, au cours des années à venir, que Hanna en oublie le compte. Tout ce qu'elle sait, c'est que, à chaque retour, à chaque nouveau départ, elle perd un peu plus espoir, comme la lumière diminue à la fin d'un jour d'hiver.

Il n'y a qu'un avantage (si l'on peut dire) à tout cela, c'est qu'elle acquiert ainsi nombre de talents (si l'on peut employer le mot, compte tenu de sa maladresse). À chaque nouvelle place, elle apporte la même bonne volonté, et la même incapacité à bien faire. Elle continue de casser la porcelaine, d'égarer l'argenterie, de faire rétrécir ou salir le linge au lavage, d'oublier ce qu'il faut faire exactement et quand, exactement, il faut le faire, elle continue de se coincer les doigts dans les tiroirs ou les placards, de se cogner contre le mobilier et les chambranles. Pourtant, oh, Seigneur, ne fait-elle pas tous les efforts imaginables!

Au fil des ans, Hanna s'occupera de nourrissons, de volailles et même de bétail; elle changera les couches des bébés ou des vieillards incontinents;

traira des vaches, des chèvres et, un jour, une jeune mère malade ; elle fera la lecture à une femme affligée de la cataracte, à un oncle analphabète et à quantité d'enfants remuants ; elle s'occupera d'un sourd irascible et de sa fille encore plus irascible (mentionnée plus haut) − d'où la nécessité d'apprendre le langage des signes, au prix de moult coups de canne ; elle fera passer le temps à une cohorte de vieilles personnes séniles des deux sexes ; elle cuisinera et fera la vaisselle, lavera les draps et des vêtements de toutes sortes, des pieds de toutes tailles ; fera des lits, du beurre, du fromage, de la menuiserie ; elle débouchera des tuyauteries, des fosses septiques, des oreilles ; elle coupera des cheveux, des arbres, coupera net les attentions éperdues de fils, de pères, de grands-pères, d'arrière-grands-pères, d'oncles et de neveux dans toutes les maisonnées où elle séjournera ; elle tuera des poulets, des poux, des chatons, des rats et des espoirs ; elle cirera des parquets et des moustaches ; elle préparera des cataplasmes, des plâtres et des décoctions pour guérir ou calmer des migraines, des inflammations, des congestions pulmonaires, des crampes d'estomac, des calculs, des infections de la vessie, des maux spécifiques aux femmes, des maux spécifiques aux hommes, des rhumatismes, des oignons aux orteils et des cancers.

Certaines places sont meilleures que d'autres (moins exécrables). Chez certains employeurs, on lui accorde une journée entière de congé (donc le luxe de passer des heures sereines, de l'aube au crépuscule, en compagnie de Fräulein Braunschweig) ; on lui donne parfois accès à la bibliothèque familiale ; on lui donne parfois la même nourriture qu'au reste de la famille (mais on ne l'autorise jamais à s'asseoir à table avec ladite famille) ; elle a parfois l'électricité dans sa mansarde ou un vrai lit ; elle a parfois le droit de dormir jusqu'à six heures, et même sept le dimanche ; à Noël, on lui offre parfois un nouvel uniforme ; on lui donne parfois la permission de s'allonger quand elle est malade ou quand ses règles sont particulièrement douloureuses ; on l'autorise parfois à aller à l'église le dimanche matin pour écouter l'organiste – même si elle ne prête guère attention au prêche. D'autres places, naturellement, sont pires que ce que l'on considère comme la norme : les pénalités infligées pour chaque transgression sont plus élevées que ce que même Frau Hildegard aurait pu imaginer ; ou bien le maître de maison inflige des punitions corporelles (d'ordinaire le dimanche soir, moment où, en compagnie des enfants et parfois de l'épouse, tous en rang, elle doit s'entendre décliner les infractions de la semaine) ; le pain noir est infesté de charançons ; les rats font la java dans sa mansarde ; des courants d'air glacé la pénètrent l'hiver ; elle manque cruellement de nourriture et de vêtements.

Souvent, il lui faut faire face à une forme ou une autre de harcèlement sexuel. Dans plusieurs maisonnées, cela ne dépasse pas les tripotages aussi furtifs que prévisibles. Mais souvent, c'est plus grave. Certaines nuits, le maître des lieux se glisse dans son lit étroit aux heures où elle s'y attend le moins, et elle doit trouver un moyen de se soustraire à ses assiduités : soit elle prétend être indisposée, victime d'une malédiction ou bien atteinte d'une maladie infectieuse; ou alors elle s'excuse et prétend devoir aller aux latrines (elle restera ainsi une nuit entière à grelotter à l'extérieur parce que l'homme l'aura enfermée dehors)... La plupart du temps, on exige d'elle des variations sur les services qu'elle a rendus à Herr Dieter; bientôt, elle apprend à instaurer une distance entre elle et ses actes : ce n'est pas elle qui exécute ces obscénités légèrement loufoques mais une autre fille, tandis qu'elle-même émigre, pour l'heure, vers un autre lieu, d'où elle observe de loin l'homme qui l'observe. Elle refuse toujours de dépasser les limites fixées jadis à Herr Dieter. Quelquefois, son refus suscite des réactions violentes mais elle devine très vite qu'il y a certains extrêmes auxquels les maîtres ne peuvent se laisser aller. Parce que, à la fin, il y a toujours une épouse à qui rendre des comptes.

Même dans les meilleures places, elle ne peut être assurée d'être payée en monnaie ou en nature pour ces services inopinés. En fait, la première fois qu'elle ose demander, d'une manière très discrète, une quelconque récompense, elle reçoit une cuisante volée de gifles. Mais, en fin de compte, ces hommes sont, bizarrement, dociles : comme s'ils étaient les requérants, pas elle. Les hommes gardent tout leur mystère à ses yeux : qu'un être si imposant, si fort, si impérieux, si péremptoire, puisse être à la merci d'un tortillon si infime de son anatomie! (Dès que la semence est répandue, bien sûr, l'attitude du mâle, le plus souvent, change brutalement, du tout au tout, comme si montait en lui, soudain, le désir de venger l'humiliation qu'il a lui-même suscitée; elle a tôt fait d'apprendre à s'esquiver prestement.) C'est ainsi qu'elle peut continuer, tel un écureuil ou un corbeau, à amasser ses «petits cadeaux», dans l'espoir, toujours fou, qu'un jour elle sera en mesure de rembourser toutes ses dettes et de partir là où le vent ou ses rêves les plus fous la mèneront.

28

Et puis retour, immanquablement, aux Enfants de Jésus. Hanna en disgrâce, humiliée, mise au rebut, dans l'attente du châtiment à venir, de l'énième confirmation du fait qu'elle ne vaut rien de rien ; étendue sur le lit étroit qui lui a été assigné temporairement, ou assise, recroquevillée dans les branches d'un arbre chargé de fruits lumineux, lumières rougeoyant dans le noir : des pommes lourdes comme le péché.

Et immanquablement envoyée comme domestique dans une nouvelle maisonnée, après que Frau Agathe a contrefait de nouveaux témoignages et références afin de débarrasser l'orphelinat de sa présence. Pour le meilleur et pour le pire. Non... Après les Hartmann, c'est *toujours* pire. Sauf une fois ; et ce sera sa dernière place, une bonne douzaine d'années après la première. Un couple âgé vient la chercher dans une automobile poussive, fumante, aux sièges droits comme des piquets, noire comme un cercueil, une Daimler-Benz. C'est la première fois que Hanna monte dans une automobile et elle est terrifiée mais, sous le regard collectif et envieux de tout l'orphelinat assemblé sur la Hutfilterstrasse, elle tente de prendre une pose royale et c'est à peine si elle peut se retenir de faire de sa main aux ongles rongés le petit signe que font les reines.

Les Kreutzer habitent une fermette à quelque distance de la ville de Hambourg. Herr Wolfgang, qui tient absolument à ce qu'on l'appelle «Opa», était violoniste dans un orchestre de Brême, jusqu'à ce que son arthrite l'empêche de jouer; Frau Renate (Oma) confectionnait des costumes pour l'Opéra. Maintenant, ils apprécient de couler leurs vieux jours à la ferme et d'aller de temps en temps à la ville en auto, pour écouter un concert. Quand ils apprennent l'existence de Fräulein Braunschweig, ils conduisent même Hanna chez son professeur qui, désormais, vieillit vite. Sans leur gentillesse, Hanna ne pourrait plus lui rendre visite. Les Kreutzer ont plusieurs enfants mais ils ne les ont pas vus depuis des années. Ils mènent une existence fort paisible. Plusieurs ouvriers agricoles s'occupent des animaux et des champs, si bien que Hanna n'a la charge que de la maison. Les Kreutzer se prennent d'affection pour elle; bientôt ils la considèrent comme leur enfant. Après avoir généreusement remboursé ses dettes aux Petits Enfants de Jésus, ils lui verseront la totalité des cinquante marks par mois qu'elle gagne désormais. À leur mort, elle héritera de la ferme.

Son plus gros labeur est de faire la lecture à Oma l'après-midi, car la vieille dame n'a plus de bons yeux. Opa passe le plus clair de son temps dans son salon de musique, où il lit d'anciennes partitions. Régulièrement, on l'entend pouffer, car il découvre sans cesse des blagues secrètes, en particulier dans Haydn et dans Mozart. Le reste du temps, il travaille à son «instrument», que personne à l'exception d'Oma n'a jamais eu le droit de voir, puisqu'il est censé être absolument unique. Opa aime, toutefois, en parler à Hanna, surtout parce qu'elle sait si bien écouter... Elle peut rester des heures assise sans bouger, à boire ses paroles, sans que son regard ou son attention s'égare jamais.

«C'est l'instrument suprême, répète-t-il à l'envi. Toute l'histoire de la musique n'a été qu'un vaste mouvement qui aboutit à lui. Ce n'est ni un piano ni un violoncelle ni un violon ni une harpe ni un cor, bien que chacun de ces instruments comporte une part de sublime. Non, celui-là est différent. À mes yeux, c'est le summum de la musique, l'absolu, le *nec plus ultra*.» Hanna ne comprend pas la moitié des mots mais elle les mémorise jusqu'à ce qu'elle puisse les vérifier dans les dictionnaires et les encyclopédies de Fräulein Braunschweig. «Tu sais ce qui arrive quand un faisceau de lumière blanche pure traverse un prisme?

— Cela fait un arc-en-ciel, répond Hanna, se rappelant précisément les leçons de Fräulein Braunschweig.

— Tout à fait.» Opa rayonne au-dessus de ses lunettes demi-lune cerclées d'or. «Tu es une fille intelligente. Eh bien, imagine que toutes les couleurs de l'arc-en-ciel soient devenues des instruments de musique différents. Me suis-tu?»

Hanna fronce les sourcils : «Je n'en suis pas sûre, Opa.

– Tu verras.» Il sourit. «Mon instrument sera bientôt terminé. Il m'a fallu des années pour trouver la solution mais, en fait, il est d'une extrême simplicité. Tu verras. Toi et Oma serez les premières à l'entendre.» Et de lever un doigt crochu : «Le plus beau, c'est que je pourrai en jouer! Avec ces vieilles mains toutes déformées... Tout le monde sera capable d'en jouer!

– Cela m'étonnerait, Opa. J'essaierai mais je suis certaine que je suis trop maladroite. Aux Petits Enfants de Jésus, elles ont essayé de nous apprendre tant de choses... Moi, je n'ai jamais rien réussi : le saut en hauteur, la broderie, fabriquer des poupées en chiffon pour les bonnes œuvres, ou faire fonctionner le phono. Je suis mauvaise, voilà tout.

– Tu joueras de mon instrument comme un ange, l'assure Opa. Patiente et tu verras...»

Il lui faudra deux ans de patience mais l'attente lui procure une satisfaction particulière : le vieillard a tellement confiance en elle, il est sûr du résultat, il se réjouit tant de cette perspective, que Hanna, au bout d'un certain temps, ose penser que, peut-être, qui sait, pour une fois... Et, quand Opa s'enferme dans son salon de musique silencieux pendant des après-midi entiers, elle fredonne et siffle faux en faisant le ménage et la vaisselle ou en faisant la lecture (des livres tous plus merveilleux les uns que les autres) à Oma dans le grand salon, où on a installé l'électricité.

Quand elle est libre et qu'il fait beau (c'est rare mais cela arrive), elle monte sur le vaste balcon en surplomb au dernier étage. Parfois, elle lit. Mais, la plupart du temps, elle reste allongée sur le dos et regarde le ciel, observe la course des nuages, les formes qu'ils prennent, leurs incessantes métamorphoses, la façon qu'ils ont de se dissiper et de se reformer, leurs spirales alanguies, leur rêverie quasi immobile, à l'image des cygnes blancs sur un lac. Hanna se perd dans leurs images de navires, d'oiseaux, de dromadaires, de palmes qui se balancent au vent, de licornes, de châteaux magiques et de plages lointaines d'Irlande et d'Afrique. Les formes qui vont et viennent sont perdues pour toujours mais demeurent fixées dans sa mémoire. Elle a l'impression de devenir elle-même nuage : elle dérive, elle vogue, elle nage. C'est comme voler, c'est la félicité, la seule félicité qu'elle ait jamais connue − à l'exception du fameux jour sur la plage, avec Susan...

Parfois, un souvenir fugace, pas tout à fait saisissable, filtre dans son esprit et il lui semble se rappeler avoir été allongée exactement de cette façon, dans l'herbe verte, lorsqu'elle était encore très, très jeune, dans un temps antérieur aux Petits Enfants de Jésus. Ses trois amies imaginaires sont avec elle. Mais l'image est trop floue, trop brève pour qu'elle puisse s'y accrocher. Ce qui n'empêche pas qu'elle soit rassurante, dans la mesure où sa vie d'avant ses souvenirs est ainsi, étrangement, réconciliée à la fois avec ce présent dans lequel elle se trouve allongée sur le balcon, et avec les formes possibles de l'avenir. Même Dieu devient, légèrement (oh, très légèrement!), envisageable : ce n'est pas le vieux cochon courroucé et vengeur qui préside à la destinée des Petits Enfants de Jésus, mais quelqu'un d'autre, un être souriant et musicien, qui ressemble beaucoup à Opa.

Et puis, enfin, sans crier gare, un jour, Oma monte au balcon et lui dit : «Hanna, Opa a quelque chose à te montrer.»

Hanna redresse en hâte : «Pas le...?

– L'instrument! répond la vieille dame, ses pupilles délavées soudain toutes brillantes. Il l'a terminé.» Elle marque une pause avant d'ajouter : «J'espère que tu ne seras pas déçue.

– Comment pourrais-je être déçue? Nous avons tant attendu.

– Hum, commente Oma simplement, ce n'est peut-être pas tout à fait ce à quoi nous nous attendions.

– Mais est-ce quelque chose de spécial? s'enquiert Hanna, hors d'haleine.

– Oh, c'est quelque chose de spécial, pour sûr. Et, à la réflexion, c'est exactement ce qu'il avait promis.»

Hanna dévale l'escalier, manque la dernière marche, tombe, se relève, époussette sa robe déchirée et se précipite dans le salon de musique, où Opa est assis à la fenêtre. La lumière du jour, qui filtre par le carreau, trace des rainures délicates sur son crâne chauve et sur l'objet brillant qu'il tient sur les genoux. Hanna s'arrête, fixe son regard sur l'objet. L'espace d'un instant, elle est, en effet, déçue. Son aspect est si ordinaire... On dirait un violon, mais plus rond, le bois merveilleusement verni, une seule corde. La corde n'est pas tendue, elle pend mollement là où se trouveraient les ouïes d'un violon.

«Essaie-le, dit Opa, lui tendant l'instrument et l'archet qui va avec.

– Comment doit-on le tenir?

202

— Comme tu veux. »

Elle lui lance un regard surpris, tient l'instrument à quelque distance de son corps et effleure la corde avec l'archet.

«Il ne produit aucun son», lâche-t-elle dans un murmure, gênée.

Opa a un rire satisfait. «Précisément, dit-il. Comprends-tu, maintenant? *Précisément.* »

Le surlendemain, sans crier gare, Opa meurt tranquillement dans son sommeil.

À l'enterrement, Oma dit à Hanna : «Je veux que tu restes ici avec moi. »

Mais les enfants des Kreutzer, qui ne sont jamais venus les voir pendant les deux années que Hanna a passées chez eux, arrivent des quatre coins d'Allemagne et insistent pour qu'on vende la ferme et que leur mère emménage avec eux, l'un après l'autre. Ils abrogent l'héritage qu'Opa a promis à Hanna des mois auparavant.

Maintenant, il lui faut se débrouiller seule ou retourner aux Petits Enfants de Jésus. Elle est sous le coup d'un choc trop rude pour choisir l'une ou l'autre solution. Elle prend une poignée des calmants d'Opa et meurt.

29

Dès son premier jour à Frauenstein, Hanna sait que la bâtisse est hantée. Elle aperçoit des fantômes, d'abord seulement dans les miroirs, en passant (quand elle se retourne, il n'y a plus rien à voir). Mais, une fois qu'elle s'est habituée à ces visions... ou que ces femmes, car ce ne sont que des femmes, se sont habituées à elle, les rencontres sont plus directes, face à face. Parfois, elle n'en rencontre qu'une, la nuit, quand l'appréhension de faire des cauchemars inspirés par son expérience dans le train l'empêche de dormir ; sinon, elles sont deux ou trois. À l'occasion, il y en a toute une noire flopée qui envahit l'escalier monumental, accompagnée par un murmure et un courant d'air glacé. Pour une raison ou une autre, elles ne lui font pas peur. Elles lui inspireraient plutôt une immense tristesse. Elles l'observent avec des yeux aussi terrifiants que terrifiés ; et elle les comprend comme personne ne saurait le faire, qui n'aurait que vécu, sans fouler les terres de la mort, comme elle. Ce soir, en contemplant son propre regard dans la glace, elle se reconnaît et comprend pourquoi. Avec elles et elles seules elle partage l'intimité de la vie comme de la mort. Elle sait que ce sont les femmes dont le corps repose dans les tombes anonymes du cimetière, oubliées de tous et toutes, reléguées dans les ténèbres comme si elles n'avaient jamais existé. Raison pour laquelle elles ne peuvent trouver le repos et doivent continuer d'errer ainsi, d'être accostées et reconnues, fût-ce de cette obscure manière. Il faut que quelqu'un, au moins, sache. Hanna se sent si proche d'elles... Pas seulement parce qu'elle est morte maintes fois, mais aussi parce qu'elle sera oubliée comme elles et devra errer de même, jusqu'à ce que quelqu'un, qui sait, quelqu'un, quelque part, redécouvre son histoire et prononce son nom dans le silence, Hanna X.

30

Non, les calmants ne la tuent pas. Elle vomit abondamment, est malade pendant trois jours. Mais elle se remet, et elle sait qu'elle doit quitter la ferme des Kreutzer. Or en aucun cas elle ne veut retourner aux Petits Enfants de Jésus. Elle n'est plus une enfant; désormais, elle mènera sa barque seule. À l'insu des très méprisants enfants Kreutzer, Oma réussit à lui donner subrepticement un peu d'argent ainsi qu'une éloquente lettre de référence, et demande à un voisin de l'emmener à Brême, avec une valise pleine d'habits et un carton de livres... et, oh... son coquillage magique. Fräulein Braunschweig accepte de l'accueillir dans son petit appartement pendant quelques semaines. Hanna dormira sur le canapé jusqu'à ce qu'elle trouve une solution.

C'est son professeur qui lui apprend qu'on recrute des femmes comme employées de maison, et comme possibles épouses pour la colonie allemande du Sud-Ouest africain. En un rien de temps, la décision est prise. N'est-ce pas ce dont elle a toujours rêvé? En outre, la nouvelle semble raviver chez le vieux professeur des souvenirs anciens : de l'époque où elle était fiancée, de ses conversations avec Otto quant à leurs futurs voyages autour du monde, de l'enthousiasme de son fiancé quand il projetait de se rendre avec elle en Afrique orientale, ou dans le Sud-Ouest africain. Le départ de Hanna serait comme la matérialisation de ses propres rêves. Fräulein Braunschweig l'accompagne au train de Hambourg. Avec une partie de l'argent qu'Oma lui a donné, elles achètent une nouvelle tenue pour Hanna : ce qui lui donne confiance, même après le voyage en train et un séjour de quarante-huit heures dans une pension miteuse à Hambourg. L'entretien avec Frau Charlotte Sprandel, de la Kolonialgesellschaft, qui a fait le voyage depuis Berlin, est repoussé maintes fois en raison du nombre incalculable de femmes (dont certaines qui n'ont pas quinze ans et d'autres cinquante ou soixante) qui réclament à grands cris d'être sélectionnées.

«Nous sommes trop nombreuses, répète Hanna. Ils ne me prendront jamais.

— Tu es exactement ce qu'ils recherchent, Hanna.

— Je suis "trop monstrueusement laide", Fräulein.» La formule a été imprimée dans son esprit, là où elle fait le plus mal et où elle s'attarde le plus. Elle rapporte à Fräulein Braunschweig la conversation qu'elle a surprise jadis entre Frau Hildegard et son amie.

«Elles étaient jalouses de toi, voilà tout.»

Hanna ne peut réprimer un rire amer. «Et qu'y a-t-il en moi qui pourrait rendre quiconque jalouse?

« – Tu as un bon esprit, mon enfant. Tu es travailleuse. Tu es enthousiaste. C'est rare. » Fräulein Braunschweig sourit et, tout à coup, elle paraît plus jeune de plusieurs années. « Sans compter que tu as de très beaux cheveux. »

L'entretien, quand enfin arrive le tour de Hanna, a lieu dans une pièce haute de plafond et nue, dans un bâtiment de bureaux près du port. Frau Sprandel, magnifiquement vêtue de noir et de fourrure (il fait froid et il bruine), est assise derrière une longue table, flanquée par plusieurs autres personnes, dont la plupart sont des hommes, vieux et empressés. Mais personne ne montre le moindre intérêt pour la nouvelle candidate ; ils doivent en avoir interrogé tant, déjà...

« Dépêchez-vous d'entrer, Fräulein, lance la dame à la fourrure, visiblement irritée, nous n'avons pas de temps à perdre. » Elle lit le nom de Hanna sur le registre ouvert devant elle. « C'est votre nom ?

– Oui, Frau Sprandel.

– Vous savez quel genre de personnes nous recherchons ?

– J'ai lu les annonces, Frau Sprandel.

– Toutes les candidates, et Dieu sait que vous êtes nombreuses, sont évaluées selon *leur mérite et leur santé*. » Frau Sprandel insiste beaucoup sur les mots, impressionnants en eux-mêmes, *Würdigkeit und Gesundheit*. « Qu'est-ce qui vous porte à croire que vous correspondez aux critères ?

– Je ne crois pas du tout que j'y corresponds, Frau Sprandel. » S'ensuit un bruissement de documents devant les dignitaires assis à la table. Voilà qu'ils prêtent attention à elle, maintenant. Déterminée, Hanna insiste : «Je suis maladroite et je casse toujours des assiettes et d'autres choses, et souvent je ne termine pas mon travail à temps. Mais je n'ai jamais rechigné à la tâche, je fais toujours de mon mieux et je suis toujours en excellente santé.

— Hum.» Plutôt étonnée, Hanna croit détecter de l'approbation dans l'attitude de la dame, qui jette alors un nouveau coup d'œil au dossier. «J'ai regardé vos références. J'ai remarqué que vous aviez été élevée dans un orphelinat, les Petits Enfants de Jésus. Une bonne institution chrétienne, m'a-t-on dit.»

Hanna sent ses mâchoires se contracter. Néanmoins, d'un ton aussi étale que possible, elle répond : «C'est ce que Frau Agathe et le pasteur Ulrich prétendaient toujours.

— Vous n'êtes pas de leur avis?

— Non.» Hanna parle d'une voix très assurée. «Mais vous n'avez pas besoin de me croire. Peu de gens s'en donnent la peine.»

Frau Sprandel change son angle d'approche : «Diriez-vous que l'orphelinat était le genre d'endroit où vous auriez préféré ne pas être?

— Je m'enfuyais souvent quand j'étais petite», répond Hanna. Sa candeur est entière.

«Le feriez-vous encore aujourd'hui, si vous le pouviez?

— Non.

— Pourquoi?

— Parce que ça ne sert à rien.

— Pourtant, vous voudriez partir dans le Sud-Ouest africain. N'est-ce pas fuir, aussi?

– Je ne cherche pas à fuir l'Allemagne, Frau Sprandel. Je désire aller en Afrique.»

Réplique qui suscite moult messes basses tout le long de la table du jury, tandis que Frau Sprandel plisse les yeux pour mieux scruter la candidate. Elle ne retourne à ses notes qu'après un long moment. «Diriez-vous que vous êtes une fille de la ville?

– Non, Frau Sprandel. Brême n'est pas une grande ville. De plus, ces dernières années, je travaillais dans une ferme.

– Ah.» Frau Sprandel hoche la tête et lance un regard de biais à ses coadjuteurs. «La seule exigence sur laquelle nous soyons très stricts est que nos recrues soient *vom Lande und nicht von der Stadt.*» Un murmure d'approbation parcourt la table. «Vous devez savoir que l'Afrique n'est pas l'Allemagne. C'est un endroit sauvage.

– J'ai toujours voulu aller dans des contrées sauvages, Frau Sprandel.

– L'endroit ne sied pas aux esprits romantiques, rétorque la femme sèchement. Le Sud-Ouest africain couvre une étendue plus importante que la totalité de notre mère patrie. Elle compte un demi-million d'habitants dont moins de cinq mille sont des colons.» Frau Sprandel marque une pause afin que Hanna soupèse l'information. «En outre, une garnison de huit mille hommes y est stationnée. Mais la vaste majorité sont des autochtones. Des tribus primitives, barbares, sauvages, desquelles on ne peut attendre ni aide ni miséricorde, seulement une hostilité ouverte.»

La gorge serrée, Hanna hoche la tête.

«Le seul endroit plus ou moins civilisé, c'est la capitale, Windhoek, sur le plateau central, or elle ne compte même pas mille habitants. De Windhoek, une mauvaise route rejoint la côte par Okahandja et Otjimbingwa, une autre, vers le sud, rejoint Karasburg en passant par Rehoboth et Mariental, et une troisième, vers le nord, rejoint Omaruru, Otjiwarongo, Outjo et Tsumeb dans le Hereroland...» Entendant le bruit étouffé que produit alors Hanna, Frau Sprandel s'interrompt et lève la tête : «Oui?

— Ce sont de très beaux noms, Frau Sprandel.»
Concert de gloussements et toussotements discrets derrière la table.

«Je crains que seuls leurs noms, aux oreilles de certaines du moins, ne puissent paraître *beaux*... À ce que j'en sais, il s'agit d'un désert en grande partie inhospitalier.

— J'aime beaucoup le soleil, Frau Sprandel.

— Je dois vous avertir que le climat là-bas est extrême, Fräulein. Ce ne sera pas une vie aisée.» Une autre pause réfléchie. «De surcroît, c'est un endroit dangereux. Il y a six ans, une guerre a éclaté dans le nord du territoire entre les nôtres et des Herero rebelles. Nombre de nos colons ont été tués.» Frau Sprandel s'éclaircit la gorge. «Par bonheur, des milliers de Herero ont été exterminés et, peu après, une épidémie qui a décimé leur bétail les a presque tous forcés à quitter leurs terres pour aller chercher un emploi dans nos fermes.» Son regard semble percer Hanna. «Or, d'après les dépêches que nous recevons de là-bas, les hostilités seraient sur le point de reprendre. En temps voulu, il pourrait y avoir une nouvelle guerre. Pour l'instant, l'Allemagne entretient de bonnes relations avec les chefs les plus avisés, qui comprennent que, sans nous, ils sont condamnés. Mais certains sauvages parmi eux...» Elle consulte brièvement ses notes et dodeline de la tête. «... qui portent des noms qu'aucun chrétien ne saurait prononcer, n'ont pas retenu la leçon. S'ils réussissaient à fomenter une insurrection générale parmi toutes les tribus du pays, nos garnisons auraient du mal à les contenir. Il n'est donc que justice que vous soyez prévenue.» Une nouvelle pause semble interminable. «Êtes-vous toujours décidée à partir dans un tel endroit?

— Oh oui, Frau Sprandel. J'ai lu tout ce qui m'est tombé sous la main sur ce pays.

— Vous devrez travailler très dur.

— Je ferai tout travail honnête qu'on me demandera de faire.

— Êtes-vous fiancée?»

Hanna fait non de la tête.

«Vous comprenez que certains hommes qui proposent du travail aux femmes qui se rendent là-bas sont également intéressés par... ils souhaitent trouver une compagne, une épouse.»

Hanna déglutit mais ne cille pas. «Si c'est un homme honnête, je ne ferai pas d'objection, Frau Sprandel.

— Et, à vos yeux, qu'est-ce qu'un homme honnête?

— Quelqu'un qui, j'espère, me respectera.»

Une autre série de gloussements le long de la table, mais sans joie.

«Voilà un bon sentiment chrétien, déclare Frau Sprandel en tâtant le col de son manteau de fourrure. Mais l'on ne peut pas attendre beaucoup de raffinement ou de délicatesse dans une colonie de cette nature, comprenez-vous bien cela?»

Hanna prend une profonde inspiration. «Certains de mes patrons, au fil des ans, n'ont pas été des plus délicats, Frau Sprandel. Je crois que je peux faire face à la situation.»

S'ensuit à la table une longue consultation tout en chuchotements. À la fin, Frau Sprandel se tourne vers Hanna. «Maintenant que vous avez entendu nos questions, y en a-t-il que vous souhaiteriez nous poser à votre tour?»

Hanna reste coite un instant, avant de demander posément et avec le plus grand sérieux : «Je vous prie, Frau Sprandel, y aura-t-il des palmiers dans le Sud-Ouest africain?»

Cette fois, les rires sont plus généreux.

«Je vous ai dit que c'était un désert, Fräulein, réplique la dame au port royal qui préside le jury. Je crois que nous pouvons affirmer sans grand risque d'erreur que vous trouverez là-bas une ou deux oasis avec des palmiers.

— Dans ce cas, j'irai.

— Nous ne vous avons pas encore offert une place», lui rappelle Frau Sprandel, d'un ton sarcastique.

Hanna devient écarlate. Ça y est... elle a tout gâché, se dit-elle. «Je suis désolée, Frau Sprandel, je ne voulais pas dire... c'est seulement... Quand j'écoutais la mer dans mon coquillage... c'est une petite fille qui me l'avait donné sur le Weserstrand... il n'y avait pas que la mer, il y avait aussi des palmiers... et, depuis ce jour-là, je sais que, s'il existe un endroit comme ça, je dois y aller. Alors, je vous en supplie, je ferai tout ce que vous voudrez.

— Pouvez-vous apporter une contribution à votre voyage?

— Une contribution...?

— En liquide.

— Non. Non, je suis désolée. Je n'avais pas compris...

— Troisième classe, déclare Frau Sprandel en se tournant à gauche, puis à droite, vers ses collègues. Entendu?

— Entendu.

— Vous pouvez y aller», annonce Frau Sprandel. Et, tandis que Hanna sort, ébaubie et la démarche incertaine, oubliant même de remercier le comité, la dame en fourrure lance dans son dos un codicille désinvolte : «Du moment que vous n'attendez pas trop de vos palmiers!»

31

Il y a très peu de palmiers et ils sont tous loque-
teux et frangés par le vent, quand les femmes
débarquent à Swakopmund de la chaloupe qui les
a amenées là depuis le *Hans Woermann*, qui a jeté
l'ancre au large. C'est à peine si Hanna est capable
d'observer quoi que ce soit, toute trempée qu'elle
est par la houle furieuse que la chaloupe a dû
fendre. Plusieurs malles et ballots des passagères
ont plongé dans la mer d'encre. Hanna est trop
engourdie pour s'en soucier. Il fait froid et gris,
comme si elles n'avaient jamais quitté l'Allemagne.
Il doit y avoir une erreur. Mais elle refuse de
perdre espoir; ce n'est, après tout, que le port de
débarquement, ça ne compte pas, l'oasis sera à
l'intérieur des terres, elle doit prendre patience.

Après les longues semaines passées en mer, sous
ses pieds la terre ferme semble respirer. Il lui faut
agripper la rambarde afin de ne pas perdre l'équilibre. Fermant les yeux pour ignorer la brume, elle
revoit les palmiers dessinés dans sa bible pour
enfants et les palmiers véritables de ses rêves. De
sa poche, elle sort le coquillage qui l'a accompa-

gnée tout au long du voyage, du plein hiver à ce plein été rageur : elle le colle contre son oreille et sourit : la mer s'y trouve encore, la mer qui siffle.

Elle s'écarte des autres, bien peu, car on la rappelle vite à l'ordre. On les rassemble par groupes de dix afin de les envoyer dans un grand bâtiment de style colonial surchargé : et on les fait entrer, l'une après l'autre, dans une série de bureaux. C'est là qu'elles rencontreront leurs futurs employeurs, peut-être leurs époux. C'est dans ce but, elle le sait, toutes le savent, qu'elles sont venues. Hanna s'y est résignée.

À première vue, lorsqu'elle pénètre dans le modeste bureau qui empeste la poussière, le tabac et la sueur rancie, la perspective n'est guère engageante. L'homme est assis, dos tourné. Un paysan d'âge mûr : voilà la première impression de Hanna. La silhouette, la veste mal ajustée, la nuque étroite, tout le désigne comme un perdant : un perdant à l'esprit étroit... méchant, buveur, mal embouché.

Il se lève pour lui faire face. Elle le dépasse et va s'installer sur la chaise vide placée devant lui, et s'assoit. Il se racle la gorge et fait tourner son chapeau sale entre ses mains, avant de se rasseoir. Le fonctionnaire installé à un grand bureau lit le nom de l'homme mais elle n'y prête pas attention – c'est d'une oreille distraite qu'elle entend un nom comme Grossvogel.

Puis il lit : «Lotte Mehring.

– Je ne suis pas Lotte Mehring, dit Hanna, s'emportant.

– C'est ce qui est écrit ici.

– Alors, c'est une erreur.

216

– Comment vous appelez-vous ?

– Hanna.» Elle aura ajouté le nom que nous ignorons aujourd'hui.

Le fonctionnaire paraît s'échauffer : «Mais il est bien écrit Lotte Mehring ici !

– Alors, changez ce qui est écrit.

– Je n'y suis pas autorisé. Je n'ai le droit que de suivre le registre.»

Inopinément, l'affaire est retirée des mains de l'employé. L'homme assis face à elle lui adresse un sourire : «Hanna, dit-il en se penchant, en signe de familiarité. C'est un joli nom, Hanna.» Il sourit derechef. Il lui manque plusieurs dents, les autres sont jaunes de nicotine. Sa moustache est hirsute. Il a le teint brique mais il y a une bande blanche sur son front étroit, là où le chapeau l'a protégé du soleil. Il pose sa grosse main sur la cuisse de Hanna. Il sent la bière et la fiente de poule. «Alors, Hanna. Tu vas être ma femme, hein, comme ça... !»

Le fonctionnaire tente de parler mais les deux autres ne sont plus conscients de sa présence.

Un instant, Hanna voudrait bondir, aveugle, courir n'importe où, comme le jour où, pendant sa maladie, le pasteur Ulrich avait glissé la main sous ses draps. Elle ne s'explique pas la chose : il y a quelques minutes encore, elle était prête à se résigner à quasiment n'importe quoi. Pourquoi cette soudaine panique ? Peut-être parce qu'on a prononcé le nom de Lotte et que cela lui a rappelé ce qui aurait pu être, aurait *dû* être – avenir à jamais impossible. C'est à peine si elle peut contenir la rage et le ressentiment qui bouillent en elle à l'encontre de cet instant qui décide du reste de sa vie.

Ah, la conscience débilitante que cet homme est la dernière chose qu'elle souhaite mais la seule à laquelle elle aura peut-être jamais le droit d'aspirer!

Elle sait, toutefois, qu'elle ne peut leur résister ouvertement; elle doit rester calme, à tout prix. Elle n'ose trop les contrarier. Pas tout de suite. Prenant une profonde inspiration, elle déclare : «Je suis navrée, je ne peux pas être votre épouse.»

L'homme la regarde, éberlué, les yeux légèrement exorbités. Le blanc des yeux, jaune, est veiné de rouge. «Qu'est-ce que tu veux dire? Pourquoi pas?

— Parce que vous êtes laid et vieux.

— Hum, fait le fonctionnaire derrière son bureau, Fräulein Lotte... ou Hanna..., quel que soit votre nom, vous devriez être reconnaissante qu'il se trouve quelqu'un qui veuille de vous.» Il semble être désarçonné par le regard de Hanna. Il se tourne vers le prétendant rassis. «Vous avez toute liberté de changer d'avis, Herr Grossvogel.»

L'homme se lève et pose une main possessive sur l'épaule solide de Hanna. «Je crois que c'est elle qui en changera. Tout ce qu'il faut, c'est un peu de fermeté. Y a toujours des moyens d'arriver à son but.» À nouveau, son sourire engageant. «Et quatre jours de train peuvent faire une drôle de différence. Vous avez bien dit quatre jours, *mein Herr*?

— Quatre», confirme le fonctionnaire en se levant, de toute évidence pressé d'en finir avec les formalités avant d'être assailli par d'autres complications. «Eh bien, tous mes vœux à tous les deux.»

Or, quelques heures plus tard seulement, quand le train démarre sous un ciel qui saigne comme la carcasse de bestiaux à l'abattoir, survient un premier incident. L'homme à qui Hanna a été assignée la tire dans leur compartiment et ferme la porte à glissière. Sans cérémonie, il déboutonne son pantalon en velours côtelé. Sur la banquette opposée, un autre couple est déjà en train de copuler.

Hanna reste droite, le dos collé à la porte. «Vous avez des palmiers?» demande-t-elle d'une voix tendue.

Il la dévisage, bouche bée. «Qu'est-ce qui te prend? D'où ils sortent, tes palmiers?

— Est-ce que vous avez des palmiers là où vous vivez? répète-t-elle.

— Femme! dit-il. Fais-moi pas perdre mon temps. Ôte tes hardes.

— Je ne vous laisserai me faire ça que si vous pouvez me donner des palmiers au soleil. Sinon, non.»

Alors il lui donne une gifle.

Hanna la lui rend.

Il ne s'y était pas attendu. La marque de la main sur la joue lui brûle, il bat en retraite.

L'homme nu sur la banquette opposée se relève sur ses bras. «Vous allez la fermer, tous les deux? beugle-t-il avant de replonger sur la femme.

— Mais vous avez entendu ça? gémit Herr Grossvogel. Elle veut pas me laisser faire.» Dans un nouvel élan de fureur, il s'élance sur Hanna.

S'ensuit une scène très confuse. Hanna se bat tout son soûl, elle griffe, mord, donne des coups de pied, des coups de tête, et tout cela en silence, hormis les halètements violents et rauques de sa respiration. Quand elle lui donne un coup de genou dans l'entrejambe, il se plie en deux et vomit son repas. Elle se retourne pour s'échapper. C'est alors que l'homme de l'autre banquette entre dans la danse. Agrippant Hanna par-derrière, il la jette à terre. Et soudain, l'autre femme se lève aussi d'un bond et lui tire les cheveux. À eux trois, ils la maîtrisent. C'est la femme qui parvient finalement à lui arracher les vêtements et à lui prendre les pieds tandis que Herr Grossvogel, pour se lancer à l'eau, ôte son pantalon et l'écarte d'un coup de pied. Dès qu'il la maintient plaquée à terre, les deux amants reprennent leur accouplement.

Or Hanna n'a pas jeté l'éponge. Une fois que l'autre couple a replongé dans ses ébats, tandis que l'homme à cheval sur elle cherche encore son chemin, elle réussit à le saisir là où ça fait mal et s'échappe en roulant sur le sol. Ses vêtements en boule contre sa poitrine, elle ouvre la porte.

«Va te faire foutre! hurle son promis. J'ai pas envie de toi, de toute façon!»

Elle s'élance dans l'étroit couloir jusqu'à la prochaine voiture. Là, elle enfile ses vêtements ou ce qu'il en reste, et demeure debout à la fenêtre, le front contre la vitre dure et froide. Elle ne voit rien que le paysage nu qui défile dans l'obscurité de plus en plus dense.

Oh, comme elle voudrait encore être en mer!

32

À minuit, quand on passe l'équateur, la mer
soupire, tourne et vire dans son sommeil ; et puis
survient un calme plus grand qu'aucun autre
silence que tu aies jamais connu. Tu ne serais pas
surprise si, comme dans les légendes anciennes,
tu passais brusquement par-dessus le bord du
monde dans un vide trop vaste pour être compris ;
et ce qui se trouve au-delà est totalement
inconnu, inconnaissable. L'océan est d'une noirceur magique, traversé de lignes et d'éclats de
phosphore. Sans oublier les poissons volants. Alors,
rien n'est plus improbable.

33

Dans l'étroit couloir du train, au fil de la nuit, deux ou trois autres femmes rejoignent Hanna ; et plus encore, plus tard ; après un certain temps, elles sont dix ou douze, debout, là, pressées les unes contre les autres. Elles ne se parlent pas mais cherchent du réconfort dans la proximité d'autres corps féminins. Du moins ont-elles échappé, songe Hanna. Elles ont survécu.

Mais ce n'est encore que le début. Un soir, un matin : le premier jour.

Au milieu de la nuit, à un arrêt sur une anonyme voie d'évitement, sous une lune bulbeuse et jaune dont le poids semble la tirer vers l'horizon, des hommes apparaissent d'autres wagons de l'immense convoi et convergent sur la bande de femmes. À certaines, les hommes demandent, poliment − parfois, même, ils sont obséquieux ; d'autres sont simplement tirées par le bras. C'est la seconde manche. Ce que Hanna se remémorera plus tard, c'est comment, l'un après l'autre, les hommes l'approchent de derrière, avec des cajoleries comme «Salut, ma belle», ou bien lui passent une main dans les cheveux, et comment ils la retirent, déçus ou dédaigneux, quand elle se retourne et qu'ils voient son visage. Combien de fois dans le passé cela lui est-il arrivé? Mais ce doit être la première fois que la dérision des hommes est un soulagement, un plaisir amer. Il ne dure pas, bien sûr. Les hommes sont trop ivres, trop à l'affût. Hanna ne pourra pas se rappeler les détails; elle n'en éprouvera pas le désir. À l'heure où les prétendants maussades vacillent trop, trop éméchés, trop frustrés pour persévérer dans leur chasse, à l'heure où ils sont remplacés par les soldats qui, à l'origine, étaient cantonnés à leur voiture à l'avant du convoi, cette version macabre des chaises musicales s'affole véritablement, parcourue de sous-entendus pleins de menaces et que personne ne peut plus prendre pour du plaisir ou un simple jeu.

Ce doit être le deuxième jour ou bien le troisième que, affaiblie par l'usure et la lassitude, mais encore, d'une certaine manière, indemne, Hanna est entraînée dans un compartiment par un militaire qui, à en juger par ses galons et ses insignes, doit être un officier supérieur d'un rang particulièrement élevé. Deux autres sont présents, trop avinés pour se joindre à lui mais pas au point de ne pouvoir lâcher des grivoiseries ou de grossiers encouragements. Quand elle tente, une fois encore mais plus épuisée et abattue qu'auparavant, d'échapper à ce qui, finalement, paraît inévitable, quand elle argumente, plaide, le maudit, en appelle à son sens de l'honneur, lui, le militaire qui représente le Kaiser, se contente de ricaner.

«Pourquoi faire semblant d'être ce que tu n'es pas, fait-il. Tu es une putain. Voilà tout.

— Je ne suis pas une putain, réplique-t-elle, outragée mais calme. Je suis venue chercher du travail. Je n'ai jamais couché avec un homme.

— Tu n'as jamais couché avec un homme?»

Elle lève la tête, soutient crânement son regard. «Non. Et ce n'est pas maintenant que j'ai l'intention de m'y mettre.»

Pendant un long moment, il la scrute avec l'intérêt d'un botaniste contemplant une nouvelle espèce de plante, ou peut-être un garçon examinant un scarabée auquel il aurait coupé les pattes. «Sais-tu qui je suis? demande-t-il enfin.

— Cela ne fait aucune différence.

— Je suis capitaine dans l'armée impériale.»

Hanna hausse les épaules.

«Je suis le Hauptmann Heinrich Böhlke.

— Ce n'est qu'un nom.

— Tu peux te juger honorée d'avoir été choisie par moi. Tu n'as pas l'air d'être une femme qui a beaucoup de choix.

— Mon corps m'appartient.

— Pas dans ce train. Tu es ici à notre disposition. Plus précisément, à la mienne.

— Ne pourriez-vous pas me montrer du respect?

— Je suis un homme, tu es une femme. Voilà tout. Et je crois que nous avons assez perdu de temps.»

Hanna hoche la tête. Mais elle ne parvient pas à contrôler ses tremblements.

«Après, dit-il, tu pourras retourner à la vie que tu t'es choisie.» Un bref sourire sans joie. «En fait, après, tu ne voudras pas d'un autre homme.»

Elle ne sait pas (et, plus tard, elle ne s'expliquera pas) où elle trouve la témérité de rétorquer : «Ce n'est pas à vous d'en décider.

— Écoute, Lotte.» Le ton est plus grave, plus dangereux. «C'est ton nom, n'est-ce pas?

— Non.

— Alors, comment t'appelles-tu?»

Elle hausse les épaules.

Il plisse les yeux. «Cela ne fait aucune différence, dit-il. Il n'y a qu'une chose à comprendre. M'écoutes-tu?»

Elle fait oui de la tête.

Le capitaine a un sourire aussi impalpable que désagréable. «Quand je baise une femme, déclare le Hauptmann Böhlke, de l'armée impériale (d'une voix étale et acérée, telle une lame d'un acier très fin), elle reste baisée à vie.»

Et il la baise.

34

Et ce n'est pas terminé. En fait, c'est *très* loin d'être terminé. Hanna répugnera à se rappeler les événements mais ils lui reviendront toutefois. À un moment donné, elle se retrouve seule dans le couloir, elle a mal dans tout le corps : une sensation de sang et de feu brûlant entre les cuisses. À un autre moment, il y a, comme avant, des femmes avec elle. Certaines, qui ne peuvent plus tenir debout, rampent par terre. Et puis les hommes reviennent. D'autres, ou les mêmes. Personne ne semble plus s'en soucier. Hanna pas plus que les autres.

Mais cela, qu'elle le veuille ou non, elle s'en souviendra. Cet Hauptmann Böhlke revient la chercher. C'est la nuit. La nuit, une des nuits. N'en a-t-il pas eu assez? Ou est-il furieux parce que, lorsqu'il l'a prise, la première fois, quand elle a compris qu'il n'y avait plus rien à faire, elle n'a ni résisté ni montré le moindre signe de vie? Il aurait aussi bien pu faire ça avec un cadavre. Peut-être, qui sait, son honneur est-il en jeu? Cette femme-là pourrait bien ne pas «rester baisée à vie»...

De cette fois-là, elle se rappellera qu'il lui déchire les quelques lambeaux de vêtements qui lui restent. Il la force à se mettre à genoux devant lui. Il lui pousse quelque chose contre la bouche. C'est très dur mais ça a la douceur de la chair humaine. Pris d'une sorte de frénésie, il hurle : «Tu t'en souviendras! Prends-la! Salope! Putain!»

Elle pense à ce que tant d'autres hommes ont essayé de lui faire faire... sans y arriver. Cette fois, elle ne peut éviter la chose. Elle étouffe mais il ne la laisse pas aller. Il lui serre la tête, avec les deux mains, les doigts pris dans ses longs cheveux. Elle déteste ses cheveux. Le capitaine continue de hurler des obscénités.

Et elle se rappellera (mais ce ne sera jamais un souvenir clair et précis) que, après un très long moment, quand elle ne peut plus résister, elle capitule et accepte dans sa bouche ce qu'il lui fourre dedans. Et que, alors, aveuglément, quand il n'y a pas d'autre issue, elle le mord. Et qu'elle n'arrête pas, pas même lorsque le sang lui coule à flots de la bouche, plus de sang qu'elle aurait jamais cru possible, une fontaine rubis palpitant dans sa bouche, qui l'étouffe, qui jaillit partout, sur les hommes qui braillent... Hurlant, le capitaine de l'armée impériale s'effondre sur elle.

La fin vient-elle peu après ou beaucoup plus tard, elle l'ignore. Tout ce qu'elle sait, et c'est très clair dans son esprit, c'est que c'est bien la fin, cette fois, parce que ça ne peut pas aller plus loin.

On la jette dans un compartiment. Il est plein d'hommes en uniforme kaki. Dans un coin est pelotonné le capitaine. Il est enveloppé dans une couverture et il est livide mais, de toute évidence, il a insisté pour être présent.

«Je vais te montrer maintenant ce dont je parlais», déclare-t-il. (Il parle entre ses dents : de rage ou de douleur?)

Elle voudrait serrer son coquillage dans le creux de sa main mais ses doigts ne trouvent que le vide.

Les militaires l'entourent. Ils tirent tous leurs ceinturons garnis de gros clous pointus. Plusieurs ont des couteaux de l'armée. L'un d'eux sort un morceau de bois qu'il lui écrase contre la bouche.

Et c'est ainsi que Hanna X meurt, cette fois-là.

35

Je dois revenir à la scène devant la glace, au moment où, à mes yeux, la vie de Hanna X prend la forme d'un récit qu'il faut recomposer, morceau par morceau, à partir des faits bruts de son histoire. Là, devant la glace, le temps est venu enfin qu'elle se regarde en face. Elle ne peut plus esquiver la réalité : son visage, son corps. Toute sa vérité physique, tout ce qui a été inscrit sur elle pour lui indiquer où elle a été, qui elle est. Obscurément, à l'arrière-plan, à peine visible à la lueur de la bougie sur la surface ternie de la glace, flotte l'aréopage féminin des fantômes gris et ternes : non pas menaçants mais, pour ainsi dire, solidaires, pour montrer qu'elles aussi sont là.

Approchant la longue chandelle de son visage, elle observe l'image d'elle-même qu'elle a évitée si longtemps... De sa main libre, elle effleure les surfaces de son visage et de son corps. Caresse, quasiment, d'une amante : si elle ferme les yeux, elle pourra imaginer les doigts de Lotte, les lèvres de Lotte; mais ce n'est pas le moment de fermer les yeux. C'est le moment de voir, de voir, pour ne plus jamais oublier.

Voilà ce que les hommes lui ont fait. Pas en raison de quoi que ce soit qu'elle-même aurait fait, mais simplement parce qu'elle était une femme. Et parce qu'ils en avaient la possibilité.

Voilà ce à quoi elle ressemble maintenant. Émerveillée (pour ainsi dire), elle fait glisser ses doigts sur sa peau. Que c'est curieux, ce besoin qu'ils ont, tous autant qu'ils sont, de laisser leur marque sur le corps de la femme. Comme s'il y avait le désespoir en filigrane, et la peur, une peur profonde mais très ordinaire, la peur, qui sait, de la mort, la leur. Chez chacun d'eux, la nécessité, le besoin terrifiant, de laisser une cicatrice, sa marque. Et il ne s'était trouvé que son corps pour recevoir leurs graffitis. Depuis le pasteur Ulrich, qui pinçait ses lèvres entre ses doigts pour la faire grimacer de douleur et pleurer (ce qu'elle n'avait pas fait), jusqu'à ce dernier homme dans le train, le Hauptmann Heinrich Böhlke...

Avec un doigt, elle caresse les cicatrices qui ont remplacé ses tétons... son ventre, son nombril en saillie (parce qu'elle n'est pas catholique). Ensuite, elle écarte légèrement les jambes et se penche, repoussant le moment où elle verra... Mais, pour une fois, elle sait qu'elle ne peut se renier et éviter de regarder : le site de l'humiliation ultime. La tendresse secrète, la mince extrémité de pure et infernale joie, jadis offerte à Lotte et assumée par elle, désormais pendante et absente. *Quand je baise une femme, elle reste baisée à vie.*

La cire coule sur son ventre nu. La douleur est presque plaisante. *Je suis vivante*, songe-t-elle. C'est comme un soulagement, comme la pluie sur ces terres d'Afrique vouées à la sécheresse. *Je ressens*

encore la douleur; je ressens encore. Tout n'a pas dis-
paru. Je suis revenue des mortes.

Elle est prête à prendre congé. Ce n'est pas une
énième fuite. Cette fois, elle ne fuira rien, elle aura
un but. Ce qui est arrivé ici, aujourd'hui, ce qu'ils
ont essayé de faire à la petite Katja, l'a réveillée du
sommeil de la mort. Parce que c'est à elle-même
qu'ils s'attaquaient. Comme toutes les humiliations
dans sa vie, infligées par tous ceux qui ont pris part
à son lent démembrement. Désormais, elle doit
apprendre à se remémorer elle-même. Il y a désormais en elle un je-ne-sais-quoi qui n'y a jamais été
avant et qui confère sa forme à tout ce qui lui est
arrivé, à elle et en elle. C'est *la haine.* Quoique
dépourvue de langue, elle savoure le mot dans sa
bouche. Haine. Il a l'acidité d'une potion qui la
rendrait à la vie.

À dire vrai, elle a toujours supporté tout ce
qu'on choisissait de lui infliger mais elle a toujours
refusé son assentiment. Quelque soumise qu'elle
ait pu paraître, cette résistance obstinée et bien
ancrée a toujours été là. Quand on dépassait les
bornes, il arrivait que la seule protestation possible
fût la fuite; en d'autres occasions, elle s'opposait à
Frau Agathe, au pasteur Ulrich, à Frau Hildegard,
ou elle mettait le holà aux fredaines de Herr Dieter
et de ses successeurs; toujours, au tréfonds d'elle-
même, elle leur adressait un «non» discret, en
sourdine, à eux et à leur monde. Désormais, sa
réponse ne sera plus muette. Enfin, elle a reconnu
son droit à la haine. Elle donne un but au grand
chambardement en elle-même. La haine lui a fait
tuer l'homme qui tentait de violer Katja. Cette
conscience s'accompagne d'une liberté étrange,

presque excitante. Les autres n'ont plus d'ascendant sur elle. Parce que, dorénavant, c'est elle qui choisira ce qu'elle fera de sa haine.

Le souffle régulier, la longue chandelle dans ses mains fermes, elle retourne à sa chambre. Elle enfile une robe qui lui traîne jusqu'aux pieds, ses solides bottes, et dispose sur un drap de lit quelques effets. Sur les vêtements, elle pose le Mauser du défunt, sa bandoulière de cartouches et le pistolet Luger qu'elle a retiré de sa ceinture avant de traîner son corps jusqu'à la source, *boum boum boum*. Puis elle se rend aux cuisines, où elle prend un bon couteau et quelques ustensiles de première nécessité. Le voyage pourrait être long. Une fois assurée qu'elle n'a rien oublié d'importance, elle retourne à sa chambre et, faisant du drap un baluchon, elle prend ce dernier sur l'épaule.

Elle souffle la chandelle. Sur le palier plongé dans l'obscurité, elle s'arrête devant la glace pour se regarder une dernière fois. Elle contemple, à l'arrière de son reflet, la foule froufroutante d'ombres grises. La sororité du silence. Un sourire flotte sur son visage défiguré. Elle ne restera pas «baisée à vie».

Tandis que, dans la pénombre, elle s'engage dans la profonde cage d'escalier qui plonge vers les ténèbres plus bas, une voix derrière elle, l'interroge : «Où vas-tu?»

Seconde partie

36

Il existe des biographies bien documentées des hommes qui dominèrent le Sud-Ouest africain au tournant du siècle, les gouverneurs des premiers temps, qui prirent les rênes du pouvoir après que, pendant près d'un siècle, la vie des pionniers eut été gérée par les missionnaires, les marchands et les mineurs : Curt von François (1891-1894) ; Theodor Leutwein (1894-1904) ; le notoire Lothar von Trotha (novembre 1904-novembre 1905) ; son moins sanguinaire successeur Friedrich von Lindequist (1905-1907). Dans toutes, les individus tendent à s'effacer derrière leur parcours, lui-même obscurci par les faits historiques. C'est également vrai des chefs indigènes comme Samuel Maharero ou le redoutable Hendrik Witbooi (dont le journal, fort complet, porte davantage, en dépit de son côté très vivant, sur les événements que sur les conflits intimes qui firent de lui la figure qu'on se rappelle). Dans chaque cas, il nous faut donc toujours reconstituer l'histoire documentée, faire preuve d'imagination pour sonder les identités prises dans ses rets. Dans le cas d'une personnalité comme Hanna X, la tâche est encore plus difficile. Pourtant, elle exista bien, cela est attesté. Ayant atteint ce point charnière dans son histoire, je n'ai de choix que de continuer. Je crois de plus en plus que, en tant qu'homme, je lui dois au moins d'essayer de comprendre ce qui la distingue comme personne, comme individu, ce qui la définit comme *femme*.

À l'instar de Hanna, je dois aller de l'avant. Et la première image qui se forme d'elle après son départ de Frauenstein, c'est le tableau de deux infimes silhouettes traversant l'immensité désertique sous un ciel qui, au loin, est ponctué de vautours. C'est le premier signe de vie que Hanna aperçoit en deux semaines : ces vautours qui tracent de très lentes et aériennes spirales, ailes immenses figées, glissant sur d'invisibles courants thermiques. Ils ne sont pas pressés de plonger : quoi qu'ils aient distingué plus bas ne peut être encore mort. Mais il doit y avoir quelque chose, sinon ils auraient déjà poussé plus loin.

Hanna fait un petit signe dans leur direction. Sa compagne hoche la tête.

Hanna n'est pas certaine d'avoir eu raison d'accepter d'emmener la gamine avec elle. Mais avait-elle le choix ? En entendant la voix qui prononçait doucement son nom dans le noir alors que, un pied posé sur la première marche, elle s'apprêtait à quitter Frauenstein, elle s'immobilise : Katja ! Elle avait compté sur le fait que la gamine serait encore plongée dans son sommeil comateux. Maintenant, il faut trouver une solution, et vite. L'aube ne peut être loin. Hanna abandonne son baluchon en haut de l'escalier et, revenant rapidement sur ses pas, prend la gamine par le bras, la pressant de rentrer dans sa chambre. Katja ne bouge pas d'un pouce.

«Où vas-tu?»

Hanna a un geste d'impatience : dehors, je pars, *tout de suite.*

«Tu ne pars pas sans moi. Tu ne peux pas me laisser ici.»

Tu ne comprends pas. Hanna essaie de faire comprendre à la gamine la situation grâce au langage des signes qu'elles ont inventé. *Je ne peux pas rester ici.*

«Après ce qui est arrivé...» Katja s'étouffe. «S'il te plaît. J'ai besoin de toi. Je ne te laisserai pas partir.»

Sans sa langue, comment persuader Katja de rester? Le temps presse. Et puis, même si elle ne veut pas l'admettre, elle est devenue, en quelque sorte, responsable de la gamine. Depuis que Katja s'est accrochée à ses basques, à la mort de sa sœur dans le désert; et d'autant plus à présent, après les événements de la nuit. Pendant un long moment, Hanna n'arrive pas à prendre de décision. Ce qui finit par la convaincre, c'est la sensation étrange qu'elle a, en regardant la gamine terrifiée, de se retrouver devant une glace et de se revoir elle-même, plus jeune. Katja est plus jolie qu'elle n'a jamais été, certes; mais il y a les cheveux, la longue chevelure blonde qui lui tombe en cascade sur les épaules, les cheveux qui faisaient croire aux gens qui la voyaient de dos qu'elle était belle; les cheveux qui jadis captivaient le pasteur Ulrich, les cheveux que les hommes aimaient à enrouler autour de leurs parties, quand, les yeux fermés, elle les caressait; les cheveux qu'elle a coupés peu après son arrivée à Frauenstein pour s'aider à oublier le cauchemar du train. Or voici Katja, mince et vulnérable dans la robe de pauvresse qu'elle a endossée après le meurtre, Katja, dont la crinière est aussi abondante que la sienne l'était. Emmener la gamine avec elle dans le désert, ce sera comme se donner, à elle-même, une deuxième chance, la sauver non seulement de cette prison menaçante mais de tout ce qui pourrait la restreindre, l'emmurer et la mettre en péril, tous les usages et les règlements du monde : Katja l'orpheline, solitaire, assaillie de toutes parts.

C'est pourquoi elle se résigne à ce qui en est venu à paraître inévitable. Elle raccompagne Katja dans sa chambre et l'aide à faire son baluchon. La première tâtonnante lueur du jour filtre par les petites fenêtres lorsqu'elles se faufilent jusqu'au rez-de-chaussée puis sortent de la bâtisse, traversent la cour à découvert, dépassent les dépendances, le jardin potager et le cimetière, puis l'affleurement rocheux qui signale l'emplacement de la source, et enfin la formation rocheuse dont la configuration fait penser à une femme qui se retourne sur ce qu'elle laisse derrière elle, avant de déboucher sur la plaine qui s'étend devant elles jusqu'au ciel, où apparaissent les premiers rais blafards de l'aube.

Hanna s'arrête sous le rocher pour, une fois de plus, jeter un regard en arrière, presque comme si elle s'attendait à voir quelque chose, quelqu'un, qui les suivrait. Mais qui ? Les fantômes, peut-être. Il aurait pu être rassurant, en fait, de le voir suivre leur sillon, cet aréopage gris et immatériel... Mais les ombres doivent avoir leurs raisons pour rester à

Frauenstein. Elle doivent rester comme, jadis, sont restées derrière elle ses amies imaginaires, perdues au loin, quand on l'avait arrachée à sa première vie, celle dont elle n'a aucun souvenir, pour la faire pénétrer entre les murs impitoyables de l'orphelinat. Et voici qu'une autre vie commence. Ce qu'elle sera, elle l'ignore pour l'instant. Mais elle l'a choisie, et elle doit aller de l'avant.

Nul besoin de se hâter. Après sa précédente expérience, et celle de Katja, elles savent qu'il y a peu de danger qu'elles soient suivies : Frauenstein se fiera à l'efficacité du désert, qui soit les détruira soit les renverra en arrière sur les genoux. À moins qu'on découvre leurs corps (ce qui est peu probable), personne ne s'inquiétera plus jamais d'elles. Au fil de leur avancée, Hanna prend son temps pour initier la gamine aux astuces qu'elle tient des Nama : comment trouver *tsammas*, racines et tubercules, plantes grasses aux feuilles charnues, distinguer entre les comestibles et les mortelles; comment reconnaître les repères qui désignent la présence d'œufs d'autruche emplis d'eau, enterrés par les nomades, Nama et Boschimans; comment rester à l'écoute des volettements et des brefs gazouillis des petits oiseaux gris qui peuvent les mener aux nids d'abeilles dans le creux des troncs et des fourmilières, qui regorgent de la douceur des rayons de miel dorés.

Elles communiquent comme elles l'ont fait par le passé : Katja parle et pose des questions, Hanna répond avec des gestes aussi précis qu'éloquents ou en gribouillant des mots clefs, non plus sur du papier comme naguère à Frauenstein, mais grattés sur un carré de sable ou sur la terre nue. Elle a suggéré qu'elles devraient essayer de trouver un camp de Nama ou un groupe de nomades. Pour l'heure, elle n'est pas prête à offrir plus d'explications. Hormis le temps passé chez les Kreutzer et avec Lotte sur le bateau, son séjour chez les Nama a été le seul interlude dans toute sa vie où elle ait approché d'un état de quasi-contentement, de maîtrise, peut-être de bonheur. Cette tribu a été anéantie mais elles pourront en trouver d'autres. Et, pour ce qu'elle a en tête, elle aura besoin de l'appui du nombre. Autant qu'elle pourra en trouver. Une armée. Mais elle n'est pas pressée. Cette haine claire, limpide, a la patience du soleil du désert : et elle est aussi inexorable. C'est un feu qui brûle dans ses entrailles.

Hanna trouve presque surnaturel que Katja semble requérir de sa part de moins en moins de mots ou de formules écrits. Leur communication devient télépathique, pour ainsi dire, comme si la gamine devenait une autre version d'elle-même. Et elle est solide, beaucoup plus solide qu'on ne pourrait le croire, car elle est si frêle... Ce n'était finalement pas une erreur de l'emmener. Même si deux semaines, c'est loin d'être suffisant pour la mettre à l'épreuve.

Régulièrement, elles tombent sur les reliefs d'un campement nama : huttes brûlées, kraals faits de branches démantelées, carcasses de chèvres, de rares bestiaux, de chiens ; des os humains éparpillés par les charognards. Ce doivent être les signes de la guerre qui ravage le pays et dont elles ont tant entendu parler... À l'exception de l'arrivée à Frauenstein du détachement et de ses prisonniers, cette guerre s'est limitée pour elles à un ramassis de rumeurs et de rapports. Voilà qui est plus matériel, plus cru, et malgré cela elle flotte encore dans une curieuse aura d'absence, un déni de vie. En fin de compte, les signes ne désignent rien.

Toutefois, il se passe là-bas, au loin, un événement annoncé par les lentes révolutions des vautours. Hanna n'a pas à faire un signe ou Katja à dire quoi que ce soit, elles n'ont pas même à échanger le moindre regard : toutes deux accélèrent le pas simultanément. Leurs découvertes, jusque-là, à première vue, ont été insignifiantes, bien que, pour les deux femmes, elles soient importantes à leur façon : un oiseau de proie, un secrétaire, engagé dans ce qui ressemble à une danse extraordinaire et vaguement ridicule face à un serpent; une famille de meerkats scrutant l'infini; des touffes d'herbes sèches prises dans un tourbillon invisible par ailleurs; de menus nuages qui ne traversaient le ciel que pour mieux s'évaporer; une colonne de fourmis en travers de leur chemin. Insignifiant en soi, chacun de ces faits est néanmoins un troublant présage de la vie et de la mort qui poursuivent leur course sans répit. Mais ceci, ces vautours et leur cible encore invisible, est plus manifestement théâtral dans le silence total du désert.

«Un animal malade, peut-être? suggère Katja tandis qu'elles approchent. Peut-être une antilope blessée au cours d'un combat ou déchiquetée par un lion? Ou un petit abandonné par sa mère?»

Hanna hausse les épaules.

Elles approchent toujours plus.

Hanna touche le bras de la gamine pour la retenir. Elle serre le poing pour signifier un homme.

241

Oui, c'est un homme. Du moins l'a-t-il été. Avant d'être attaché, sur le dos, sur une fourmilière, bras et jambes écartés et attachés à des pieux plantés dans le sol. Le devant du corps, du cou aux genoux, est noir de croûtes de sang coagulé, à travers lesquelles on distingue les croisillons de coups de fouet. On lui a mutilé le sexe, coupé les testicules. Les voyant arriver, une nuée de mouches s'élève dans un bourdonnement hargneux. Hanna essaie de détourner la tête de Katja, mais la gamine résiste et s'agenouille, fascinée, près du corps aux membres en croix.

«Il est mort?» demande-t-elle après un moment, les lèvres sèches, à peine mobiles.

En guise de réponse, l'homme gémit; son corps tressaille, seul mouvement dont il semble capable.

Hanna s'agenouille à son tour près de lui, défait son baluchon, sort son long couteau et se met à couper les lanières qui lui lient poignets et chevilles.

L'eau, indique Hanna à sa compagne.

La gamine approche avec une cruche en terre cuite qu'elle a emportée. Le peu d'eau qui reste, elle le fait couler sur les lèvres qui, sombres, tuméfiées et gercées, saignent.

Attention, indique Hanna d'un geste. *Prenez votre temps. Sinon, elle sera toute gâchée.*

Elles souhaitent le mettre dans une position plus confortable mais il semble incapable de s'y maintenir, de comprendre, même, peut-être, ce qu'elles souhaitent. Son dos, découvrent-elles quand elles le tirent avec précaution mais maladresse, est inexplicablement indemne. L'homme est un géant, bâti comme un bœuf, mais dans un état tel qu'elles sont

242

peut-être arrivées trop tard. Il paraît avoir sombré dans le délire.

Hanna essaie de communiquer à Katja ceci : *Qui peut lui avoir fait ça ? Et pourquoi ? Crois-tu qu'il ait été puni parce qu'il avait fait quelque chose d'atroce ? Un meurtre ou...* Elle baisse les bras, peu encline à poursuivre.

«Il est noir, répond Katja. Dans ce pays, j'ai découvert que ça peut être un crime suffisant. Parfois, j'en ai vu qui rampaient jusqu'au comptoir de mon père. Il essayait toujours de les décourager ; ce n'était pas un spectacle pour nous. Mais nous, on regardait tout de même.»

Mais pourquoi battre un homme de cette façon ?... Hanna essaie de poser la question. *Sur la poitrine, sur le ventre, sur le devant des jambes... et là (elle désigne l'endroit), mais pas sur le dos ?*

Katja hausse les épaules. «C'est leur méthode ici, dit-elle d'une voix faible et contrainte. Les Herero appellent ça "la méthode allemande".»

Nous devons lui trouver de l'ombre, explique Hanna par gestes.

«Il n'y a pas d'ombre.»

Il va mourir ici. Involontairement, Hanna lève les yeux. Les vautours se sont beaucoup rapprochés. Parfois, ils descendent si près qu'on distingue l'obscène nudité de leur cou, le regard cruel de leurs yeux jaunes qui ne cillent pas. Elle regarde alentour, fait un geste. *On va devoir fabriquer de l'ombre.*

«Comment ?»

Aide-moi.

L'accrochant à un épineux étique, elles étendent le drap qui contient les quelques affaires de Hanna, ombre inadéquate sous laquelle, tant bien que mal, le portant à demi et le tirant à la fois, elles installent le géant noir qui, à l'agonie, continue de gémir faiblement. Hanna pose une chemise sur le moignon noirâtre et ensanglanté auquel est réduit son sexe. Dans le ciel, les vautours protestent de leurs criailleries aiguës, agitent les ailes de colère, avant de s'éloigner ; après un temps, certains reviennent et ne plongent, comme pour venir s'écraser sur le sol, que pour reprendre de l'altitude au dernier moment et recommencer leurs spirales, désormais ascendantes, de plus en plus haut, qui à la fin les réduiront à de simples points dans le ciel.

Les deux femmes ne peuvent pas faire grand-chose. Le géant noir est perclus de fièvre, il faudrait nettoyer ses blessures, or elles n'ont pas d'eau. Sans compter que, dans cette chaleur aux miroitements aveuglants, le moindre geste est épuisant. Elles n'ont d'autre recours que d'attendre. Quand, enfin, le soleil commence à se liquéfier, Hanna laisse Katja en faction et s'en va en quête de remèdes. Il y a si longtemps que les Nama l'ont soignée... Elle a oublié tant de leurs enseignements ! Mais elle trouve tout de même quelques petits buissons secs qui ont l'air vaguement familiers (s'ils sont ce qu'elle espère, ils pourront faire baisser la fièvre) et une racine de *gli* dont elle fera une préparation qui, en enivrant le mutilé, lui fera oublier la douleur.

L'obscurité tombe très vite, mais il y a beaucoup de bois disponible dans les parages et, grâce à une boîte d'amadou qu'elles ont emportée, elles parviennent à allumer un feu. Un peu au-delà de l'aura lumineuse, des yeux verts brillent dans la nuit, un instant ici, le suivant là-bas ; et puis il y a l'effrayant caquetage des chacals et les ricanements des hyènes. Katja est terrifiée. Hanna la serre fort, produit des sons apaisants, des sortes de fredonnements. De fatigue, la gamine sombre dans un sommeil agité. Hanna, elle, veille pour fournir le feu et, de temps à autre, faire couler le jus amer des branches des buissons à travers les lèvres gonflées de son patient pris de délire. Il réagit par des gémissements, grondant comme un bœuf blessé. S'il passe la nuit, songe Hanna, il aura des chances de survivre. Sinon, les vautours reviendront au matin.

37

Au matin, les vautours ne reviennent pas. Le géant noir survivra. Elles l'alimentent avec les maigres morceaux de pain dur et rassis qu'il leur reste, et lui font boire l'humidité d'un tsamma. Katja garde ses distances : elle garde à l'esprit trop de visions effroyables du jour où les Herero ont attaqué le comptoir de son père et tué tous les hommes. Mais elle observe intensément lorsque Hanna fait couler les gouttes de tsamma dans la bouche de l'homme. C'est un melon extraordinaire, songe Hanna en creusant avec précaution un trou au sommet du fruit, comme elle a vu faire les Nama, insérant ensuite une tige assez solide pour malaxer la chair à l'intérieur puis la réduire en un liquide qu'elle donne au patient. Une fois qu'il aura tout bu, elle secouera le melon et en extraira les graines pour les faire cuire ou les moudre en farine. L'écorce, soigneusement conservée, servira de récipient, voire de marmite.

Lentement, au fil des jours, la santé du Noir s'améliore. D'abord, quand il est éveillé, il se contente de fixer du regard les femmes : le doute envahit ses yeux réduits à des fentes. Mais, après un jour ou deux, il se met à parler, d'une voix qui est comme un grondement souterrain. Il utilise une langue qu'elles ne comprennent pas.

Hanna donne un coup de coude à Katja, qui demande : «Vous parlez allemand?

— Ils moi appris, répond-il, la bouche s'évertuant à former les mots. Sinon pas travail.» À quoi, il ajoute, avec ce qui pourrait être un sentiment de supériorité : «Moi Herero.

— Le pays des Herero est plus au nord, a tôt fait de lui rappeler Katja. Plus loin que Windhoek. Pas ici au sud.

— Eux tuer mon bétail, réplique-t-il avec une montée de colère. Ils tuer tout bétail. Eux tuer le feu des ancêtres. Et moi, moi quoi faire? Je viens ici, chercher travail. Sinon les miens meurent. Ma femme, ma famille. Là-bas, loin.» Il indique le nord. Il essaie de se hisser sur les coudes. D'un ton qui paraît vindicatif, il demande : «Qui vous?»

Katja lance un regard à Hanna avant de répondre : «Je suis Katja. Elle, c'est Hanna.

— Pourquoi vous dans cet endroit?

— Nous vous avons trouvé ici. Nous ne pouvions pas vous laisser.

— Nous pas rester ici. Il reviendra voir si moi mort.

— Qui reviendra?

— Celui qui mettre moi ici : *baas*.

— Où habite-t-il?

— Sa ferme là-bas.» Il indique la direction. «Pas loin. Un jour de marche.»

Pour la première fois, Katja ose une question personnelle : «Pourquoi vous a-t-il fait ça?»

La réponse du géant noir est inintelligible.

Il doit nous répondre, explique par gestes Hanna. *Nous devons savoir si c'est un voleur ou un meurtrier.* La gamine traduit tout cela en paroles.

Longtemps, le Herero les dévisage : attitude de défi, hostile, voire menaçante.

«Pourquoi vous demandez?

— Nous devons savoir qui vous êtes, explique Katja, suivant les indications de Hanna.

— *Moi* dois savoir qui *vous* êtes.» Sa voix rude est méprisante.

«Nous venons de la ferme de Frauenstein.

— Les gens vont là-bas. Pas revenir. Ce qu'on m'a dit. On y va, on y reste.

— Nous n'y étions pas en sécurité.

— Pourquoi parle pas? demande-t-il, désignant Hanna d'un mouvement du menton.

— Elle n'a pas de langue.

— Qui lui a fait ça?» Il se passe la main sur le visage.

«Des soldats. Un officier de l'armée allemande.» Hanna indique quelque chose à Katja en langage des signes et Katja demande : «Pourquoi ton baas t'a-t-il fait ça?»

Un long silence. Puis un grognement étouffé. Il répond, trop intempestif, trop furieux pour son mauvais allemand : «Le baas veut prendre ma femme. Je l'arrête.

— Qui est ton baas?

— Lui Albert Gruber. C'est un fermier.»

N'a-t-il donc pas une femme à lui? s'enquiert Hanna, par l'intermédiaire de Katja.

«Il amène sa femme d'Allemagne, oui.

— Et qu'est-il arrivé?

– Elle fait musique. Il la bat. Elle boit poison.»
Un silence. «Maintenant, il veut ma femme, il la
prend.

– Comment t'appelles-tu?

– Kahapa.»

La conversation s'interrompt à ce point. Mais,
au fil des jours, au fur et à mesure que l'homme
se rétablit, sa réticence obstinée s'estompe. Une
fois qu'elles comprennent son désir, exprimé de
façon de plus en plus virulente, d'être emmené
loin de là, ses doutes à leur encontre paraissent se
dissiper. À elles deux, elles l'aident à avancer en
boitant, s'arrêtant tous les cinquante ou cent
mètres, jusqu'à ce que disparaisse de leur vue le
lieu où il était exposé. Elles font une nouvelle halte
dans l'abri que procure un modeste koppie, déplaçant le géant pour suivre l'ombre foncée que dessine le soleil.

Sur les ordres précis de Hanna, Katja a déchiré
une large bande de drap à son baluchon pour l'enrouler autour de la taille du blessé. Son attitude
démontre qu'il désapprouve cet accoutrement;
peut-être lui donne-t-il l'impression d'être une
femme. Mais il refoule ses protestations. Il le leur
doit.

Hanna tire une grande satisfaction du soin
qu'elle prodigue au géant encore quasiment sans
défense. C'est peut-être la première fois de sa vie
qu'un être dépend entièrement d'elle. Même la
femme à la cataracte, à qui elle faisait autrefois la
lecture, le sourd et sa fille, à qui elle parlait par
signes, ne dépendaient pas véritablement d'elle : ils
louaient ses services, elle était rétribuée pour son
travail (quelque maigre que fût son salaire) : on

pouvait la renvoyer (elle l'était toujours, tôt ou tard). Katja la seconde, bien sûr. Le rôle de la gamine, d'ailleurs, n'est pas simple. Hanna en est venue à se reposer sur elle : elle est son interprète, son assistante, son soutien. Mais, de son côté, Katja a besoin de Hanna dans le délicat processus de survie : elle a ses propres besoins, ses craintes, ses espoirs, ses exigences.

Parfois, lorsque le blessé somnole, elles parlent avec les mains, un langage plus nuancé de jour en jour. *Quand* elles ont besoin de parler... car, pendant de longues périodes, elles restent assises côte à côte, à se regarder ou pas, et laissent leurs pensées aller et venir dans une osmose muette.

« Qu'allons-nous faire de cet homme ? »

Nous devons attendre qu'il soit guéri. Et puis nous aviserons.

« La décision lui revient-elle, alors ? »

Non, mais il est avec nous, maintenant. Nous déciderons ensemble.

« Et après ? »

Nous irons dans le désert. (Elle ne parle pas encore de la haine, la haine qui brûle tel un astre, la haine qui donne la lumière tel un soleil.)

Voilà ce que c'est, de remonter vers l'intérieur, songe-t-elle. Non pas arriver sur un bateau, rencontrer des gens, parler à des inconnus, apporter dans ses bagages une langue fabriquée au-delà des mers, attribuer des noms aux choses (pierre, buisson, racine, terre, ciel) mais bien remonter vers lui à pied, se fondre en lui : corps à corps. Ainsi qu'il en a été, sans doute, avec Lotte, dans l'obscurité totale de la cabine sous la ligne de flottaison.

«Mais jusqu'où ira-t-on, demande Katja. Jusqu'à ce qu'il arrive quoi?»

Jusqu'à ce que nous sachions ce qu'il y a au-delà.

«Et à supposer que ça ne finisse jamais?»

Alors, au moins, nous connaîtrons le désert.

«N'as-tu pas peur, Hanna?»

De quoi?

«Si quelqu'un vient, à un moment ou à un autre...?»

Nous sommes armées.

«Sais-tu te servir d'un fusil?»

Non. Un sourire. *Tu as raison. Nous devons apprendre. Peut-être cet homme, Kahapa, pourra-t-il nous apprendre.*

Kahapa leur apprend, en effet, une fois qu'il est capable de se tenir debout, que la puanteur de ses plaies suppurantes diminue et qu'il recouvre ses forces. Avec une patience infinie, il leur montre comment charger, viser, tirer. Lorsque Katja trouve le Mauser trop difficile à manier, on lui donne le Luger. Ni l'une ni l'autre ne se débrouillent bien, mais au moins ne représentent-elles plus un danger pour elles-mêmes. Kahapa les emmène chasser. Il tue un springbok, une vieille bête estropiée, rejetée par sa horde. La viande est dure et filandreuse mais ils s'en régalent pendant plusieurs jours.

Alors qu'ils sont assis autour du feu que Kahapa a allumé pour faire rôtir la viande, il leur raconte comment, il y a des siècles, les siens sont arrivés de ce qu'il appelle le Pays lointain, un endroit sans nom, et ont apporté avec eux le feu sacré de leurs ancêtres. Ils se sont installés dans le nouvel Hereroland, d'Aminuis à Epukiro, Otjimbungue, Otjituuo, Otjihorongo, Ovitoto, Tses, lieux aux noms magiques qui résonnent aux oreilles de Hanna. Ils ont apporté leur feu, chaque nouveau campement allumant le sien en prenant les charbons du feu originel, de sorte que celui-ci ne meurt jamais. Au grand arbre appelé omumborumbonga, dans la région d'Okahandja, explique-t-il, les deux frères qui sont arrivés ensemble se sont séparés. Les descendants de l'un devinrent les Ovambos et restèrent dans le Nord; de l'autre frère descendirent les Herero, qui se répandirent dans le pays jusqu'au Nossob, faisant paître leurs immenses troupeaux dans les plaines herbeuses.

Puis vinrent les Allemands (la voix de Kahapa tremble d'une rage contenue) : ils occupèrent leur pays et prirent leurs troupeaux. Les Nama du Sud mirent à sac le pays des Herero. L'effroyable maladie du bétail décima les troupeaux; et les pauvres hères furent contraints de prêter leurs bras dans les fermes des Blancs qui avaient éparpillé les cendres des feux de leurs ancêtres.

«Et voilà, moi ici, lâche-t-il. Mais pas rester ici. D'abord, retourner à la ferme où il m'a fait ça et reprendre ma femme. Et, un jour, je retourne à notre Grand Endroit, à Okahandja... là-bas, nos chefs enterrés.»

Quelques jours plus tard, quand il ne reste plus de viande, ils partent enfin dans la direction que Kahapa a montrée.

Hanna indique à Katja de lui demander : *Es-tu sûr d'avoir suffisamment récupéré?*

Le géant émet un grognement qui vient des profondeurs de sa gorge. «Je suis prêt. Njambi Karunga, le dieu de mon peuple, m'aidera.»

Les deux femmes frémissent en imaginant la confrontation. Cette pensée épouvante Katja, particulièrement.

Elle plaide auprès de Hanna : «Nous devons essayer de le tenir éloigné du fermier. La confrontation serait trop violente...»

Ce qui doit arriver arrivera, répond Hanna. *Kahapa doit remplir sa mission.*

Katja hoche la tête d'un air désespéré mais on ne lui laisse pas le choix.

En avançant très lentement et en s'arrêtant souvent, il leur faudra un jour et demi pour atteindre la ferme. Kahapa ouvre la marche. Le paysage s'est fait plus turbulent, de hautes crêtes et des affleurements interrompent la plaine; et la ferme, guère plus qu'une masure, aux murs de pierres sèches et au toit de joncs, domine la plaine, exposée à tous les vents, sur une pente rocailleuse. Le fermier doit les avoir vus de loin parce qu'il descend à leur rencontre, fusil à la main, manifestement intrigué par ces visiteurs inhabituels. La barbe décolorée par le jus de tomate, il porte un chapeau crasseux dont le bord est décoré d'une bande en peau de léopard. Le groupe est très près de lui, lorsque, enfin, il reconnaît Kahapa. Ses petits yeux très rapprochés témoignent du choc incroyable que lui fait cette apparition.

«Je croyais que tu ét... étais mort, bégaie-t-il. Comment diable as-tu survécu? Et qu'est-ce que tu fais ici?

— Moi venir chercher ma femme.

— La *meid* n'est pas ici.»

Kahapa prend une profonde inspiration. «Tu tuer elle aussi?» demande-t-il.

253

L'homme recule d'un pas. «Elle a fui.» Les mains crispées sur son fusil, il n'est pas prêt à prendre le moindre risque.

«Tu mens, rétorque Kahapa, montrant les dents. Si elle partie, elle venir à moi où toi m'as mis.» Il s'approche, d'un pas menaçant.

«Elle avait des prétentions.» Derrière la fureur pointe l'appréhension.

«Elle où?

— Comment pourrais-je le savoir? Je t'ai dit : elle a fui.» Derrière lui, à la porte d'entrée et à l'angle de la maison, apparaissent d'autres silhouettes. À en juger par leur aspect miséreux, ce sont des ouvriers agricoles : trois femmes, pieds nus; un homme, sans chemise, le pantalon en loques. Les devinant dans son dos, le fermier se retourne. Son inquiétude est devenue palpable. «Demande-leur», dit-il sèchement.

Kahapa le dévisage : «Je veux ma femme», déclare-t-il en allant lentement à la hauteur du fermier.

Ce dernier fait un pas de côté pour le laisser passer : un instant, Hanna et Katja craignent que le fermier ne lui tire dans le dos mais leur présence semble le faire hésiter. Elles se préparent à suivre Kahapa afin de protéger ses arrières.

«Vous deux, vous pouvez rester ici», se hâte de dire le fermier, avançant pour leur barrer le chemin. Il observe Katja avec intérêt. Hanna trouve ce regard presque plus menaçant que son agressivité à l'égard de Kahapa.

«D'où venez-vous? leur demande-t-il, avec un désagréable soupçon de cajolerie dans la voix. Ce salaud a essayé de vous faire du mal?» Il ne découvre qu'alors le visage de Hanna sous le rebord de son kappie. Il recule d'un pas. «Au nom du ciel, qu'est-ce qui vous est arrivé? Tu as l'air de sortir de l'enfer.»

Hanna pose une main sur le bras de Katja. La gamine essaie de contrôler son élocution. «Kahapa vous l'a dit. Nous recherchons sa femme.»

De nombreux sentiments, incapables de trouver une expression, passent comme des ombres sur le visage du fermier. S'ensuit un silence pénible. Puis il les laisse passer. Le fusil tremble à vue d'œil entre les mains féroces qui l'agrippent.

À la porte d'entrée, Kahapa parle aux femmes noires. Elles paraissent rechigner à accepter ce qu'il leur demande, et lancent des regards furtifs en direction du fermier armé de son fusil. Mais, en fin de compte, elles lui font faire le tour de la masure. Hanna et Katja les suivent, contournent avec eux la butte rocheuse et redescendent le flanc du mamelon, dépassent deux abris de fortune, quelques enclos mal entretenus, faits de branches superposées, dans la direction de champs secs et mornes...

Alors seulement, quand on ne peut plus les entendre de la masure, les femmes osent raconter à Kahapa ce qui s'est passé. C'est bien ce qu'il avait craint. Sa femme a été tuée. Et, comme Albert Gruber a refusé qu'on fasse une cérémonie, qui aurait retardé le travail de la ferme, la morte a été enterrée de nuit, sans feu ou lumière qui ait pu trahir les pleureuses. On n'avait pas eu beaucoup de temps et le sol était trop dur pour creuser une véritable tombe, c'est pourquoi on avait déposé le corps, roulé dans une vieille couverture, dans une tranchée peu profonde à l'extrémité du champ de millet, au milieu des tiges de la dernière moisson ratée.

Quand la petite procession s'immobilise, Hanna et Katja restent quelques pas en retrait. Dans le plein éclat du soleil de midi, elles ôtent leur kappie et le tiennent contre la poitrine. Kahapa se tient à côté du monticule de la tombe, qu'il fixe de ses yeux baissés.

«Dis-moi quoi il a fait», demande-t-il aux trois femmes qui l'ont mené jusqu'à la tombe; il s'est exprimé dans son allemand rudimentaire, comme pour s'assurer que Hanna et Katja comprendront.

Elles entendent l'une des femmes noires protester : «*Hau!* Mieux vaut pas demander.

– Je dois savoir.»

Un moment, elles résistent vaillamment mais, lorsque Kahapa prend un air menaçant, elles cèdent. Reculant de plusieurs pas, semblant craindre qu'il ne reporte sa colère sur elles, elles se relaient pour raconter les événements, récit ponctué d'hésitations, énergiquement tronqué. Il eût, en effet, été préférable de ne pas savoir : comment Albert Gruber n'a cessé de réclamer la présence de la femme de Kahapa dans son lit; comment elle a obstinément refusé et tenté de le dissuader en désignant son ventre gonflé. Elle était enceinte de cinq mois. À la fin, il a perdu son sang-froid et lui a donné des coups de poing, jusqu'à la faire tomber par terre. Ensuite, comme elle continuait de lui résister, il a ordonné à deux de ses ouvriers de la maintenir de force. Et puis il a fait ce qu'il voulait. Il a fini par ordonner aux deux hommes de lui donner le fouet «à l'allemande», attachée dos à terre. Ils l'ont battue jusqu'à ce que l'enfant sorte. Et ils ne se sont pas arrêtés avant qu'il n'y eût plus un seul mouvement dans le corps mutilé.

Pendant tout le récit, Kahapa ne produit pas un seul son. Ses traits sont crispés mais il ne dit pas un mot. Longtemps, pendant des minutes interminables, peut-être une demi-heure, il reste debout près du monticule. Jusqu'à ce que, au loin, de derrière la cahute piteuse, surgisse la silhouette du fermier, qui les observe. Alors Kahapa rebrousse chemin, retourne très lentement vers la masure, bougeant les bras comme s'il ramait à contre-courant. Lorsqu'il passe devant elles, Hanna lui effleure le bras, mais il la repousse.

«Kahapa», dit Katja dans un murmure.

Il ne semble pas l'entendre.

Elles le suivent, de loin, les mains jointes.

38

Lorsque Kahapa s'approche du fermier, celui-ci lui demande : «Qu'est-ce que tu veux?

— Je viens chercher toi, répond le géant de jais.

— Tu sais ce que tu voulais savoir. Maintenant, déguerpis de ma ferme.

— Toi tuer ma femme, toi essayer me tuer. Maintenant moi te tue.»

Albert Gruber lève son fusil. Ses petits yeux trahissent son indignation, peut-être un soupçon de crainte, mais par-dessus tout l'incompréhension, car cela ne lui est jamais arrivé, cette insolence n'est pas du domaine du possible.

Le Noir plonge sur lui. Le Blanc tente de l'esquiver mais trébuche. Avant que le fermier puisse épauler le fusil, Kahapa saisit le canon. S'ensuit une lutte féroce. Kahapa est beaucoup plus grand mais encore affaibli par son épreuve; et Gruber, quoique plus petit, est lourd et râblé, il a un corps de primate, ramassé, avec de longs bras.

«Tu dois aider Kahapa», supplie Katja en agrippant la main de Hanna.

Hanna s'éloigne d'elle. *C'est un combat d'hommes*, lui fait-elle comprendre par gestes. *Qu'ils se débrouillent.*

On dirait deux chiens qui se battent, grognent, montrent les dents, tirent, poussent, trébuchent d'un côté, de l'autre. Mais enfin, parvenant à faire perdre l'équilibre à l'homme blanc, Kahapa lui arrache le fusil des mains et le jette au loin. Il ne leur reste que les mains nues.

Le fermier, qui se trouve à ce moment-là plus haut que son adversaire, essaie de tirer profit de ce léger avantage et se jette sur Kahapa. Les deux hommes roulent par terre, luttent corps à corps, frappent, déchirent... Ils sont couverts de gravier et de poussière. Tous deux saignent. Le Blanc réussit à donner un coup de tête à Kahapa; on entend un craquement. Le Noir rugit de douleur et de rage, se relève, donne un coup de genou dans l'aine de son adversaire. Celui-ci se plie en deux. Le visage en sang, Kahapa se remet sur ses pieds. Profitant de son avantage momentané, il frappe son adversaire au ventre. Mais le fermier le saisit par la jambe et tente à nouveau de le faire tomber. Ils se retrouvent tous deux debout, se cognent l'un l'autre, dévalent et remontent la pente devant la masure.

D'autres silhouettes, hésitantes, apparaissent à quelque distance. Pas seulement les trois femmes qui ont escorté Kahapa jusqu'à la tombe de son épouse : une véritable petite foule d'ouvriers agricoles, poussiéreux et échevelés, les côtes apparentes, comme des buffles; se pressant les uns contre les autres dans leur enthousiasme horrifié, ils grognent et gémissent comme s'ils étaient mêlés au combat; mais ils n'osent prendre parti.

À un moment donné, les deux combattants font une embardée et chutent à travers la porte de la masure. On entend un bruit de bris et de bois qui éclate, tandis qu'ils vrillent et titubent de la pièce centrale vers l'appentis qui sert de cuisine, dont ils ressortent bientôt, pour affronter à nouveau la furie du soleil. Lambeau par lambeau, ils perdent leurs vêtements. Bientôt, ils sont nus, l'un noir, l'autre blanc, corps à corps, mais tellement couverts de sang, de saleté et de poussière qu'on ne distingue plus guère la couleur de leur peau.

Hanna se surprend à observer le spectacle, interdite, comme médusée, incapable de détourner le regard. Toujours, par le passé, tout acte violent l'impliquait, elle en était la victime : elle n'a jamais eu le loisir d'être spectatrice. C'est pourquoi il lui faut absolument suivre la scène. Elle *doit* regarder, car c'est ainsi que les hommes se comportent et elle ne peut ni le nier ni l'ignorer. Elle doit voir *comment* on inflige la douleur, comment on s'y prend pour faire souffrir, comment la souffrance affecte à la fois celui qui la cause et celui qui la subit. *Elle doit savoir.* Elle ne sent pas les ongles de Katja qui lui pénètrent dans la peau du bras, tandis que la gamine répète inlassablement, dans un cri de détresse : «Arrête-les, arrête-les, Hanna, je t'en supplie, force-les à s'arrêter...»

Kahapa montre des signes de faiblesse. Sa respiration se fait haletante. Il paraît hébété. Il essaie d'essuyer le sang de ses yeux. Il pousse des gémissements gutturaux, comme un gros animal à l'agonie.

«Cet homme va le tuer», lâche Katja en pleurni-chant. Elle pleure sans le savoir. Ses larmes créent des motifs dans la poussière rouge qui recouvre ses joues. «Il va le tuer, Hanna, tu dois intervenir.»

De fait, le Blanc semble prêt à l'assaut final. Il plie très bas les jambes, se redresse et attrape Kahapa par le cou, les bras parcourus de tensions, les muscles jouant comme des taupes sous la peau. Le Noir semble étouffer. Ses genoux flageolent. Sur son front, de grosses veines gonflent, pal-pitent.

«Pour l'amour du ciel, Hanna!» La gamine pleurniche, elle est tombée à genoux.

Le grand corps de Kahapa se relâche.

Alors seulement, Hanna s'avance. Katja n'a pas remarqué qu'elle a sorti le Luger de son baluchon. Elle approche avec précaution de l'enchevêtre-ment des deux corps en sueur et en sang; elle prend garde de ne pas être happée par la bagarre. Pendant un moment, elle doit sauter d'un côté et de l'autre pour éviter les coups. Ensuite, elle appuie le canon sur la nuque du Blanc, elle ferme les yeux, détourne la tête et tire.

La détonation retentit. En arrière-plan, les spec-tateurs miséreux poussent des hurlements : cris de joie ou huées, qui sait?

Il y a beaucoup de sang.

Les corps, encore emmêlés, sont secoués de convulsions, de saccades. Mais, enfin, Kahapa se dégage, tel un gros chien qui sort de l'eau, et s'éloigne à quatre pattes, s'assoit en tailleur, enfouit sa tête dans ses bras.

L'autre corps ne bouge plus.

«Comment as-tu réussi?» demande Katja, bouche bée, effarée.

Il n'y a que la première fois que c'est difficile, essaie de répondre Hanna.

Personne ne fait le moindre bruit, le moindre mouvement. Tous attendent la réaction de Kahapa. Après un long moment, il extrait la tête de ses bras et les regarde. Il se lève, titubant, approche du cadavre du fermier, le pousse du bout du pied. Le cadavre roule. Ce n'est pas un spectacle appétissant. Le côté du visage où la balle est ressortie a été arraché.

«Tu fais ça pour moi», lâche Kahapa, encore essoufflé. Il regarde Hanna. «Deux fois tu me sauves la vie.» D'un mouvement du menton, il indique le mort, comme pour mettre un terme à un débat intérieur. «Voilà mon homme, déclare-t-il. Maintenant, chercher tien.»

39

Non, elle n'aurait jamais cru que la haine pût se révéler telle. Si belle. Si spéciale. D'une telle pureté. Chargée d'une telle abondance de vie. C'est comme s'il y avait toujours eu un vide en elle. Parfois envahi par la crainte, par l'appréhension, par l'incertitude et la nervosité, voire, à l'occasion, par un élan d'amour, toutes émotions turbulentes et opaques, mais la plupart du temps tout bonnement vide : un vide aujourd'hui empli par cette haine resplendissante. C'est comme une loupe qui forcerait des faisceaux lumineux divergents à se concentrer avec une précision terrible sur un point, pour l'illuminer et, en un seul moment éclatant, donner une direction et un sens à toute son existence. Pendant tant d'années, tant de moments distincts l'y ont préparée, à son insu... Frau Agathe à l'orphelinat. Le pasteur Ulrich. Les patrons pour lesquels elle a travaillé, les hommes avec leurs besoins sordides, leur pouvoir, leur faiblesse entre ses mains. L'officier sur le bateau qui lui a refusé le droit de porter son propre nom. Les hommes du train. Le Hauptmann Heinrich

Böhlke : le sang qui jaillissait de sa bouche et dégoulinait sur son menton puis sur sa poitrine. Les subalternes, dans le compartiment comble, qui retiraient leurs ceinturons cloutés. *Quand je baise une femme...* On ne l'avait jamais emmenée plus loin. Mais cela avait été aussi le moment du vide ultime. Un espace dans lequel rien ne pouvait croître ni se mouvoir. Jusqu'au jour si récent où le détachement est venu à Frauenstein avec sa triste cohorte de prisonniers... Pour la première fois depuis toutes ces années, quelque chose a réagi en elle quand le colonel von Blixen a attiré Katja à lui et a annoncé : «Je prends celle-là.» Un temps écarté par Frau Knesebeck. Mais, quand il est revenu le soir et que Hanna l'a découvert en train de battre Katja toute nue, une flamme s'est allumée dans le recoin le plus secret de son être. Une flamme aussi blanche et aveuglante que le soleil. Comme si tout ce qui s'était accumulé en elle toute sa vie durant avait explosé soudain. Quand elle l'a attaqué avec le chandelier en cuivre, une force s'est libérée en elle, un animal jusque-là demeuré en cage, enchaîné pendant toute sa vie. Pour la première fois depuis des années, depuis le voyage en train, elle a pu se regarder dans la glace au miroir sale et fané. Elle a regardé et elle a vu tout ce qu'elle n'avait jamais essayé de comprendre. Ç'a été le commencement de la haine, une libération, une extase qu'elle n'aurait jamais crue possible. Comme si Goethe lui-même hurlait en elle, *Herrlich wie am ersten Tag...*! Depuis cet instant, elle sait vers quoi sa vie l'entraîne. Elle a la lumière, elle a le feu, elle a la volonté, une passion qui ne pourra jamais être éteinte. C'est ce qui l'a amenée ici. Et l'en fera repartir, vers l'endroit où elle sait, avec une grande lucidité, qu'elle doit aller. Il n'y a en elle ni hâte ni impatience. Tout est serein, tout est transparent dans cette lumière. Aucun amour ne saurait être aussi gratifiant, aussi bon que cette haine.

40

Ils sont prêts à partir pour la mission rhénane qui, à en croire Kahapa, se trouve à cinq jours de la ferme, même si l'on voyage en chariot, comme c'est le cas.

Tant de choses ont changé dans le peu de temps qui s'est écoulé depuis qu'ils sont arrivés à la ferme. Les paroles prononcées par Kahapa le premier jour lorsqu'il contemplait le cadavre de l'homme qui avait fait de sa vie un enfer et qui avait assassiné sa femme, ces paroles ont façonné ses propres pensées : *Voilà mon homme. Maintenant, chercher tien.* Parce que tel est l'objet de sa haine : elle le voit très clairement désormais. Il ne s'agit pas seulement de fuir Frauenstein, une existence emmurée, dans laquelle elle était à la disposition de ceux qui avaient tout pouvoir sur elle. Et ce n'est pas non plus une simple tentative visant à forger une nouvelle vie pour elle et pour Katja. C'est, par-dessus tout, un voyage vers la confrontation avec un homme, des hommes, qui l'ont métamorphosée en ce qu'elle est maintenant. *On dirait que tu sors de l'enfer.* Quand cette confrontation aura eu lieu, alors enfin sa liberté acquerra sens et substance. Kahapa est embarqué dans le même bateau. Ils n'ont pas eu besoin d'en discuter. Elle l'a aidé, pas seulement à se venger, car la notion de revanche est trop évidente et trop creuse, mais à accomplir ce qui doit l'être afin que lui-même puisse être ce qu'il peut être : maintenant, il va l'aider en retour. Ils sont ensemble.

D'autres ont suivi Kahapa. Les journaliers d'Albert Gruber, treize hommes et femmes en tout (accompagnés par une cohorte d'enfants nus et morveux), sont devenus fous furieux après la mort de leur baas. Katja, choquée par les excès de leur violence, voulait que Hanna intervînt, mais celle-ci a fait non de la tête. Celui ou celle qui tentera de s'interposer sera mis en pièces! Kahapa s'est rangé à son avis, sans doute moins par conviction que par fatigue et parce qu'il souffrait. Il ne restait pas un meuble entier dans la maison lorsqu'ils sont partis. Non qu'il y ait eu grand-chose : une tête de lit en bois sculpté, sans doute de facture allemande; quelques malles; une longue table et huit chaises, toutes d'une fabrication grossière; plusieurs étagères branlantes. Le seul objet de valeur, extraordinairement déplacé dans la masure, était un piano en bois de rose, qui s'effondra sous les coups des journaliers enragés, dans une incroyable cacophonie de cordes qui se brisaient. Il devait appartenir à l'épouse défunte du fermier. Hanna se rappelait la description laconique de Kahapa : *Elle fait musique. Il la bat. Elle boit poison.* Une vie en neuf mots.

Hanna n'est intervenue qu'après que tout a été démantelé, y compris les portes et les cadres des fenêtres, et que les journaliers s'apprêtaient à y mettre le feu. Poussant Kahapa encore hébété, elle lui a fait arrêter le pillage pour sauver au moins quelques ustensiles, des provisions (huile, sucre, sel, café, farine), un kaross, un vieux drap du lit fracassé et tous les fusils et les munitions qu'elle a pu récupérer (sept fusils en tout, de divers tailles et calibres, allant du vieux fusil à tabatière au Mauser et au Lee-Enfield). Puis ils ont tous reculé afin de contempler les lieux dévastés qui partaient en fumée, jusqu'à ce qu'il ne restât plus que des parois noircies. Après quoi, les gens se sont calmés. Un calme étrange les a saisis, quasi mélancolique, *tristitia post coïtum*. Peut-être se sont-ils sentis, soudain, inexplicablement, trop tard, honteux d'avoir agi de la sorte.

Sans avoir besoin de se passer le mot, ils se sont rendus à l'abri à l'arrière de la maison. Ils en sont ressortis armés de pics et de pelles pour creuser une tombe au fermier, non pas pour lui montrer la moindre considération mais, tout simplement, pour se débarrasser de sa carcasse. Ensuite, des femmes ont emmené Kahapa afin de le laver; on a tiré de l'eau au puits profond, à une centaine de pas en contrebas. (Combien de semaines, de mois avait-il fallu aux hommes pour le creuser?) Enfin, enfin, au crépuscule, ils ont pu prendre du repos.

Kahapa a engagé la conversation avec le groupe. Il a traduit sa conversation à Hanna: «Ils demandent qui est leur baas maintenant.»

Par l'intermédiaire de Katja, elle a répondu: *Pour l'amour du ciel, ils viennent de se débarrasser de leur baas, pourquoi en veulent-ils un autre?*

«Ils demandent: qui va s'occuper d'eux?»

*Pourquoi ne peuvent-ils pas s'occuper d'eux-mêmes ?
Ils sont libres maintenant.*

«Eux besoin nourriture, eux besoin travail. Eux doivent s'occuper familles. »

Que faisaient-ils avant de travailler pour Albert Gruber ?

«Ils travaillent pour autres Blancs. »

Hanna a fait une série de gestes à Katja. Et la fille a traduit : «Elle a été avec une tribu de Nama une fois. Ils ne travaillent pour personne. »

Les Noirs, soufflant du nez, sont partis de rires dédaigneux. Comment pouvait-elle leur apprendre ce qu'ils avaient à faire ? Une femme ? Une femme avec cet air-là !

Alors, qu'allez-vous faire ? a demandé Hanna par l'intermédiaire de Katja.

Kahapa a répondu : «Nous aller à la mission. Ils nous aident, là-bas. »

Le lendemain, avant qu'ils aient pu réunir les gens et le bétail (douze têtes en plus des deux bœufs de trait, un troupeau de chèvres ébouriffées qui empestent, plusieurs cages de fortune pour des poules et des canards musqués), deux journaliers ont annoncé qu'ils avaient décidé de partir de leur côté, avec leurs familles, de retourner à l'endroit d'où ils étaient originaires. Tous les autres ont suivi le chariot, les hommes à pied – les femmes et les enfants monteront à tour de rôle dans le chariot, avec ses cahots, ses balancements et ses grincements.

Toute la compagnie est assemblée dans le *werf* à l'arrière de la maison et regarde le départ des deux familles. Kahapa se tient devant, sourcils froncés face au soleil. Il porte les vêtements d'Albert Gruber. La chemise est trop courte et trop large, Kahapa n'a pas pris la peine de la boutonner; le pantalon, de même, ne lui va pas. Il n'a pas envie de porter de chaussures. Mais il est fier du chapeau orné d'une bande en peau de léopard : il l'arbore d'un air bravache. Comme les autres, il suit de son regard sombre les deux hommes et leurs familles dont les maigres possessions oscillent sur la tête des femmes, précédés par deux vaches et quelques chèvres. Ce pourrait être un départ ordinaire. Jusqu'à ce qu'il soit interrompu d'une façon inattendue lorsque, se déplaçant légèrement sur le côté, Kahapa va jusqu'à l'arrière du chariot et en ressort un fusil, le Lee-Enfield. Kahapa a tout prévu : il a déjà chargé le fusil, il n'a plus qu'à l'ajuster contre l'épaule et à appuyer sur la détente. L'explosion soudaine suscite des cris et des hurlements d'effroi : plusieurs enfants se mettent à brailler. À cinquante pas, l'un des deux hommes qui partaient tombe dans un nuage de poussière, pris de convulsions; le reste du groupe cède au désarroi. Mais avant qu'ils puissent s'égailler, Kahapa éjecte la cartouche usagée, en glisse une nouvelle et abaisse la crosse. Il vise, Hanna accourt et le saisit par le bras, mais il est trop tard : déjà, l'autre homme tombe.

«Que fais-tu?» hurle Katja.

Cédant à une rage muette, Hanna secoue Kahapa.

Calmement, Kahapa se libère de ses griffes. «Ces deux hommes, déclare-t-il, eux ont tenu ma femme pendant que baas la baise. Eux tué ma femme en frappant.»

Les enfants, au loin, s'éparpillent dans toutes les directions, crient et hurlent, tandis que les femmes

270

s'agenouillent dans la poussière à côté des morts. Dans le werf aussi, résonnent cris et lamentations.

Hanna s'apprête à courir après les autres mais Kahapa la retient.

«Laisse-les maintenant, dit-il. Nous partons.»

Elle fait des signes furibonds à Katja. La fille, traduisant, s'exclame : «Mais... les femmes et les enfants, alors?

— Elles enterrent les hommes. Leur place pas avec nous.»

Katja se prend le visage entre les mains.

Dans un geste de compassion inattendu, Kahapa pose une main sur son épaule. «Ainsi les choses doivent être», déclare-t-il.

Dans un silence transi, la caravane se met en branle, sans un regard en arrière. Le chemin sera long. La mission sera le premier arrêt sur la route qui s'ouvre devant eux.

41

Hanna marche seule pendant un moment à distance du chariot. Elle trouve la mue d'un serpent, longue, fine, parfaite, argentée sur le brun rougeâtre de la terre. Quand elle s'accroupit pour la ramasser, la mue se désintègre : au toucher, elle devient poussière, plus immatérielle que la cendre. L'expérience la trouble. Cette peau a été habitée par un être vivant et vif, un éclair craint qui se faufilait à travers les buissons et les pierres. Maintenant, cette vie est passée ailleurs, n'a laissé qu'une infime trace derrière elle, une trace qui elle-même s'effrite. Il ne restera rien, rien du tout.

42

La mission rhénane est un modeste agrégat de bâtisses construites au milieu de palmiers makalani râblés et battus par les vents. Le tout est maintenu dans l'étreinte serrée d'une haute enceinte; de l'entrée, ce mur file vers le désert comme une jetée dans la mer, résolument droit, ligne fuyant au loin, énigme que le regard ne peut résoudre. Au centre de la minuscule colonie est plantée une modeste église aux murs chaulés, dotée d'une tour carrée et d'un clocher indépendant; il y a une seule maison en dur, basse, tout en longueur et également passée à la chaux, puis quelques huttes circulaires par-ci par-là. Quelqu'un a dû sonner l'alarme car, dans le crépuscule qui s'épaissit, un groupe attend les voyageurs que la fatigue du trajet rend encore plus inquiétants. Le groupe est mené par un homme blanc, très grand, d'une maigreur extrême, le visage cramoisi, comme brûlé au fer par le soleil, ses longs bras noueux couverts de poils roux. Un ou deux pas derrière, une femme, son épouse sans doute, également étique, cheveux blond filasse, un imposant nez comme un bec, une longue robe en chintz. Elle est flanquée d'enfants qui, à première vue, constituent une couvée innombrable (à y voir de plus près, on en compte onze); tous sont effroyablement maigres – *toutes*, car ce sont toutes des filles : la benjamine dans les bras de la mère, l'aînée qui essaie de dissimuler, les épaules courbées de gêne, un soupçon de poitrine. Tous ces personnages sont nu-pieds. De même les membres de leur congrégation massée à quelque distance derrière les Blancs, troupeau bigarré qui semble représenter toute une variété de types et de tribus, des Nama noueux et ocre aux Damara noir de jais, sans oublier les Herero et les Ovambo aux différentes nuances de brun.

«Bienvenues dans notre vallée de grâces, lance le missionnaire d'une voix tonitruante bien trop forte pour sa carrure. Dieu doit avoir guidé vos pas ici. Dans quel but... nous allons bientôt le découvrir, sans nul doute.»

Hanna pousse Katja en avant, en lui adressant une série de gestes rapides.

«Ces gens sont les réfugiés d'une ferme, explique la gamine. Le fermier est mort et ils n'ont nulle part où aller. Je m'appelle Katja Holtzhausen. Mes parents étaient marchands, loin d'ici, près de Gobadis. Hanna, que voici, et moi-même, venons de Frauenstein, dans le désert. Et voici Kahapa, notre ami et guide, qui nous a menées jusqu'à vous.

– Soyez la bienvenue, petite sœur», répond le missionnaire, en avançant une main squelettique en signe de bénédiction. Mais son attitude est empreinte d'une grande sévérité. Il se tourne vers Hanna, jette un œil sous le kappie, fait une grimace involontaire (elle est habituée à cette réaction). Il poursuit son sermon, artificiel, livresque, comme s'il l'avait appris par cœur et était persuadé que son auditoire ne pouvait que le trouver mémorable. «Dieu semble t'avoir infligé un terrible châtiment, ma sœur. Pour quel péché, je n'oserai m'en enquérir. Mais s'il te plaît d'en discuter, rappelle-toi que Sa miséricorde est infinie et que je suis, moi, Son serviteur, à ta disposition.» Il se retourne vers sa congrégation et, de sa surprenante voix de stentor, lance des ordres quant à la préparation de nourriture, d'un abri et d'eau pour leurs invitées blanches. Alors seulement, il demande à la femme maigre de venir à son côté. «Voici Gisela, que Dieu a désignée pour qu'elle veille sur moi et me soutienne dans la réalisation de Son Œuvre.» Un sourire sans joie, possessif. «Et voici les branches d'olivier qui s'assoient à notre table : ainsi que vous pouvez vous en rendre compte, nous avons rempli Son commandement d'être féconds et de nous multiplier afin de peupler la terre. Perdus dans la masse de sombres païens qui peuplent ce continent, nous tentons de former une source de lumière modeste mais qui croît.» Ses filles, en rang d'oignons, rougissent, se pétrissent les doigts et gloussent jusqu'à ce qu'un regard foudroyant de leur père leur impose la crainte de Dieu. «Allons maintenant prier le Seigneur et Le remercier de Ses multiples bienfaits.»

Ce n'est qu'après que ces multiples bienfaits ont été dûment (et individuellement) célébrés dans la petite église, vite gagnée par l'obscurité, que le révérend Gottlieb Maier entraîne ses ouailles à la maison en vue d'une restauration plus terrestre, plus indispensable. Des femmes noires arrivent, chargées de grandes bassines d'eau chaude dans lesquelles on lave les pieds des visiteuses. Et puis, enfin, à la lueur de quelques rustiques chandelles du cru, on les invite à s'asseoir à une très longue table étroite ; les parents en tête de table, Hanna et Katja à l'autre bout, les filles sur les bancs bas des deux côtés. Il y a un grand plat de viande de chèvre agrémentée de citrouille et de patates douces, et on sert des bols de lait. Comme le missionnaire semble avoir oublié Kahapa, encouragée par Hanna d'un coup de coude, Katja doit rappeler à l'homme de Dieu que leur guide aussi a besoin de se sustenter. Il appelle donc un serviteur nama et l'envoie servir à l'homme du pain dans la cuisine. Les deux femmes espèrent que leurs autres compagnons sont reçus par les membres de la congrégation dans leurs huttes.

Un safari de femmes de cuisine est apparu pour débarrasser la table et faire la vaisselle. Hanna et Katja, qui se lèvent toutes deux pour les aider, se voient sèchement intimer l'ordre de reprendre leur place à table. Car lecture est faite ensuite d'un passage tiré d'une énorme bible. Les fillettes demeurent assises, à dévisager les visiteuses, muettes de peur. Après la lecture, à chacune, hormis aux deux ou trois plus jeunes, on demande de réciter un verset tiré du passage que le père a lu. Après une interminable prière au cours de laquelle sont citées les visiteuses et leur destinée, on appelle quatre fillettes qui ont loupé leur récitation : elle reçoivent chacune sur les mains un coup de martinet retentissant. L'une, qui ose succomber aux larmes, est punie d'un second coup. Enfin, on peut aller se coucher. Dix fillettes, ainsi que Hanna et Katja, dormiront dans la pièce principale sur des grabats de roseaux posés à même le sol en terre battue ; les parents et le bébé se retirent dans une chambrette au fond de la pièce. Au bout de quelques minutes, alors que la maison sent encore la fumée des bougies tout juste éteintes, des gémissements rythmés quoique étouffés, provenant de la pièce voisine, témoignent de l'enthousiasme avec lequel le missionnaire, sans nul doute pour la plus grande gloire de Dieu, accomplit son devoir conjugal.

Hanna sent monter en elle la nausée ; avec la respiration d'une douzaine de corps réunis dans l'espace moins que généreux de la pièce, toutes fenêtres et portes closes pour repousser la nuit, l'atmosphère est étouffante et cela sent le renfermé. Elle se lève de son grabat, qui par bonheur a été installé contre la porte d'entrée. Se déplaçant avec précaution afin de ne pas réveiller Katja, qui dort déjà, elle débarre la porte, l'ouvre et se glisse dans la nuit criblée d'étoiles d'une taille surnaturelle. Même sa crainte des ténèbres diminue devant ce discret miroitement. On dirait qu'on a étendu sur la terre une immense étoffe bleu nuit mangée par les mites, dont les trous laissent entrevoir la brillance d'un lointain feu cosmique.

Seule dans la nuit innocente, Hanna lève les yeux vers les astres et essaie de discerner ceux dont les Nama lui ont appris le nom : les sept sœurs de Khuseti, l'œil brillant de Khanous, le grand chasseur Heiseb qui marche à grands pas vers l'horizon noir. Les astres lui semblent être de vieux amis. Pourtant, un frémissement parcourt sa colonne vertébrale et elle se demande si tout est aussi innocent que cela en a l'air. Quelle violence, quel danger tapi menace, à l'affût?

Pieds nus, elle est rassurée par le contact du sol frais. Rien ne bouge; aucun bruit. Elle observe la tour basse de la petite église, qui pointe vers le ciel comme un doigt carré. Elle pense à l'office, aux prières qui ont suivi le dîner, à la piété laborieuse du pasteur, à la main de fer avec laquelle il dirige sa famille et sa congrégation. Les paroles qu'il lui a adressées quand il a vu à quoi elle ressemblait... le châtiment de Dieu pour quelque horrible péché qu'elle aurait commis. Il lui semble percer le voile des traits ascétiques et tirés du missionnaire, et reconnaître ceux, charnus, du pasteur Ulrich. Que les dévots sont donc inquiets pour son âme immortelle! Avec quel enthousiasme ne conspirent-ils pas pour l'envoyer courir sur le chemin de la perdition!

Ou bien serait-elle injuste? Le missionnaire les a accueillies assez généreusement. Est-elle influencée par ses vieux doutes quant aux courants souterrains de la religion? Ne devrait-elle pas être reconnaissante de cette halte au début du tumultueux périple qu'ils viennent à peine d'entamer? Elle revoit une fois de plus le corps à demi nu de l'officier s'effondrant sous le coup qu'elle lui a porté avec le chandelier en cuivre; les deux corps nus, l'un noir, l'autre blanc, emmêlés devant la masure délabrée; Kahapa tirant sur les deux journaliers qui partent vers le désert. Du sang, encore du sang! N'y a-t-il pas d'autre solution? Il existe d'autres mondes, elle ne l'ignore pas. Elle y a pénétré, fût-ce brièvement : dans les histoires contées par les livres de Fräulein Braunschweig. Leur simplicité puissante et parfaite... Si sa vie pouvait leur ressembler! Mais cela paraît inaccessible, complétude hors de portée, hormis dans ses rêves. La seule façon de s'en approcher, maintenant, c'est d'emprunter la route lumineuse de haine sur laquelle elle s'est engagée. Au moins, essaie-t-elle de se rassurer, trouve-t-elle quelque répit dans cet endroit aux palmiers minables.

Un grincement... Elle se retourne et lâche un petit cri. Une silhouette sombre et imposante approche. Elle essaie de s'effacer mais l'homme a dû la voir car il vient directement à elle. La nuit n'est plus innocente.

C'est alors qu'elle reconnaît Kahapa. Soulagée, elle prend une profonde inspiration.

Kahapa s'arrête. «Toi pas marcher seule», déclare-t-il. Le grondement guttural de sa voix troue le silence. «Pas un bon endroit.»

Voyons, c'est une mission! aimerait-elle répliquer. Avant de songer : *Il en sait peut-être plus que moi, plus qu'il n'en dit.*

«Moi pas dormir, continue-t-il, comme s'il avait deviné ses pensées. Moi me demande si toi bien.»

Elle pose une main sur son épaule et fait oui de la tête, sans savoir s'il la voit dans l'obscurité.

Un instant, il hésite comme s'il avait envie d'en dire davantage. Et puis il émet un grognement, montre les talons et part. Hanna reste sur place un moment, rassurée par son apparition dans la nuit, la sensation de le savoir là, debout, errant, veillant; perturbée, néanmoins, par ses paroles. *Pas un bon endroit.* A-t-il, lui aussi, percé la piété ostentatoire du missionnaire?

Hanna retourne à la maison basse, blancheur crue sur fond de ciel nocturne. Elle ouvre la porte. Et découvre une silhouette sombre juste devant elle, accroupie sur la forme endormie de Katja. C'est le révérend Gottlieb Maier, vêtu de sa seule chemise de nuit. Quand Hanna ouvre la porte, il recule comme s'il avait été mordu par une vipère.

«Oh! lâche-t-il tout fort, avant de se mettre à chuchoter. C'est vous.» Il marque une pause. «J'espérais apprendre de votre sœur ce qui vous était arrivé. Je m'inquiétais. Nous habitons un monde tellement impie. Avec tous ces païens qui rôdent...»

Katja se réveille. «Qu'est-ce qui se passe?» s'enquiert-elle entre ses dents. Elle se relève sur un coude.

«Rien, rien, la rassure le missionnaire tout bas. Je suis simplement venu voir si tout le monde dormait bien. Bonne nuit. Dieu te bénisse.» Son explication inquiète plus Hanna qu'elle ne la rassure.

«Tu vas bien?» demande Katja à Hanna quand il les a quittées.

Fermant les yeux dans l'obscurité, Hanna fait oui de la tête. Nul besoin de troubler la gamine, pas maintenant. D'ailleurs, comment parler la langue des signes dans le noir?

Après un moment, de derrière la tenture qui sépare la chambre à coucher de la grande pièce, leur parviennent de nouveaux gémissements. Avec quelle assiduité Dieu n'est-Il pas servi cette nuit!

43

Hanna se cache dans un coin sombre de la nef de la cathédrale (comme c'est souvent le cas, car elle sait qu'elle pourrait être punie, non seulement parce qu'elle est sortie de l'orphelinat, mais surtout parce qu'elle est venue dans ce lieu de culte impie, *catholique*). Elle écoute les grandes orgues. Là, elle peut enfin se retrouver seule avec la musique dont les échos emplissent la pénombre de l'édifice élancé. La musique frémit contre les murs, tremble dans les charpentes, courbe les petites flammes des cierges comme prises dans un courant d'air invisible. Parfois, elle meurt quasiment dans un murmure, puis se rassemble et s'amplifie, enfle comme une vague qui se cabre dans un océan sans fin, pour venir se briser juste au-dessus de Hanna. L'édifice entier perd forme et substance, devient son pur, immensité dans laquelle Hanna se perd entièrement elle-même, se dissout en musique. Hanna n'entend d'ailleurs pas qu'avec ses oreilles : assaillant chacun de ses pores, la musique la pénètre, imprégnant, transformant tout en elle. Tout est son, tonnerre trop vaste pour être sondé, effroyable purification. Et quand, enfin, le bruit reflue, Hanna reste toute tremblante, adossée au mur, joues mouillées de larmes, alors même qu'elle ne s'était pas aperçue qu'elle pleurait; entre ses jambes coule une autre humidité, qu'elle n'avait jamais ressentie et qui doit jaillir de ses recoins les plus secrets. C'est, elle le sait, le bruit dont elle n'entend qu'un vague écho murmuré dans le silence du coquillage. Si c'est Dieu, elle veut bien croire en Lui.

44

On les emmène faire le tour de la mission. Entre autres, cela permet d'éclaircir le mystère du mur. C'est un monument à la gloire du pouvoir rédempteur du travail, auquel Gottlieb Maier croit ardemment. Depuis treize ans, explique-t-il avec une grande fierté, depuis qu'il a pris son poste à la station, les membres mâles de son troupeau emploient toute leur énergie physique (une race de brutes, paresseux et stupides qui ont besoin de discipline!) à la construction de cette noble réalisation. Avec ses quelque deux mètres de haut, le mur encercle la modeste colonie avant de bifurquer et de s'enfoncer dans le désert, vers le nord, tout droit comme l'étroit chemin des Cieux. Sur des kilomètres, il file vers un horizon qu'il n'atteint jamais, toujours plus invisible au fur et à mesure qu'il s'éloigne, chaque pierre reposant sur la voisine, toutes ramassées par des hommes de peine : à l'origine, explique le missionnaire, ils les trouvaient dans les koppies des environs immédiats mais, au fil des ans, ils ont dû aller les chercher de plus en plus loin. Des grosses, des moyennes, des petites : on n'a laissé aucune pierre; chacune trouve sa place dans la vaste entreprise. Tous les jours, on ajoute quelques centimètres en hauteur ou en longueur; à la fin de la semaine, on mesure les progrès effectués pour les comparer aux progrès passés. Aucun homme n'échappe à la corvée, sauf les très vieux et les malades; et même ceux-là sont censés fournir leur lente et humble contribution au service du Seigneur.

Mais pourquoi? s'enquiert Hanna par l'intermédiaire de Katja. *À quoi sert ce mur?*

Le missionnaire lui lance un regard perplexe. «Ça les occupe», répond-il.

Je comprends le mur d'enceinte autour de la colonie..., insiste Hanna.

«Pour sûr, l'interrompt-il brusquement. Nous devons nous préserver de l'Afrique.»

... mais ça? Hanna désigne le lointain.

«Il ne nous revient pas de questionner les voies impénétrables du Seigneur», dit-il sur le ton de la remontrance.

Dieu n'a rien à voir là-dedans, c'est vous!

«Je suis ici pour accomplir sa tâche.» Le ton est résolu. «Surtout dans des temps difficiles et dangereux comme ceux que nous traversons.»

Hanna demande à Katja de poser la question suivante : *Quelles nouvelles avez-vous de la guerre?*

«Elle est si loin... Comment être sûr? On entend trop de rumeurs. "Les maux succéderont aux maux et les rumeurs succéderont aux rumeurs", a dit le prophète Ézéchiel. Si vous me demandiez : "Approchons-nous de la fin?" je vous répondrais : "Oui." Nous vivons les derniers jours, ceux dont saint Marc a dit : "Car, dans ces jours-là, viendra l'affliction, telle qu'il n'y en a pas eu depuis le commencement de la création que Dieu a créée, jusqu'à ce jour, et comme il n'y en aura plus jamais."

— Mais vous devez avoir des nouvelles, de temps à autre, intervient Katja.

— Des patrouilles passent régulièrement. Parfois, les soldats nous informent des derniers développements. Il semblerait que, depuis que le colonel von Trotha a pris le commandement, il y a deux ans, en remplacement du bien intentionné mais faible Leutwein, il ait anéanti la puissance des Herero dans le Nord.

— Cela, nous le savons», confirme Katja.

Le missionnaire poursuit son discours comme s'il n'avait rien entendu. «Pour ma plus grande honte, je dois admettre que nombre de mes frères, pasteurs égarés de la mission rhénane, ont pris fait et cause pour les Herero. Mais Dieu a vite montré de quel côté Il était. Ensuite, comme vous n'êtes pas sans le savoir, notre grand homme, von Trotha, tel un fléau des Cieux, a fondu sur le sud et cassé les reins aux Nama. Peut-être avez-vous entendu parler des batailles de Naris, de Gochas et de Vaalgras. Depuis que cette incarnation du Mal qu'était Witbooi a été tuée en octobre dernier, nous avons remporté d'immenses succès. Gloire à Dieu! Quelle pitié que les autorités de Berlin, mal informées, aient décidé de rappeler von Trotha avant qu'il ait pu faire le grand nettoyage! Son successeur, Dame, n'est pas fait du même bois. En conséquence, il demeure des poches de résistance et la violence s'enflamme de-ci de-là... partout. Des agents de Satan continuent de courir en liberté parmi les Nama, des hommes tels que Cornelius, Fielding et Morenga. Mais, avec l'aide de Dieu, nous sommes engagés sur le chemin de la victoire. De grandes étendues du pays ont été pacifiées et un nombre croissant d'impies sont enfermés dans des camps de concentration.» Il pousse un soupir. «Triste, triste époque... il nous faut rester vigilants. Saint Luc ne nous a-t-il pas enjoints à veiller et à prier sans cesse, afin que nous puissions être jugés dignes d'échapper à tout ce qui finira par passer et de nous présenter devant le Fils de l'homme?

— La contrée que nous avons traversée ressemble à une terre gaste, dit Katja. Tous les villages ont été incendiés.

— L'armée accomplit la tâche du Seigneur, l'assure le missionnaire. Une fille comme toi ne devrait pas penser à ces choses-là. Ici, dans le désert, nous sommes en sécurité.» Son regard se pose, pénétrant, sur le visage de Katja. Mais, comme s'il se sentait brusquement pris en flagrant délit d'indiscrétion, le voici qui s'agite. Officiel, tout à coup, en hâte il demande à être excusé. «Je dois y aller. Certains journaliers, là-bas, tirent au flanc. Il faut s'occuper d'eux. Le Seigneur ne souffre pas l'inertie.»

Entre-temps, à l'église, comme chaque jour, Gisela Maier fait la classe aux enfants. Inlassablement, ils apprennent, toute la matinée. Tâche ingrate, quasi impossible : inculquer des éléments de lecture et d'écriture à une centaine d'enfants en sueur, du simple bambin à l'adolescent de dix-huit ou vingt ans. Le brouhaha seul suffit à provoquer un mal de tête permanent chez quiconque tente de le contrôler. (De temps à autre, la silhouette du révérend Maier, soudain, assombrit l'encadrement de la porte; au hasard, il tire des rangs plusieurs élèves, costauds, moyens ou gringalets, et leur donne le fouet, en signe d'avertissement. Mais il est rare que le silence qui s'ensuit dure longtemps.)

L'après-midi, cette fois, miséricorde!, aidée par quelques auxiliaires qui maîtrisent déjà quelques talents, Gisela réunit les femmes sous l'ample ombrelle d'un faux acacia, afin de leur apprendre quelques occupations utiles : faire des napperons au crochet, de la broderie, tricoter des couvre-théières. C'est pire que Frauenstein, songe Hanna. Cela lui retourne l'estomac. Katja, quant à elle, a du mal à se retenir de rire, mais elle se reprend vite quand le missionnaire apparaît, avec ses grandes enjambées de *gompou*.

«Intéressant, n'est-ce pas? fait-il d'un air débonnaire. Mon épouse travaille avec diligence avec ces rustres, elle leur apprend à exécuter leurs humbles tâches féminines au service du Tout-Puissant. Ce n'est sans doute pas grand-chose, ce n'est, bien sûr, pas directement lié au salut des âmes, mais au moins cela les occupe-t-il. Nous pensons que, à sa modeste manière, le travail de la femme trouve grâce aux yeux du Seigneur.» Brièvement, il pose une longue main osseuse sur l'épaule de la gamine, avec un geste qui se veut paternel. La main ne reste perchée là qu'un instant, grosse araignée exsangue; puis, effrayé, dirait-on, par ce qu'il voit, il la retire soudain et remue les doigts vigoureusement comme pour les débarrasser de quelque invisible pollution.

Hanna devine tout de suite son jeu. Elle ne comprend pas ce qui se passe en elle, la suspicion confuse qu'elle ressent depuis qu'elle est arrivée à la mission, un instinct possessif à l'égard de Katja qu'elle n'a jamais éprouvé auparavant. Elle tente de se persuader que le missionnaire ne peut avoir de motifs cachés, qu'il agit par pur altruisme, par amour, qu'il se préoccupe d'autrui; elle seule peut être retorse et perverse! Quoi qu'il en soit, elle prend brusquement Katja par le bras et l'entraîne ailleurs.

«Qu'est-ce qu'il y a?» demande la fille.

Je veux que tu restes sur tes gardes avec cet homme.

«Il me rappelle mon père, répond Katja. La mission ressemble tellement à l'endroit où j'ai grandi... Hanna, je me sens chez moi.»

Hanna essaie de maîtriser l'irritation qui monte en elle : *Tu ne comprends pas. Je suis sûre que ton père était un autre genre d'homme. Ouvre les yeux. Tu es si jeune, Katja... Pour l'amour de Dieu, fais attention.*

«Je crois que tu es injuste», proteste la fille.

Es-tu avec moi ou avec lui?

«Pourquoi devrais-je choisir?» Katja est plus rebelle qu'elle ne l'a jamais été; cela effraie sa compagne. «Bien sûr que je suis avec toi. Tu as été la seule à t'occuper de moi quand je suis arrivée à Frauenstein, plaide Katja. Je suis partie dans le désert avec toi, rappelle-toi. Je ne sais même pas où tu m'emmènes. Qu'importe, je te fais confiance. Mais ce que je ressens dans cet endroit... peut-être ne peux-tu pas le comprendre, Hanna. Essaie, cependant. Pour la première fois depuis la mort de mes parents et de mes frères, depuis que Gertrud et moi...» Elle s'interrompt, toute tremblante. «J'ai vraiment l'impression d'être rentrée chez moi. Presque chaque nuit depuis que les tueurs sont venus chez nous, j'ai des cauchemars. Du sang partout. Des hommes qui crient et coupent les gens en morceaux. Ici, je retrouve enfin le sommeil.»

Tout ce que j'essaie de dire... Hanna fait une nouvelle tentative, consciente de la migraine qui commence à battre contre ses tempes.

Elles sont interrompues. C'est Gisela Maier. Elle approche, s'assoit, sans y être invitée, sur une pile basse de bois coupé.

«Puis-je vous parler?» demande-t-elle. Elle est livide. Des mèches folles de cheveux collent, mouillées, à ses joues; par la sueur ou les larmes... difficile à dire.

Vous avez eu une journée éreintante, dit Hanna par l'intermédiaire de Katja.

Gisela ne réagit pas.

«Vous travaillez encore plus dur que nous le faisions chez nos parents, dit Katja de son propre chef. Le comptoir de mon père était aussi un endroit où les gens venaient chercher toutes sortes d'aides. On était occupées constamment.»

Gisela lui lance un regard las. «Pas étonnant que vous vous soyez enfuie.

— Je ne me suis pas enfuie! Il a été assassiné. Ils ont tué tous les hommes...»

Pendant un instant, Gisela ne réagit pas. Puis elle demande, d'une voix qui trahit un ressentiment mêlé de lassitude : «Qu'est-ce qui pousse les gens à venir dans un endroit pareil?

— Ils répondent à l'appel de Dieu? suggère Katja.

— Dieu n'existe pas», déclare Gisela platement. Elle ressemble, songe Hanna, à quelqu'un qui dirait à un petit mendiant : «Le pain, ça n'existe pas.»

«Ai-je le choix?» Gisela fait un effort pour contrôler sa voix. Sans crier gare, un flot de paroles jaillit de sa bouche, comme s'il y avait été retenu trop longtemps. «Gottlieb était différent quand nous nous sommes rencontrés à Dresde, il y a quinze ans. C'est seulement après que toute sa famille a péri...» Elle marque une pause. «Ils étaient tous en bateau sur l'Elbe. Lui, ses parents, ses deux sœurs... Un orage a éclaté, aussi brutal que soudain. J'aurais dû être avec eux mais ma mère était malade et j'étais restée auprès d'elle. Le bateau a chaviré et ils se sont tous noyés. Gottlieb a également cru qu'il allait se noyer. Il s'est mis à prier. Il n'était pas particulièrement dévot à l'époque. C'est cet accident qui l'a changé. Voyez-vous, il a promis à Dieu que, s'il s'en sortait vivant, il dévouerait le restant de ses jours à œuvrer pour le Seigneur. J'étais professeur avant notre mariage, j'enseignais l'histoire et, quand il a dit qu'il souhaitait partir pour l'Afrique, j'ai d'abord été enthousiaste, je pensais que ce pourrait être intéressant, que je pourrais découvrir des choses sur le passé...» Elle hoche lentement la tête. «Mais, quand nous sommes arrivés, il m'a interdit toute activité à l'extérieur de la maison et m'a forcée à ne m'occuper que des enfants. De toute façon, notre mode de vie ici nous coupe de l'histoire, nous coupe de *tout*. Tout ce qui lui importe, c'est de respecter son vœu.» Elle pousse un long soupir. «J'imagine que je ne peux guère lui en vouloir.» Posant le menton sur ses deux poings fermés, elle scrute le lointain monochrome. «Mais je déteste son Dieu.

Parfois, je Le hais tant que j'imagine qu'Il me devient presque réel. Mais je n'ai même pas droit à cette menue satisfaction.» Elle prend une profonde inspiration. «Pour Gottlieb, ce n'est pas un problème. Au moins, il a le choix; moi, on ne me l'a jamais donné.»

Aucune d'entre nous n'a vraiment le choix, lui rappelle Hanna par l'intermédiaire de Katja. *Ni moi ni Katja.*

«Maintenant, vous êtes libres d'aller à votre guise.»

Je ne suis pas encore libre, lui fait comprendre Hanna.

«Que voulez-vous dire?»

Hanna se contente de hocher la tête.

«Quand avez-vous l'intention de partir?» insiste Gisela.

Dès que nous serons reposées.

«Si seulement je pouvais partir avec vous...» Gisela dodeline de la tête; les pointes de ses cheveux épars effleurent son menton. «Mais comment faire avec les enfants? Si elles restent avec Gottlieb, Dieu sait ce qui leur arrivera.

— Je suis sûre que c'est un bon père, lâche Katja sous le coup de l'impulsion.

— Qu'en savez-vous? réplique Gisela, d'un air de reproche apathique. Si seulement nous n'avions pas que des filles... Le pays n'est pas fait pour les femmes.»

Ce n'est pas une raison pour laisser les hommes nous imposer leur loi, fait dire Hanna à sa compagne : la phrase est difficile à transmettre mais, intuitive et intelligente, Katja a appris à combler les lacunes de la syntaxe des gestes.

«N'importe quoi vaudrait mieux que rester ici», insiste Gisela avec une obstination engourdie.

Si vous saviez ce que nous avons l'intention de faire... Hanna hoche la tête. *Si nous pouvions le dire...* Elle regarde Gisela droit dans les yeux, ses doigts agrippant dans l'urgence le bras de Katja. *Le bain de sang pourrait ne jamais cesser, qui sait?* Un soupçon de sourire sardonique flotte sur la bouche déformée de Hanna. *Mais, au moins, personne ne nous arrêtera.*

Une ombre longue tombe sur elles; le pasteur approche, le soleil lui frappe directement le dos. Toutes trois lèvent les yeux, Hanna avec un regard menaçant, Katja avec l'énergie de l'espoir, Gisela avec appréhension.

«Que font ces dames? Bavardages de femmes? s'enquiert le révérend Maier avec autant d'austère légèreté qu'il peut se permettre. Hum, fi de la frivolité! Que nos âmes ne s'éloignent point trop des choses divines. C'est l'heure de l'office. Allons donc montrer l'exemple à ces misérables païens.»

45

Une nouvelle fois, Hanna se faufile dans la nuit pour échapper à l'atmosphère oppressante des cloisons trop minces. Cette fois, par précaution, et devinant que Katja ne dort pas non plus, elle entraîne la gamine, en prenant soin de ne déranger aucune des enfants qui dorment. La nuit est encore illuminée par une multitude d'étoiles. Une nouvelle fois, Kahapa surgit des ténèbres ; peut-être, se dit Hanna, ne s'éloigne-t-il pas de la maison afin de veiller sur elles. La pensée la rassure d'une manière qui la surprend.

«Que fais-tu ici ? demande Katja de son côté.

— J'attendais vous.»

Du bout de l'index, Hanna caresse l'avant-bras de Katja : *Il pense qu'ici nous sommes dans un mauvais endroit.*

«Nous sommes bien ici ! objecte Katja.

— Vous êtes blanches. Pour les Noirs, pas bon.» Et d'ajouter, avec une véhémence que Hanna ne lui connaissait pas : «Ce pays était bon endroit avant que Blanc vienne. Nous vivons partout, avec notre troupeau.

— Tu as dit un jour que ton peuple aussi venait d'un pays lointain, lui rappelle Katja. Et tous les Blancs ne sont pas les mêmes, tu sais... »

Il lâche un son, mépris guttural. Ignorant tout ce qui s'est dit jusque-là, et avec une éloquence rarement démontrée auparavant, il se lance dans un récit. Il y a très, très longtemps, se rappelle-t-il, au temps où il n'y avait pas d'humains sur la terre, seul se dressait l'arbre vénérable omumborum-bonga, au milieu du monde, à Okahandja. Puis, le dieu des cieux, Njambi Karunga, vint jusqu'au grand arbre et sortit de ses nœuds le premier homme et la première femme. L'homme s'appelait Mukuru et la femme Kamungundu. Le bétail aussi vint de cet arbre. Mukuru et Kamungundu dormi-rent ensemble maintes fois et de leurs étreintes naquit tout le peuple Herero, élu du dieu. Et, quand les enfants eurent grandi, ils offrirent un bœuf en sacrifice au dieu. Une femme prit le foie noir du bœuf pour sa famille et il en sortit les autres peuples noirs, les Ovambo et les Ovatyaona. Une autre femme prit le sang et il en sortit le peuple rouge, les Nama. Mais les moutons et les chèvres, le dieu Njambi Karunga les fit sortir de sous une grosse roche plate. Il y avait une méchante fille herero qui, après avoir fui son peuple, s'allongea sur la grosse roche plate afin de copuler avec lui, et de sa fente sortirent les babouins et les Damara.

À travers le frémissement des ténèbres, Kahapa scrute ses compagnes. « Vous voyez : pas de place pour Blancs ici. Ils viennent d'un autre endroit et créent seulement des problèmes.

— Ce n'est pas la même histoire que tu nous as racontée la dernière fois, sur la façon dont ton peuple est arrivé ici, lui rappelle Katja. Sur les deux frères se séparant au grand arbre.»

Dans le noir, Kahapa hausse les épaules. «Nous avons beaucoup d'histoires, répond-il, imperturbable. Elles sont toutes vraies. Vous devez apprendre à écouter. Ce que je vous raconte maintenant, c'est sur les problèmes que les Blancs apportent avec eux. Même entre eux. Regarde ce qu'ils font à Hanna. Regarde cet Albert Gruber. Regarde les Blancs de cet endroit.

— Ils ne font rien de mal, proteste Katja.

— Un père touche ses enfants pour les frapper seulement : lui mauvais père, répond-il avec calme.

— Kahapa! crie Katja, bouleversée, furieuse. Comment peux-tu dire une chose pareille?

— Toute sa famille malheureuse, tu vois pas?»

Katja se tourne vers Hanna. «Dis-lui que ce n'est pas sa faute, Hanna.»

Je crains d'être du même avis que Kahapa, explique Hanna en frottant ses doigts sur la peau de son bras.

«Toi, Hanna, dit Kahapa. Je comprends ce que tu dois faire dans ce pays. Tu fais ce que je fais à homme qui tue ma femme. Je marche avec toi. Mais, quand terminé, tu dois rentrer chez toi.»

Chez moi, où ça? demande Hanna par l'intermédiaire de Katja. *Je n'ai pas de chez moi. Katja n'a pas de chez elle. Nous ne pouvons vivre que dans ce pays. Ensemble avec les autres peuples sortis de l'omumborumbonga.*

Kahapa dodeline de la tête et s'abstient de répondre.

«Va dormir», lui dit Katja. Sa voix trahit encore une certaine hostilité.

Hanna passe un bras autour des épaules de la fille. Toutes deux restent là un moment, jusqu'à ce que Kahapa ait disparu derrière la flétrissure blanche de la maison sur la peau noire et lisse de la nuit. Ensuite, ensemble, elles s'en retournent.

Quand elles se glissent par la porte, une silhouette sombre se détache de l'obscurité comme un spectre et s'approche d'elles. C'est le missionnaire.

«Je viens de vérifier que tout allait bien, explique-t-il. Toutes les deux, vous ne devriez pas vous promener dans le noir.»

Dans un élan, Katja se jette contre lui et lui passe les bras autour du cou. «Dieu merci, vous êtes là pour vous occuper de nous! s'exclame-t-elle impulsivement, la voix étranglée par l'émotion. Vous êtes si bon.»

Il reste planté là, gêné, ne sachant que faire de ses mains. Dans la pâle lueur qui vient de l'extérieur, seule Hanna peut voir son visage. Et ce qu'elle y découvre est inattendu : pas du plaisir, pas une once de tendresse, mais de la révulsion, comme s'il avait été assailli par une chose hideuse et sordide.

«Retire tes mains, petite sagouine! dit-il, si fort que toutes les respirations dans la pièce obscure s'interrompent abruptement. Je ne tolérerai pas cette luxure. Enfant du Diable!»

Sa réaction est si disproportionnée par rapport au geste de la gamine que Katja et Hanna en restent pantoises.

Avant qu'elles puissent se remettre, il s'éloigne à grandes enjambées dans l'obscurité; elles l'entendent tirer la tenture lorsqu'il se réfugie dans sa chambre à coucher. Peu à peu, indécises, attentives, les respirations reprennent autour des deux femmes.

Hanna referme la porte d'entrée. Katja et elle s'allongent l'une à côté de l'autre. Katja est prise de frissons.

«Je voulais seulement..., dit-elle en bégayant. Je croyais... Je ne voulais pas... C'était comme embrasser mon père mais il... Mon Dieu, Hanna, qu'est-ce qui se passe?»

Hanna ne peut rien faire que serrer la gamine contre elle et émettre des sons réconfortants du fond de la gorge. Elle est consciente, toutefois, des battements anormaux de son cœur.

«Il a cru que je...», reprend Katja. Hanna lui couvre la bouche avec la main mais Katja la repousse : «Hanna, je ne suis pas comme ça! Je ne suis pas ce qu'il a dit... Comment a-t-il pu...»

Suffit maintenant, lui fait comprendre Hanna en parcourant son visage avec les doigts. *Je sais que tu n'es pas comme ça.* S'ensuit un silence. *Mais, à ses yeux, cela ne fait aucune différence.* Elle prend une longue et profonde inspiration. *Je crains qu'il ne soit comme tous ces autres hommes qui venaient à Frauenstein. Et comme ceux qui m'ont punie dans le train.*

«Je ne peux pas le croire. Il n'a que Dieu à la bouche.»

Il y est obligé. Parce qu'il a peur de lui-même. En son for intérieur, il n'est pas différent des autres.

Dans la chambre, à côté, dans l'obscurité, derrière la fine tenture, reprennent les rythmes désormais familiers.

46

Hanna ne peut oublier l'image de la femme allemande qui avait emporté son piano dans le désert.
(Était-elle venue là, comme Hanna, dans l'espoir
d'une nouvelle vie, d'un endroit où vivre, d'un
endroit où il y aurait des palmiers?) Car n'est-il
pas encore plus improbable qu'un piano survive à
la traversée en mer, au voyage en train et à la
longue marche à travers le désert... qu'une femme?
Quand Hanna est venue, elle-même n'avait que
son coquillage magique; or elle l'a perdu. Il ne lui
reste que le souvenir du bruit de la mer, comme
si elle l'avait rêvé. L'Allemande au piano, perdue
de même, enterrée dans une tombe anonyme,
avait elle aussi apporté un son avec elle. Brisé.
Toutes deux s'en seraient mieux sorties avec l'instrument muet d'Opa. Quel affreux pays!

47

Imaginons Hanna assise à l'ombre étroite du mur, scrutant l'arrogant éclat qui frappe le désert comme si, seul, il avait le droit d'y résider, comme si aucune ombre ou obscurité n'avait droit de cité. Au loin, les hommes de la colonie vaquent à leur besogne, comme chaque foutu jour que Dieu fait, soulevant les pierres l'une après l'autre pour ajouter à la plus grande gloire de Dieu et de Son humble serviteur, le missionnaire. Bientôt, Hanna le sait, elle devra partir. Ils ont encore besoin de quelques jours de repos (Kahapa, notamment, n'a pas recouvré toutes ses forces) mais un malaise s'est emparé progressivement d'elle... et de lui. Et Katja, surtout, montre des signes d'angoisse depuis le soir de l'éprouvant emportement de Gottlieb Maier. Pourtant, en son for intérieur, Hanna ressent toujours de la répugnance à reprendre la route. Certes, sa détermination a été affûtée par l'attitude du missionnaire, il a aiguisé sa haine en un acier plus affilé; mais, la conscience de ce qui l'attend s'accompagne forcément d'appréhension et d'une pointe de mélancolie. Non qu'elle craigne pour elle-même, car elle s'est préparée à toute éventualité depuis leur départ de Frauenstein, mais elle a peur de ce qui risque d'être exigé de Katja.

Hanna n'est intimidée ni par la violence en tant que telle ni par la douleur qu'elle inflige. Plutôt par l'inévitable déni qu'elle implique : la menace qu'elle fait peser sur l'entité subtile, secrète, quelle qu'elle soit, dans laquelle elle voudrait voir le dernier retranchement de l'humanité en chacun. Certes, face à l'horreur perpétrée par cet homme, ces hommes, dans le train, elle réclame vengeance. Au nom de sa propre humanité. Mais, si elle choisit de se venger, restera-t-il en elle une parcelle d'humanité qui ne sera pas menacée? Est-il possible de détruire autrui sans détruire au moins une partie de soi? Le sang peut-il racheter le sang?

Elle n'a pas entendu Katja approcher et a l'air surpris lorsque la gamine arrive dans son dos, une bible à la main.

Hanna lève une main inquisitrice : *Que fais-tu ici ? Je croyais que tu aidais Gisela à faire la classe.*

«Je ne pouvais plus le supporter. Tu sais ce qu'elle leur apprenait aujourd'hui?» Elle ouvre le volume à une page marquée par un crayon. «Le livre de Noé et de ses fils. Tu sais, le passage sur Cham, le père de Canaan, qui découvre le vieillard nu, ivre mort, et le dit à ses frères; sur quoi, ils entrent à reculons dans la tente pour le couvrir.»

Amusée, Hanna hausse les épaules.

Katja se met à lire d'une voix tremblante de rage, piquant les mots avec son crayon : «Et Noé s'éveilla de sa torpeur avinée et sut ce que ses fils avaient fait. Et il dit : Maudit soit Canaan, il sera le serviteur des serviteurs de ses frères.»

En quoi cela te concerne-t-il? demande Hanna par gestes.

«Le pasteur a ordonné à Gisela de raconter cette histoire aux enfants en prétendant qu'ils descendaient de Cham et de Canaan ou de je ne sais qui, et que ça expliquerait qu'ils soient nos esclaves. Si tu veux mon avis, c'est parce que des hommes ont commencé à se plaindre de devoir travailler à son satané mur. Il faut en appeler au courroux de Dieu et de tous ses anges pour juguler la rébellion. Même s'il doit pour cela fausser le sens de la Bible. Voyons, où, dans ce passage, est-il écrit que Cham était noir? À supposer qu'il l'ait été, comment Noé aurait-il réussi à avoir deux fils blancs et un noir? Qui était le pécheur, de toute manière? Le vieil ivrogne ou le fils qui n'a fait que le découvrir, ronflant sous la tente, sans doute recouvert de son vomi? Et si cela était censé être répréhensible, pourquoi ne pas punir Cham lui-même? Pourquoi s'en prendre à Canaan qui, autant que je sache, n'était même pas dans les parages?»

Hanna prend la main de la gamine. *Pourquoi te laisser affecter par ça?* s'enquiert-elle à l'aide de menus mouvements apaisants de rotation des doigts. *Ignore-le, voilà tout.*

«Gisela est outrée aussi. Mais elle n'a pas le choix.» La gamine dodeline de la tête. «J'aurais sûrement dû rester pour la soutenir. J'en ai été incapable.» Elle essaie de se maîtriser. «J'ignore comment elle s'en sort. Elle n'est pas de constitution robuste. Tous ces enfants! Et voilà que, par-dessus le marché, son bébé tombe malade.»

Tu te fatigues trop.

«Mieux vaut s'occuper.» Katja s'assoit par terre à côté de son amie. «Au fond, je suis peut-être en train de me racheter pour toutes les fois où je n'ai pas aidé ma mère. Gertrud et moi (il est rare qu'elle parle de sa sœur; manifestement, il y a beaucoup de choses qu'elle n'a pas encore réglées dans son existence), nous n'étions pas obéissantes, nous étions indociles. Nous nous ennuyions tellement au comptoir.» Un long silence. «Vois-tu, ma mère aimait la musique. Elle avait une belle voix et chantait souvent pour nous. Des hymnes, ce genre de choses... la plupart du temps. Mais, parfois, d'autres airs aussi, légers, gais, ensoleillés. J'ai pensé à elle le jour où ils ont cassé le piano à la ferme des Gruber. Le tintamarre était incroyable, comme une explosion, comme si tous les bruits que le piano avait jamais faits, tous les sons qu'il était capable de produire en jaillissaient soudain tous ensemble. Et ensuite, le silence effroyable. Tout ce bruit... puis plus rien. Où est-il donc passé? Il doit encore être quelque part. Si seulement on pouvait le retrouver! Et les chants de mère aussi. Toute la musique de notre vie. Souvent, la nuit, j'y pense et je me demande... je ne comprends rien à tout ça...»

Ils ont fait de toi une adulte bien trop tôt.

«Ils ont fait ce qu'ils ont pu. Et moi aussi, je fais de mon mieux.» La voix de Katja s'anime d'une passion nouvelle. Quand nous sommes arrivées ici, je te l'ai déjà dit, c'était un peu comme rentrer à la maison. Ça m'a rappelé tellement de choses de l'époque où nous étions tous ensemble... Père, mère, Gerhardt, Rolf, Gertrud et moi. Les moments où ma mère chantait et tout le reste...

Surtout parce que cet homme, le révérend Maier, me rappelait tellement...» Elle s'étouffe, prend le temps de se ressaisir. «Mon père était un homme si doux, il était tout pour moi, je l'adorais... Et puis, l'autre nuit, quand j'ai vu qui était vraiment le bon missionnaire... Hanna, ç'a été comme si tous mes meilleurs souvenirs étaient tout à coup devenus des mensonges! Imagine que le père que je connaissais n'ait pas été tel que les gens le voyaient? Imagine... Et s'il était, en réalité, exactement comme les autres marchands que les Herero craignaient et détestaient tant... S'il leur faisait crédit, encore crédit, toujours crédit, tout le temps, jusqu'à ce qu'ils ne puissent plus payer, après quoi il leur prenait leur bétail, leurs terres... Comment pourrais-je jamais savoir? Ce qui est certain, c'est que je ne peux plus me fier à mes souvenirs. Tout ce qui était bon pour moi, tout ce qui comptait... maintenant, je ne suis plus sûre de rien. Je suis simplement en colère. Je ne l'ai jamais été autant. Je veux *agir*. Mais qu'est-ce que je pourrais faire qui aurait un quelconque effet?»

Hanna la fixe du regard. Après un long moment, elle recommence à bouger les mains, pour demander : *Es-tu sûre d'avoir fait le bon choix en me suivant?*

Katja a un reniflement agacé, essuie les larmes sur son visage brûlé par le soleil : «Je ne pouvais pas rester là-bas!»

Mais maintenant que nous l'avons quitté...?

«Où nous dirigeons-nous, Hanna?» demanda Katja, soudain directe.

Hanna fait un geste vers son visage couturé, avant de replonger dans le silence, essayant de mettre de l'ordre dans ses idées.

«Tu veux te venger de l'homme qui t'a fait ça, je le sais, poursuit Katja. Je te comprends. Mais cela remonte à plus de quatre ans, n'est-ce pas? Quelles chances y a-t-il qu'il habite encore à Windhoek? Et même s'il y était... Une fois que tu te seras vengée, qu'arrivera-t-il? Est-ce que ce sera terminé? Seras-tu en paix avec toi-même?»

Hanna pose la main sur l'épaule de Katja pour la faire taire. Un instant, elle regarde autour d'elle, cherche quelque chose, une façon de fuir son mutisme. Elle prépare ensuite un petit carré de terre, l'aplanit, se met à écrire à toute vitesse. Mais la couche de poussière est trop mince, la terre trop dure et ses griffonnages restent incompréhensibles. Enrageant, frustrée, elle regarde encore autour d'elle, avise la bible que Katja a jetée, la ramasse, la pose sur ses genoux. Mue par son empressement fébrile, elle prend le crayon encore coincé entre les pages de la Genèse et feuillette le lourd volume. Elle dépasse la totalité de l'Ancien Testament, ses histoires sanglantes, ses généalogies, ses mornes malédictions, exhortations et imprécations, puis le Nouveau (bien moins corné, manipulé, abîmé que l'Ancien), elle va au-delà des noires visions et prophéties des Révélations, atteint les pages de garde vierges. Enfin, levant les yeux vers Katja, elle écrit :

Pourquoi parles-tu toujours de vengeance, Katja? Il ne s'agit pas seulement de vengeance. En partie, bien sûr, car on ne peut pas laisser son acte impuni. Mais c'est bien plus que cela. Tu dois me croire. À Frauen-

stein, même ici, j'en ai découvert tant d'autres, défigu-
rées, pas forcément comme moi, pas toujours aussi
visibles, mais toutes meurtries... Et, tant que nous sup-
portons notre lot en silence, rien ne changera. Nous
devrons sans cesse supporter de nouvelles brimades. Nous
avons toutes déjà trop souffert. Vient un temps où il faut
dire non. Quelqu'un doit mettre un terme à ces pra-
tiques. Et le monde doit savoir, nous devons lui
apprendre ce qui est arrivé, les gens doivent connaître nos
noms.

Elle fait glisser le livre sur ses genoux pour que
la fille puisse lire. Elle a les doigts raidis et engourdis, elle n'a plus l'habitude d'écrire. Mais elle n'a
pas fini. Lorsque Katja lève la tête, ouvrant la
bouche pour parler, Hanna reprend brusquement
le livre, arrache une page et continue sur la suivante.

C'est comme ce que tu as dit à propos du piano...
Tu te rappelles ? Ces bruits sont encore quelque part.
Nous sommes quelque part. Et quelqu'un doit découvrir
notre histoire, entendre notre musique.

Katja s'est mise à genoux pour lire par-dessus
son épaule. Hanna porte son regard sur le désert,
l'indique, d'un geste ample et creux, et se remet à
écrire, appuyant si fort que la pointe du crayon
troue le papier.

Contemple ce désert, Katja, avec ses pierres, ses buis-
sons et ses silences : il n'a pas besoin de moi, il sera là
bien longtemps après que je n'y serai plus. Mais je ne
veux pas qu'il m'oublie. Je suis passée par ici ! Toi aussi,
tu es ici. Je veux que cet endroit sache que nous sommes
ici. C'est pourquoi nous allons à Windhoek. Et nous
devons entraîner tous les autres qui ont également souffert
et qui ont également oublié la nécessité de dire non.

Elle fait tomber le crayon, le ramasse.

Tu vois, nous ne recherchons pas un seul homme – ses lettres se font plus épaisses, moins lisses à mesure que la pointe de son crayon s'émousse. *La chasse est ouverte. Nous partons en guerre. Nous allons retrouver tous ceux qui se sont alliés à ce tortionnaire. Tous ceux qui l'ont rendu possible.*

Incrédule, abasourdie, Katja passe la paume de sa main sur la feuille comme pour effacer les mots. «Comment pourrais-tu réussir? demande-t-elle, effrayée. Une femme seule... contre tout le Reich?» Elle se tait un instant et dodeline de la tête. «Contre le monde entier?»

Hanna arrache la deuxième page, amadouant la pointe du crayon pour lui faire écrire quelques derniers mots sur la troisième page.

Si nous levons une armée contre eux, ils nous détruiront. Mais il n'est pas nécessaire de leur livrer une guerre ordinaire. Nous agirons lentement, pas à pas. Et nous finirons par vaincre. Parce que je ne suis pas seule. N'oublie jamais ça. Nous ne sommes pas seules.

Elles restent assises un long moment en silence, après quoi Hanna avance la main vers la bible, dans l'intention d'arracher la dernière page. Elle saisit le volume.

Katja le lui prend des mains. «Je dois rapporter ça à l'église, annonce-t-elle. Il nous tuera s'il découvre...»

Hanna froisse les pages qu'elle a arrachées et les fourre dans son corset; elle les brûlera plus tard.

Katja s'éloigne, avant de revenir sur ses pas; elle s'avance et colle sa joue contre celle d'Hanna. Sans doute la gamine a-t-elle compris, après tout.

48

En fin d'après-midi, elles se retrouvent derrière la petite église trapue, pour échapper aux incessants gémissements du bébé malade. Gottlieb Maier a refusé l'aide qu'elles ont proposée, arguant avec emphase que l'on devait montrer de la fermeté face à l'adversité envoyée par le Tout-Puissant pour mettre à l'épreuve les croyants. «C'est sans doute quelque chose que Gisela a mangé qui a corrompu le lait, a-t-il déclaré, lançant un regard plein de reproche à son épouse. Tout est désormais entre les mains de Dieu. Je prierai, et Il répondra de la façon qu'Il jugera adéquate.» Il a aussi rabroué, beaucoup plus durement, les femmes nama venues proposer leurs potions et leurs philtres magiques : «Superstition païenne! Elles causeraient du mal à l'enfant mais offenseraient de plus les narines du Seigneur.»

Hanna doit donner libre cours à son sentiment : *Cet homme est un monstre.*

Mais Katja demeure pensive. «Tu sais... j'ai réfléchi à ce que tu as dit l'autre soir. La raison pour laquelle il est toujours si occupé... Ce n'est pas seulement à cause de son travail. Ou parce qu'il aurait peur de lui-même, comme tu l'as dit. Je crois que c'est pire. C'est comme s'il cachait quelque chose, comme s'il voulait se persuader lui-même. Imagine que, comme Gisela, il ne croie pas vraiment en Dieu. Mais, parce qu'il a fait un vœu, il est forcé de passer le reste de ses jours en Afrique. Et il déteste peut-être cette situation, chaque minute de chaque heure. Sans avoir aucun moyen d'en sortir.»

Ce n'est pas une raison pour faire payer les autres. Sa femme. Ses filles. Tout le monde. C'était peut-être pour ça qu'il avait besoin de l'histoire de Noé pour contrôler ses employés récalcitrants.

Kahapa, apparaissant à l'angle de l'église, vient les rejoindre. Il est accompagné d'un petit groupe, neuf ou dix hommes et femmes.

«J'amène ces gens, annonce-t-il à Hanna. Ils veulent venir avec nous.»

Savent-ils où nous allons?

«Je leur parle de Windhoek. Je leur dis que c'est pour se battre, que c'est difficile.»

Pourquoi renonceraient-ils à la vie qu'ils mènent ici pour venir avec nous?

D'un coup de coude, Kahapa incite le premier du groupe à s'avancer : c'est un jeune homme de grande taille, plutôt revêche. «Parle», ordonne Kahapa.

L'homme n'a pas grand-chose à dire. Il vient de là-haut, tout au nord, du Kaokoveld. Les seuls moments où il devient éloquent, c'est quand il décrit les grands anacardiers sur la rive du fleuve qui descend vers la mer froide, quand il évoque les collines sauvages, les sombres étendues de buissons dans les replis des vallons, la source magique de Kaoko Otavi, où les éléphants se rassemblent pour boire au clair de lune; et son peuple fier, qui habite là-bas, les Ovahimba, leurs grands corps couverts d'ocre rouge : or les ondes de choc de la guerre, ces dix dernières années, ont dérangé la vie paisible que sa tribu menait depuis des siècles, si bien que, peu à peu, certains ont fait route vers le sud, toujours plus au sud, en quête de travail; incapable de trouver un travail stable (comment un homme fier se satisferait-il de travailler pour un autre?); lui-même avait fini à la mission. Mais il déteste le pasteur et ne supporte pas son travail, c'est pourquoi maintenant il veut retourner chez lui. Windhoek sera une halte bienvenue sur la longue route du retour.

Dis-lui que je vais réfléchir, annonce Hanna. Mais, dès que l'Ovahimba est parti, elle fait comprendre ceci à Kahapa, par l'intermédiaire de Katja : *Non, ça ne convient pas. Il viendra avec nous mais nous quittera quand ça lui chantera. Nous avons besoin de gens qui resteront avec nous pendant tout le chemin.*

«Je lui dis déjà.» Kahapa a un hochement de tête approbateur. «Mais lui pas croire.»

Plusieurs autres sont écartés de même, parmi eux : une jeune femme dont le but était d'aller chercher un époux à Windhoek; deux Ovambo avenants et plaisantins qui en ont assez du dur labeur; une femme d'âge mûr qui souhaite revoir des parents dans le nord; un Damara noir d'ébène, à l'éternel sourire, qui se rappelle que son père et son grand-père se satisfaisaient humblement de s'échiner pour tout maître qui se présentait, ovambo, herero, nama ou blanc, et qui accepterait lui-même tout emploi, du moment qu'on ne lui demande pas d'expliquer pourquoi ; un bel athlète (quoique pas aussi impressionnant que Kahapa) désireux de venger les victimes de toute une série d'atrocités commises par l'occupant allemand : le motif est prometteur – hélas, il accepterait de recevoir des ordres de Kahapa, mais refuse d'obéir à une femme, raison pour laquelle sa candidature est rejetée. En fin de compte, après avoir consulté Katja et Kahapa, Hanna n'accepte que trois candidats.

La première est une femme à qui il est difficile de donner un âge : ratatinée et émaciée, les seins réduits à de simples crêpes de peau fripée, elle est succinctement vêtue d'une étoffe en lambeaux imposée par la rigide religiosité de l'endroit. Elle s'appelle Kamma, ce qui, dit-elle, signifie «eau». Kahapa la présente comme une sorcière. Hanna apprend que sa tribu réside dans un lieu qui porte le nom aussi beau qu'improbable d'Otjihaenema-parero, où, à la suite de sa mère et de sa grand-mère, elle s'est taillé une solide réputation de guérisseuse. Nul ne connaît aussi bien qu'elle les herbes et les secrets du veld. Les gens venaient la consulter de très loin, de villages situés à deux ou trois pleines lunes de marche. Elle les guérissait tous. Il lui est même arrivé, les assure-t-elle, et il est difficile de ne pas la croire, de ramener à la vie des gens qui avaient passé le seuil de la mort. Et puis, un jour, il y a environ un an, elle avait (littéralement) eu vent d'un smous allemand malade, perdu dans le désert, son chariot plein de vivres. Il avait été mordu par un serpent et son corps avait tellement enflé qu'il était aux portes de la mort.

Kamma avait incisé la plaie, sucé le venin et s'était mise à l'ouvrage à l'aide de potions, d'onguents et d'incantations. Une journée ne s'était pas écoulée que l'homme pouvait s'asseoir et avaler quelque nourriture. Il l'avait ramenée sur son chariot à Otjihaenemaparero, où il avait distribué le plus gros de ses vivres aux membres de la tribu.

Tout le monde était fou de joie, jusqu'à ce qu'il annonçât son intention d'emmener Kamma à Windhoek. Au cours de longues délibérations qui durèrent des jours et des nuits entiers (le traditionnel sens de l'hospitalité de la tribu interdisant pratiquement de refuser quoi que ce soit à un étranger), il transpira qu'il avait l'intention de s'enrichir grâce au savoir-faire de Kamma. Sa proposition fut donc rejetée. Sur quoi l'étranger perdit son sang-froid et, désireux de couper le nœud gordien, saisit ses fusils et tira sur les membres de l'assemblée. Lesquels ripostèrent à leur manière. Criblé de flèches comme un porc-épic, l'Allemand s'effondra.

Kamma tenta de réparer les dommages du mieux qu'elle put. Mais la fin de l'histoire est triste. Quelque précieux que fussent ses services dans sa tribu, celle-ci ne pouvait plus se permettre de la garder en son sein. Ce genre d'incident avait une façon propre de se propager, sans nul doute avec l'aide du vent; tôt ou tard, supposèrent les membres de la tribu, les Blancs enverraient un commando de Windhoek pour se venger. Il fallait bannir Kamma avant que cela n'arrive. Au milieu des lamentations qui fusaient de toute part, on l'expulsa de l'endroit qui portait le nom magique de Otjihaenemaparero. Après des lunes et des lunes de voyage, la voici. Saine et sauve, mais rouge de colère. Tout ce qu'elle souhaite, désormais, c'est se venger.

Elle vient avec nous, décide Hanna; Katja et Kahapa acquiescent.

Et puis il y a le guerrier ovambo, Himba. Lui aussi a une carrière mouvementée. Bien que ce ne soit plus un jeune homme, il a un physique impressionnant; sur tout le corps il porte les cicatrices d'innombrables batailles et il souffre d'une légère claudication, dont Kahapa jure qu'elle ne l'empêche pas de marcher plus vite que la plupart des hommes courent, pendant des jours d'affilée, sans nourriture et sans eau. Après la mort de son père lors d'une escarmouche avec une patrouille allemande quand il était tout jeune, il a réuni autour de lui une bande de guerriers triés sur le volet et juré de n'avoir pas de cesse qu'il n'ait repoussé le dernier étranger hors du pays. Or, au fil des années, il a vu apparaître des étrangers en nombre toujours croissant, de la mer à l'ouest, de l'intérieur des terres des Bechuana à l'est, des Boers du sud, et même, périodiquement, de l'Angola au nord. L'un après l'autre, ses hommes ont disparu : la plupart tués par l'ennemi, les autres victimes de maladies ou de prédateurs, quelques-uns, enfin, ayant déserté, en quête d'une vie meilleure ailleurs. Himba n'a consenti à abandonner le combat, à contrecœur, qu'une fois qu'il s'est retrouvé seul. Il a pris deux jeunes épouses, leur a fait plusieurs enfants et semblait enfin céder aux plaisirs aisés de la domesticité. Mais il y a à peine un an, après qu'a éclaté la nouvelle guerre qui fait encore rage dans la contrée, le campement isolé où il s'était retiré a été pris d'assaut par l'armée d'occupation. Les soldats n'avaient pas de grief particulier à l'encontre de ce village. Mais, inspirés par l'intraitable Lothar von Trotha, sur le chemin du Sud où ils allaient affronter les rétives armées nama, ils ont mis à sac ce havre de paix et tué tout ce qui y vivait : chiens, poulets, cochons, bétail, chèvres et gens, y compris les épouses et les enfants de Himba. Accompagné de deux hommes seulement, celui-ci a réussi à fuir par une nuit sans lune. Pendant des semaines, ils ont erré, avec pour unique souci d'éviter l'ennemi en chemin. L'un de ses compagnons a été tué par un scorpion, l'autre a été écrasé par un éléphant solitaire qui buvait à un point d'eau. Himba est donc arrivé seul à la mission. Mais ce ne sera qu'une halte temporaire, les assure-t-il (un feu ancien couve dans sa gorge). Il n'attend que l'occasion de repartir sur le sentier de la guerre. Cette fois, seul un couteau, une balle ou une baïonnette l'arrêtera.

Lui aussi est engagé sans autre formalité.

La troisième recrue requiert des discussions plus poussées. C'est un Nama. Il s'appelle Tookwi, un nom dont il explique qu'il signifie «orage». Apparemment, il est né lors d'un orage violent; c'est peut-être la raison pour laquelle il est devenu le sorcier de sa tribu, qui est censé faire tomber la pluie. Un phénomène curieux, leur dit-il avec une fierté évidente, est qu'il pleuvait souvent uniquement là où se trouvait son peuple à un moment précis, et nulle part ailleurs. Partout à l'horizon, c'était la sécheresse, de la terre craquelée à perte de vue, sauf leur petit coin de verdure perdu au beau milieu. Il existe de multiples façons de faire pleuvoir, leur explique-t-il. On peut enfouir des cailloux blancs dans le veld en psalmodiant des hymnes réservés au dieu de l'Aube rouge, Tsui-Goab. Ou bien la tribu entière s'engage dans une danse de la pluie en chantant la chanson de Xurisib, la fille qui a défié Tsui-Goab. (À l'évocation de cette histoire entendue la première fois dans la tribu de Xareb, Hanna a un pincement de nostalgie.) Il existe d'autres méthodes mais la plupart sont secrètes.

Des années durant, il a pratiqué les rites pour sa tribu et celle-ci a prospéré. Mais les temps ont changé. Un nombre croissant de jeunes hommes sont partis travailler pour les fermiers blancs, les Boers qui s'installaient de plus en plus loin de la colonie du Cap, ou les Allemands sur les monts Khomas dans les environs de Windhoek. Les hommes de la tribu revenaient chez les leurs de temps à autre mais ils n'étaient plus les mêmes. Ils rapportaient de nouvelles coutumes, de nouveaux habits, certains vendaient des armes en contrebande. Les plus jeunes se sont mis à se moquer de Tookwi, ils ont encouragé les plus âgés à l'abandonner, ils ont traité ses rites de niaiseries et de superstition. Et Tookwi a dû reconnaître que, face à leurs brocards, sa magie n'avait plus les mêmes effets que par le passé. Intimidée par une faction puissante de jeunes gens, la tribu l'expulsa. Il a erré dans le désert, tel un animal chassé de sa horde. Après des années de solitude, il est arrivé dans cet endroit, en quête de compagnie, quelque attristé qu'il ait été par les us et les croyances des chrétiens. De tout ce temps, sa tristesse s'est doublée de colère, à l'encontre des Allemands qui ont modifié l'ancien mode de vie et l'ont éloigné du seul peuple auquel il appartenait. C'est la raison pour laquelle il veut rejoindre maintenant la bande de Hanna.

Prise d'une réelle pitié pour ce petit homme nerveux, Hanna est prête à l'accepter dans leurs rangs, mais Katja a des doutes et Kahapa est carrément hostile : «Il est une gêne, c'est tout. Lui rien savoir faire pour nous.»

Hanna pose une main sur le bras de Katja selon le geste qui signifie à la fois la familiarité et la résolution. *Dis-lui que nous éprouvons de la pitié pour lui. Mais que nous ne sommes pas sûrs qu'il puisse nous être utile. Demande-lui ce qu'il peut faire pour nous convaincre.*

«Je peux faire la pluie, répond-il sans hésiter.

— Quand? s'enquiert Katja de son propre chef.

— Ce soir, si vous voulez.»

Involontairement, tous lèvent la tête. Là-haut, à cette heure tardive de l'après-midi, le ciel est encore blanc de rage, le soleil un chancre dans l'immensité miroitante.

«Mais il y a une chose..., précise-t-il, sur un ton menaçant. On ne peut pas moquer Tsui-Goab. Il enverra la pluie mais, en échange, lui exigera sacrifice.

— Lequel? demande Kahapa.

— Lui dira lequel.»

Hanna jette un regard en direction des autres, puis fait oui de la tête.

«Alors, pluie tombera ce soir», affirme Tookwi, serein, ramassant sa collection de sachets, de carapaces de tortues et de peaux.

49

Dans la longue et étroite pièce commune du presbytère, la nuit, d'abord, ne se distingue pas de toutes les autres nuits étouffantes. Les incessants vagissements du bébé malade dans la chambre à coucher voisine, derrière la tenture, percent les recoins les plus profonds, les plus noirs de l'espoir et de la mémoire. Les filles sont toutes éveillées, allongées sur leurs fines paillasses de roseaux, tendues, et rigides. Personne n'ose prononcer un mot, préférant respirer et transpirer en silence. Quelle heure est-il? Impossible de le deviner. À un moment, une explosion de colère... De la chambre provient la voix gutturale et tonitruante du missionnaire, suivie par un bruit sec : indubitablement, une gifle. Le bébé crie de plus belle. Hanna ne peut supporter cela plus longtemps. Se dressant sur sa paillasse, elle avance une main pour ouvrir la porte. Elle a beau entendre toutes les filles se raidir dans l'obscurité, elle n'y prête pas attention. Nul besoin de prévenir Katja : Hanna n'a pas plus tôt posé son pied nu sur la croûte dure de la terre à l'extérieur que la gamine est à son côté.

Les autres se sont rassemblés derrière la petite église sévère, réduite, une fois de plus, à une tache blanchâtre dans la nuit. Il y a là Kahapa, Tookwi, bien sûr, et leurs deux nouveaux adeptes ; mais aussi le reste de la congrégation, hommes, femmes et enfants, semble-t-il. Ont-ils été convoqués ou bien la nouvelle a-t-elle été transmise par quelque osmose nocturne et occulte ? Qui sait ? L'excitation est palpable, quoique retenue : pas de bruits distincts (même les enfants se taisent) mais un silence ramassé sur lui-même, comme si la nuit, à l'affût, contractait ses muscles cachés.

Apparemment, tout le monde attendait Hanna et Katja. On s'écarte pour laisser à la femme et à la fille une place au premier rang. Tookwi fait un signe de tête dans leur direction et s'agenouille dans le modeste espace laissé vide au centre de l'assemblée. Pour dégager la terre, il la gratte à l'aide de ce qui est soit un éclat de silex soit un morceau d'écaille. Cela lui prend longtemps car le sol est dur comme pierre. Tout le monde attend patiemment. Enfin, Tookwi semble satisfait du trou, long et étroit, qu'il a creusé. À l'intérieur, il dépose un objet flasque, fin.

« Serpent, explique-t-il en remarquant le regard interrogateur de Hanna. *Geelslang*. Cobra jaune. Chance avec moi, je l'ai trouvé cet après-midi.

— Est-il mort ? demande Katja, prudente, après avoir entraperçu un tremblement du serpent.

— Non, pas tout à fait. Il doit garder un souffle de vie pour appeler la pluie.

— Est-ce qu'on peut utiliser n'importe quel serpent ?

– Non, non, seulement cobra. Parce qu'il est jaune comme feu, comme la foudre qui est sa sœur. Il doit appeler la pluie pour la faire descendre de là-haut vers en bas, sur la terre. »

Le cobra est allongé sur toute sa longueur, sur le dos, dans la tranchée peu profonde. Tout en commençant à remplir celle-ci avec la terre qu'il en a retiré, Tookwi entonne à voix basse une longue psalmodie exclusivement composée, semble-t-il, de gutturales, de sifflantes et de coups de glotte. Quand il a terminé, il relève la tête et traduit :

« Ô Heiseb, notre ancêtre !
Envoie-moi la chance.
Verse dans ma main la pluie de ton ciel.
Puissions-nous bientôt goûter au rayon de miel,
                              aux racines suaves !
Alors, je chanterai tes louanges.
N'es-tu pas le père de notre père,
Toi, Heiseb ? »

C'est, explique-t-il, un chant de chasse adapté aux besoins de l'invocation à la pluie. Ensuite, replongeant dans le silence, concentré, il prend dans son baluchon un long instrument en forme d'arc, semblable à ceux que Hanna se rappelle avoir vus chez les Nama : une ghura, une harpe primitive, sur laquelle il souffle tout en pinçant l'unique corde, afin d'en extraire un soupçon de mélodie monotone et infiniment répétitive. Son principe, sinon sa forme, songe Hanna (mi-amusée, mi-amère), n'est pas très éloigné de l'instrument muet conçu il y a tant d'années par son gentil employeur Opa.

Tout autour du tas aplati où est enterré le cobra, Tookwi se déplace, balançant doucement sur ses jambes maigres, au rythme de sa mélodie soporifique.

«J'espère qu'il ne va pas continuer jusqu'à ce que la pluie vienne, dit Katja à Hanna dans un murmure, sinon nous en avons pour des semaines.»

Le reste de l'assemblée attend en silence, médusée.

Après quelque temps, Tookwi s'immobilise, à califourchon au-dessus du monticule aplati. Il observe son auditoire.

«Ce dont j'ai besoin maintenant, c'est qu'une femme qui n'a jamais connu d'homme pisse sur la tombe.»

Chacun patiente dans un silence grave.

«Je vais le faire», annonce Katja de but en blanc.

Hanna tente de la retenir. *Pas devant tous ces gens. Tu ne peux pas t'humilier de cette façon.*

«Personne ne me verra. Il fait trop sombre.»

Repoussant la main de Hanna, la jeune fille s'avance vers le vieux Tookwi.

«Ôte vêtements», lui dit-il d'une voix presque inaudible.

Cette fois, Katja hésite. Puis elle hausse les épaules. Il fait si sombre... et il n'y a pas une once de lubricité dans l'ordre du vieil homme. Au contraire.

Hanna, néanmoins, se raidit en devinant d'après les vagues mouvements qu'elle perçoit dans l'obscurité devant elle que sa compagne, en effet, se déshabille, retire sa robe, ses dessous, dénoue ses

319

souliers. D'eux-mêmes, tous les hommes se sont retournés respectueusement. Tookwi s'est mis de côté. Katja s'accroupit au-dessus de la tombe du cobra. On entend un léger sifflement lorsque l'urine asperge la tombe, on devine une brève lueur mouillée lorsque le jet est touché par la faible lueur des étoiles – le Chasseur pressé, la Croix du Sud, les Sept Lumières de Khuseti, l'arc de braises miroitantes de Tsaob, puis un soupçon mousseux sur le sol noir, avant d'être absorbé et de disparaître.

Un souvenir très ancien remue dans l'esprit de Hanna, accompagné d'un sentiment de perte : le jour, sur l'étroite bande de la berge du fleuve, où la petite Irlandaise l'a aidée à creuser un barrage dans le sable pour qu'elle puisse faire pipi, le jour du coquillage, le jour où elle a découvert le bruit de froissement que fait le silence. Hanna sait, en scrutant l'obscurité là où Katja s'est accroupie, qu'elle est encore obsédée par le même silence et le besoin de découvrir ce qui se cache sur son autre rive ; mais au moins a-t-elle enfin une vision plus claire de son but et la sensation d'être sur le chemin qui y mène. Jusqu'à son dernier jour, cette frêle créature donnera un sens à sa vie, une direction.

Silhouette opalescente dans la nuit, Katja se lève, se penche pour récupérer ses vêtements, revient vers Hanna, qui l'aide à se rhabiller.

Et maintenant ? interroge-t-elle.

«Maintenant, nous dansons encore, annonce Tookwi, comme s'il avait lu ses pensées. Mais très lentement, sinon nous réveillons la pluie-taureau et cela pas bon. Nous devons appeler la pluie-vache qui vient doucement adoucir la terre, et faire humide à l'intérieur, comme l'humidité de la femme aimante. Si le taureau se réveille, trop de bruit. » Tookwi reprend sa lente danse autour de la tombe du cobra mais, cette fois, il a dans la main une sorte de tambourin (son t'koi-t'koi : guère plus qu'une peau lissée, bien tendue sur un anneau de bois ou de roseau recourbé) ; il frappe dessus en rythme avec la paume de l'autre main, lent *tam-tam*, *tam-tam*, *tam-tam* cadencé, sans variation, mais amplifié au fur et à mesure, gagnant en puissance, en urgence. Les Nama se mettent à murmurer, spontanément, à la même cadence ; les autres participants sont attirés de même, jusqu'à Hanna et Katja, qui se surprennent à fredonner, *tam-tam*, *tam-tam*, *tam-tam*.

Il est impossible de dire combien cela aurait duré mais, à un moment, la séance est interrompue inopinément. Une ombre, haute et décharnée, prend forme dans la nuit, tache d'encre sur le ciel, noir plus noir que le noir : le révérend Gottlieb Maier.

« Qu'est-ce qui se passe ici ? » Sa voix grave résonne tandis qu'il vient traverser le groupe à grandes enjambées, poussant les gens d'un côté, de l'autre, jusqu'à ce qu'il se retrouve dans l'aire dégagée au centre. Plissant les yeux dans la direction des deux Blanches, sous le choc, il s'exclame : « Toi aussi, sœur Hanna ? Petite sœur Katja ? À quelle cérémonie païenne participez-vous dans un lieu saint comme celui-ci ?

— Nous faisons venir la pluie, répond Katja d'une voix douce mais assurée.

– Absurde! Depuis des années, je dévoue ma vie au combat contre les forces de la superstition et du mal parmi les païens noirs. Et voilà que je découvre que des femmes blanches ont rejoint l'ennemi!»

De tous côtés s'élèvent des protestations. Plusieurs bébés se mettent à pleurer. Les ténèbres se sont épaissies.

Kahapa se fraie un chemin à travers les gens, qui commencent à reculer de la scène centrale. C'est à peine si, dans la nuit, l'on voit Kahapa, qui n'est qu'un tonnerre en leur sein : «Qui es-tu pour nous dire ce qui est bien et ce qui est mal?» Il marque une pause; de toute part, tels les murs d'une caverne, le silence entoure la congrégation. «Tu ne connais pas Dieu.

– Dieu t'abattra avec Son courroux!» hurle le pasteur, hors de lui.

C'est à ce moment que, à la surprise générale, la pluie se met à tomber. C'est à peine une bruine, un froufrou sur la surface de la terre, comme si l'on tirait doucement un grand kaross moelleux sur le sol aride.

Pendant un instant, il règne un silence de mort. Et puis, c'est l'explosion : cris de crainte et d'effroi pour certains, jubilation, ahurissement pour les autres.

«Voici la pluie», déclare Tookwi d'une voix fluette.

Personne ne semble pressé de trouver un abri. Au contraire, la réaction est plutôt (réflexe atavique et enfantin) de se déshabiller, de s'imbiber, à l'instar de la terre, de cette humidité inattendue, de laisser l'eau traverser sa peau, couler dans son corps.

Dans le silence de la communauté, Katja annonce, à la demande de Hanna : «Très bien. Tookwi, tu viendras avec nous.

— Je refuse qu'un seul de ces païens souille ma mission un jour de plus! hurle Herr Maier. Votre présence est déjà une insulte à Dieu.

— Nous avons apporté la pluie, lui rappelle Katja. N'est-ce pas un signe que Dieu nous envoie sa bénédiction?»

L'homme de Dieu reste planté là, haletant, dans le noir. La pluie tombe plus dru maintenant. Au lieu de tempêter à nouveau, comme ils s'y attendent tous, l'homme décharné prend une profonde inspiration et déclare simplement : «Vous n'avez pas apporté la pluie, mais la lubricité et l'impiété.» Puis il montre les talons et repart à grandes enjambées vers le presbytère, où un rectangle de lueur orangée tente de se répandre par la porte ouverte.

Dieu sait pourquoi, Hanna et Katja lui emboîtent le pas.

Gisela les attend à la porte, un paquet dans les bras.

«Le bébé est mort», annonce-t-elle.

50

Lors d'une bataille plutôt vaine contre la terre dure comme le roc (la pluie n'a pénétré que de quelques centimètres dans le sol récalcitrant), les hommes travaillent près de deux jours pour creuser un semblant de tombe dans le modeste enclos réservé aux Blancs, à l'écart du cimetière surpeuplé, réservé aux membres de la congrégation. Ce sera la première inhumation dans cet enclos minuscule. Deux jours presque insupportables passés principalement en intarissables prières et lectures des Écritures. Les enfants se réunissent en silence dans l'église ou dans la pièce principale ; on leur interdit toute forme de deuil car, d'après leur père, le deuil équivaut à remettre en cause la volonté de Dieu. Seule Gisela refuse de quitter la couche conjugale ; elle demeure prostrée et muette, sans boire et sans manger, le regard fixé sur les poutres qui supportent la toiture de joncs et de chaume.

Elle ne finit par se lever, telle une somnambule, que lorsqu'elle se voit intimer l'ordre de se rendre à la cérémonie funèbre. Laquelle a lieu dans l'église et dure plus longtemps qu'à l'accoutumée; après que l'on a étiré au maximum, jusqu'à la limite de la rupture, l'ultime et mélancolique lamentation de l'hymne, la congrégation se dirige vers la tombe. Gottlieb Maier mène la procession. C'est lui qui porte le cercueil confectionné avec un cageot dans lequel a été livrée un jour de la farine en provenance de Windhoek. Il dépose le cercueil dans la tombe peu profonde. Inévitablement, il lit un nouveau passage de la Bible, lecture à laquelle personne ne semble prêter attention (c'est un passage des Psaumes, qui invite à se réjouir des merveilles du Seigneur); suit une autre prière, puis une hymne inconsistante, qui tente, faiblement, de s'élever, tel un filet de fumée inefficace, dans le ciel colère. On entend les paroles immémoriales (*Le Seigneur donne, le Seigneur reprend, béni soit le nom de Dieu*), puis la silhouette longiligne du pasteur se penche pour ramasser une poignée de terre, qu'il jette dans la tombe. Il attend que Gisela l'imite, ce qu'elle ne fait pas, inconsciente, apparemment, de ce qui se passe. Il la pousse du coude. Aucune réaction. Un autre coup dans les côtes, cette fois si rude qu'elle perd l'équilibre et manque tomber. Elle lance à son époux un regard éteint. Marmonnant des paroles inaudibles, d'un mouvement du menton, il indique à sa fille aînée de montrer l'exemple, que suivent toutes ses autres filles. Puis c'est le tour des invitées. Et enfin des membres de la congrégation.

Triste, on se disperse sous le soleil. Les nuages qui ont apporté la pluie ont disparu depuis longtemps. Déjà l'incident a perdu de sa réalité.

Le lendemain, la vie à la mission reprend son cours prédestiné. Les hommes retournent travailler au mur. Seule Gisela ne se lève pas pour faire la classe aux enfants et apprendre aux femmes d'utiles tâches domestiques; son aînée la remplace sans bruit. La fille paraît, tout à coup, du jour au lendemain, beaucoup plus âgée : ses épaules voûtées, ses traits tirés indiquent davantage les peines de l'âge mûr que la gaucherie adolescente.

De son côté, Hanna s'est lancée dans les préparatifs du départ; le missionnaire a réitéré son refus de voir des pratiques païennes être perpétrées dans sa vallée de grâces. Pour ôter toute ombre de doute quant à son attitude, désormais, à l'heure des repas, on ne sert plus aux invitées qu'un bouillon insipide; on a parcouru un long chemin depuis l'abondance du premier dîner. Tout en essayant de cacher à son regard fiévreux leurs crampes d'estomac, Katja et Hanna se concentrent sur leur tâche. Il faut trier les provisions, les évaluer, les charger. On revoit le choix des recrues. En plus des trois déjà choisies, il s'en est présenté quelques autres le lendemain du jour où Tookwi a fait tomber la pluie. Deux sont des réfugiés de la ferme d'Albert Gruber : T'Kamkhab, « sauvé » des années auparavant d'une mort certaine par l'armée dans le désert où il avait été abandonné; l'un de deux jumeaux, les soldats en avaient fait leur mascotte, et lui donnaient plus de coups de fouet que de nourriture, jusqu'à ce qu'il s'enfuie de nombreuses années plus tard et se retrouve dans la bande de Gruber; et son épouse Nerina, dont les crachats sont censés être plus venimeux que ceux de la vipère heurtante. Dans sa jeunesse, elle a été enlevée à son peuple par une patrouille de police qui en a fait une prostituée ; par deux fois, elle a dû s'imposer un avortement pour ne pas porter le fruit de leurs amusements, et le second a été si terrible qu'elle ne peut plus avoir d'enfants. La troisième nouvelle recrue est une femme nama qui se fait appeler Koo («La Mort») ; elle est apparue un jour à la mission, à moitié folle, après que, lors d'un raid sur son village, son fils unique avait été enlevé par les soldats parce qu'elle avait refusé de dévoiler le lieu où se cachaient les hommes de sa tribu. Elle savait qu'ils tueraient son garçon (le long et terrible procédé avait commencé avant même leur départ) et elle n'a jamais plus eu de nouvelles de lui. Mais elle n'aura pas de cesse de le rechercher, jure-t-elle d'une voix sépulcrale, qu'elle n'ait, de ses propres yeux, contemplé les ossements de son fils.

Maintenant, ils ont enfin pris le chemin du désert, avec leur chariot. Ils n'ont gardé que les deux bœufs nécessaires pour le tirer. Le reste du bétail, les chèvres, les poulets qu'ils avaient amenés de la ferme d'Albert Gruber, ils les ont laissés à la mission ; et les journaliers qui n'ont pas été sélectionnés par Hanna, Katja et Kahapa restent également là, abasourdis par la perspective d'un salut forcé au sein de l'abjecte congrégation du missionnaire.

Tôt le matin, prenant la direction du nord, dans cette première partie du trajet, ils avancent à l'ombre foncée du mur absurde. Tout le campement s'est réuni pour assister à leur départ ; devant, le révérend Gottlieb Maier, accompagné de sa progéniture étique, reste muet et figé. Parfois des femmes et des enfants de la congrégation poussent des cris, dansent, chantent; de-ci de-là, un tortillon d'étoffe colorée se met à flotter tristement; de temps à autre, les hommes, plus moroses encore, leur adressent des signes d'adieu, voix graves émettant un grondement difficile à saisir. Mais, à tout nouveau bruit ou mouvement, il suffit d'un seul regard de l'homme de Dieu, et l'ordre s'impose aux énergies latentes.

Hanna suit le chariot à pied, traînant une jambe comme c'est sa coutume, Katja à son côté. Le sorcier Tookwi mène les bœufs, auprès desquels marche Kahapa, un long fouet à la main. À sa hauteur, de l'autre côté, avance le guerrier Himba, balafré au combat. À l'arrière du chariot est assise la guérisseuse Kamma. Les autres avancent cahin-caha, de part et d'autre du chariot. Ils n'ont pas l'air d'une armée.

Hanna réfléchit encore aux événements des jours passés et à l'effet qu'ils ont produit sur elle, comme tout ce qui est arrivé depuis leur départ de Frauenstein. À la différence du serpent dont elle a trouvé la peau dans le désert, songe-t-elle, elle charrie ses mues avec elle : toutes ses vies passées, ses morts accumulées. Ce qui l'attend, Dieu seul le sait... non, à vrai dire, même lui l'ignore.

Or, non loin de la mission (ils ont encore le mur à main droite), ils remarquent un mouvement à l'arrière. Une altercation semble avoir éclaté juste devant le portail. Ils entendent des voix colères, les cris d'une femme. Et puis, la femme se dégage de l'assemblée et vient en courant dans leur direction.

«C'est Gisela!» s'exclame Katja, s'élançant à sa rencontre.

À l'arrière-plan, une autre silhouette se détache du groupe en mouvement. C'est le missionnaire. Il leur fait des signes, crie.

«Soyez damnées!» l'entendent-ils hurler.

Gisela se jette dans les bras de Katja. Les larmes qui ont coulé sur ses joues ont formé des bavures en se mélangeant à la poussière. Sa respiration irrégulière est ponctuée de furieux halètements.

Hanna apporte du chariot une cruche d'eau. Ce qui n'empêche qu'il se passe quelque temps avant que la femme ne soit en mesure de parler. Mais, finalement, avec un regard implorant en direction de Hanna, elle annonce : «Je veux venir avec vous.

— Mais vos enfants...! proteste Katja, choquée.

— Mon bébé est mort. Je ne peux rien faire pour les autres, de toute façon. Il m'en empêche.»

Au loin, l'homme de Dieu reste planté face au désert, droit, grand, immobile, corbeau noir au soleil, un bras pointé vers eux, dans une muette malédiction apocalyptique.

Hanna passe un bras autour des épaules de Gisela. *Partons*, indique-t-elle d'un mouvement. Elle pense : *Partons pour l'enfer ensemble. La haine nous montrera le chemin.*

51

La soudaineté des saisons. La pluie fine (comme l'a prédit Tookwi, une pluie-vache qui répand sur la terre une humidité féminine) a vraiment changé les choses. Bien qu'il n'y ait de cela que quelques jours, déjà on discerne un soupçon de vert dans le veld et des myriades de fleurs ont miraculeusement jailli du sol parcheminé, en extravagantes touches de jaune, d'orange, de blanc et de violet. Le paysage hier implacable paraît moins opiniâtre. Le soir, l'air est parcouru d'un infime frisson de fraîcheur et les nomades se surprennent à s'approcher davantage du feu, non seulement parce qu'il éloigne les prédateurs et les charognards (tous les soirs, dès que la nuit se referme sur eux, s'élève le ricanement insensé des chacals) mais aussi parce qu'ils en sont venus à apprécier sa chaleur.

La deuxième nuit ou la troisième après qu'ils ont quitté la mission, Hanna est assise dans l'étroit halo de lumière autour du feu, un peu à l'écart des autres. Ils sont entourés par le vide. Les autres créatures vivantes semblent avoir déserté cette contrée sous le soleil comme sous la lune.

L'un après l'autre, elle étudie les visages à la lueur vagabonde des flammes : Katja, si douloureusement jeune, visage lisse, ceint par sa longue chevelure blonde, encore indemne même après l'expérience qu'elle a eue de la vie ; Gisela, vieille avant l'âge, épuisée par ses maternités et les abus de la religion et de son époux ; la guérisseuse Kamma, édentée et sage, à peine plus qu'un crâne tout menu, couvert de peau ratatinée et de touffes de cheveux, yeux en trous de vrille plongés sinistrement dans le feu, où elle semble voir ce que personne d'autre ne saurait rêver ; le vieux Tookwi, mante absorbée dans sa méditation ; T'Kamkhab, qui a fini par ressembler au singe effronté et irascible qu'on lui a appris à être pour les soldats ; sa femme, forte mais aigrie, Nerina, large visage penché tranquillement sur la fureur qu'elle garde en son for intérieur, animée par un ressentiment inextinguible à l'encontre du monde qui l'a rendue stérile ; Koo, la femme de la Mort, qui fronce les sourcils au souvenir d'un fils disparu sans laisser une empreinte ou un os ; et puis, les deux hommes qui ferment le cercle, le guerrier boiteux Himba, visage brun clair, couturé de cicatrices anciennes, et le géant Kahapa, qui domine les autres de toute sa stature, le visage aux traits harmonieux mais sévère, fermé comme un masque sculpté dans un bois dur, noir et très lisse – il porte jour et nuit le chapeau incongru de l'homme qui a tué sa femme et a voulu le tuer lui aussi. Qu'est-ce, fichtre, se demande Hanna avec un léger frisson, qui a pu ramasser dans la lie et les rebuts de cette contrée perdue une bande si disparate ? La haine uniquement ? Ou bien y a-t-il, derrière la haine, un

331

je-ne-sais-quoi d'autre, une force vitale qui bouillonne en chacun et refuse d'être niée plus longtemps? Tant de choses, en fin de compte... et le bruit du vent.

Doux, tout doux, il souffle sur l'immensité du désert dans lequel ils se trouvent, il remue dans l'herbe sèche, frémit comme le souffle de spectres sur leurs joues; et puis, il poursuit son chemin vers ce qui ressemble, dans l'obscurité, au vide mais ne l'est pas. Au-delà du feu, au-delà des visages, Hanna le scrute, lui qui est invisible mais inévitable. Un paysage aussi ancien, plus ancien que tout ce qu'on aurait pu inventer. Et rassurant pour cette raison. Il a sa propre mémoire, est peut-être lui-même *la* mémoire pétrifiée. Les Nama, les Herero, les Ovambo peuvent en partager des parcelles, cachées dans les histoires que Hanna a entendu raconter. Mais la plus grande part échappe, demeure secrète, lointaine. Il taquine et provoque : pourtant, il instille une sorte de confiance profonde, précisément parce que rien en lui n'est facile ni immédiatement accessible, même si on le croit réduit aux éléments et à l'essentiel.

Quelle quantité d'elle-même laissera-t-elle derrière elle dans ses parages? Que se rappellera-t-il d'elle? Comme souvent, cette pensée induit chez Hanna une gêne. Elle tourne la tête pour regarder Katja, dont le visage est obscurci par les longs cheveux qui lui tombent sur les yeux. C'est à elle que revient le devoir de transmettre et de protéger la mémoire. De s'assurer qu'elle ne disparaîtra pas entièrement.

Comme si les pensées de Hanna l'avaient sollicitée, Katja quitte son emplacement dans le maigre cercle autour de Gisela pour venir s'asseoir près d'elle. Kahapa, levant la tête quand elle passe derrière lui, la suit. Les autres ne leur accordent un bref regard que pour mieux replonger dans leurs silences respectifs.

« Nous dix maintenant, déclare Kahapa après un moment. Alors, où maintenant ? Quoi ? »

Hanna adresse quelques gestes rapides à Katja, que la fille interprète : *Nous sommes assez loin de la mission désormais. Loin de tout. Alors, nous restons ici pendant quelques jours. D'abord, tout le monde doit apprendre à manier les armes. Tu dois t'en charger. Après quoi, nous pourrons repartir.*

« Dix personnes pas une armée, objecte Kahapa. Même si j'apprends eux se servir des fusils et faire les choses de la guerre, l'armée allemande a cent et mille soldats. »

Nous n'attaquerons pas les Allemands de front, répond Hanna par l'intermédiaire de Katja, comme elle l'a déjà expliqué à sa compagne. *Nous devrons être rusés. Les attraper un ou deux à la fois.*

« Pour ça, il faut plus que fusils. Fusils font bruit. Pour tuer, les gens doivent apprendre autres méthodes. Beaucoup plus difficile. »

Tu peux y arriver ?

« Avec du temps. »

Nous te donnerons du temps, Kahapa.

Kahapa hoche la tête et lâche un grognement de satisfaction. « Nous ferons donc ça. Et puis si nous mourons, nous mourrons... Tous ensemble mais chacun seul. Parce qu'un homme ne peut mourir de ce qu'un autre mange. »

Hanna sait que c'est tenter l'impossible. Mais ils ont laissé derrière eux le monde du possible : le monde de la sécurité, de la certitude, du calcul, de la raison. Leur domaine, c'est désormais, justement, l'impossible. (Katja a dit : *Tout le Reich. Le monde entier.*) Si c'est de la folie, qu'il en soit ainsi. Leur santé mentale dépend d'une logique de violence : Hanna n'a d'autre choix que de déterminer quelle forme de folie épouser. Le jour où elle a quitté Frauenstein avec Katja, elles ont pénétré dans une zone de la vie au-delà de laquelle on ne peut aller sans perdre tout espoir de retour.

Hanna regarde Katja, d'un regard intense ; elle fixe l'éclat de ses yeux. Voilà, songe-t-elle, ce à quoi ses propres yeux ont dû ressembler, un jour, jadis. Le temps des histoires : le conte des misérables créatures de Brême, la bande canaille reniée, battue et renvoyée par ses maîtres quand elle ne leur avait plus été d'aucune utilité ; l'histoire de Jeanne d'Arc et de ses voix ; l'histoire du jeune gardien d'oies ; de Barbe-Bleue et de ses femmes ; du jeune Werther qui se promenait dans la forêt, de Lotte alangui. Toutes les histoires que Hanna et sa Lotte à elle se racontaient dans le noir. Évanouies, à jamais évanouies, toutes, quand elle avait perdu sa langue. Ce qui lui reste, ici, maintenant, ce n'est plus une histoire à raconter : sa vie même est la seule histoire à laquelle elle a été réduite. Et elle ne peut être racontée, elle *s'endure*.

Hanna se remémore la furieuse frustration qu'elle éprouvait quand, chez les Nama, elle devait se satisfaire de ses signes et du peu d'allemand qu'ils connaissaient : le désespoir de ne pouvoir parler leur langue (ces coups de glotte !). De ne pouvoir parler quelque langage que ce fût... Au moins cette exaspération-là s'est-elle atténuée. Elle n'a plus besoin de se soucier des mots. Le paysage dans lequel ils se meuvent désormais, elle et sa bande de dépossédés, son humble armée, ce paysage est au-delà ou en deçà des mots. Le sens est autre ici. Il réside dans le sable et dans les pierres, dans les événements, infimes ou immenses, du désert : une tortue qui avance péniblement, le glissement vif d'un reptile, un tourbillon à l'horizon, un faucon ou un vautour au-dessus de leurs têtes, un imperceptible changement de lumière, un simple tressautement aux effets innombrables, aux conséquences imprévisibles. La souffrance, oh oui... Par-dessus tout, la souffrance de tout ce qui a été rejeté ou perdu en chemin, de tout ce qui ne peut plus être, comme des enfants qui resteraient à jamais dans les limbes. Cependant, la souffrance peut devenir réconfort, rassurer sur le compte de la vie.

Tout est aussi simple et profond que la clarté d'élocution de Kahapa. Un homme ne peut mourir de ce qu'un autre mange. Ils ont mangé : le fruit de la connaissance, du bien et du mal. Ils peuvent affronter la vie. Et si l'on en vient là, ils se chargeront de leur propre mort.

52

Hanna passe beaucoup de temps avec Gisela en chemin. La conversation est difficile, parce qu'il faut que Katja serve d'interprète, or Gisela ne se sent pas assez en confiance pour parler librement en présence de la jeune fille. De temps à autre, elle raconte des épisodes de sa vie avec le pasteur : comment elle a essayé de garder la foi, de soutenir son époux dans le pacte qu'il avait passé avec un dieu qu'elle ne pouvait ni comprendre ni accepter; comment, peu à peu, sa foi s'est, au contraire, affaiblie au contact de la petitesse de cet homme, de jour comme de nuit... sa lubricité, ses colères muettes. Mais, la plupart du temps, elle reste en terrain neutre ou évite de parler de sa propre existence (qui lui semble désormais indigne, grise, dénuée d'intérêt), pour s'attarder sur leur voyage présent et leur but.

«Je ne sais pas comment tu peux imaginer te mesurer au mal, dit-elle à Hanna. Il est si répandu et prend tant de formes...»

Je ne me fais aucune illusion, répond Hanna. *Je sais que je ne pourrai pas changer le monde. Je veux seule-*

ment agir. Montrer qu'il est possible de dire «non». J'ai commencé. Je dois continuer. Le plus important reste à faire.

«Mais le monde est ainsi, un point, c'est tout, réplique Gisela. En croyant qu'il est autre, en croyant que nous pouvons le changer ou le ressentir différemment, nous nous trompons.»

Je vais te dire la différence, répond Hanna, toujours par l'intermédiaire de Katja. C'est la seule chose dont je puisse être certaine. Toute ma vie, il m'est arrivé des choses... Je ne peux pas laisser ça continuer. Dorénavant, tout ce qui adviendra... adviendra par moi. Tu comprends?

Gisela hoche lentement la tête. «Je crois, fait-elle. Mais, pour l'instant, je suis trop fatiguée. Tout ce que je veux, c'est te suivre.»

Si tu me suis, tu ne pourras pas rester à l'écart de l'action. Tu dois en être bien consciente. Ce sera violent. Si tu n'es pas prête à te confronter à la violence, je t'enverrai à Windhoek avec l'un des hommes.

Gisela se contente de hausser les épaules. Après un moment, elle se décide à parler : «D'accord. J'irai où tu iras. Il y a trop longtemps que je suis passive.» Elle contemple les environs. «Mais ce pays... Il existe depuis si longtemps... des siècles. Tu sais, un jour... nous étions encore à Dresde, je t'ai dit que j'enseignais l'histoire avant mon mariage... j'ai lu un livre sur les premiers explorateurs portugais qui ont longé les côtes de l'Afrique. Diogo Cam. Bartolomeu Dias. Eh bien, il paraît que Dias a enlevé quatre femmes noires de la côte de la Guinée pour les déposer à différents endroits. Il croyait qu'elles pourraient se lier avec les indigènes... Bien sûr, à l'époque, on croyait qu'en

Afrique tout le monde parlait la même langue... Et puis, il les aurait reprises au retour. Il débarqua la première femme à Angra Pequeña, sur la côte, ici, dans ce pays, et la deuxième un peu plus au sud, dans un endroit qui s'appelait Angra das Voltas, je crois. Mais les choses ont mal tourné, la flottille fut déviée de son cours et Dias n'est jamais revenu les chercher. D'ailleurs, elles n'avaient peut-être pas survécu. Mais ce qui m'a toujours choquée, c'est la façon dont il s'était permis de les utiliser... sans ambages. Personne n'a pensé aux familles, aux enfants, aux vies qu'elles laissaient derrière elles. Elles n'étaient que des signes, comme ces croix en bois que les hommes fichaient en terre le long de la côte. Simplement parce qu'elles étaient des *femmes*, les hommes pensaient pouvoir se servir d'elles à leur guise. Combien de fois, pendant mes années de mariage, ai-je pensé que je ne valais guère mieux aux yeux de Gottlieb! Une balise pour signaler sa progression. »

C'est pourquoi tu dois rester avec nous, insiste Hanna, par l'intermédiaire de Katja. *Toutes ces croix en bois doivent hausser le ton et dire non.*

Gisela fait oui de la tête. Mais est-elle vraiment convaincue?

53

Ce qui se révélera être l'épisode charnière de leur campagne débute de façon banale. Bien qu'ils se soient préparés à une éventualité de ce genre (des journées entières de pratique éreintante des arts martiaux, sous la direction de Kahapa), un frisson de gêne, voire de crainte, parcourt la compagnie lorsque, l'après-midi du quatrième ou du cinquième jour, il annonce la nouvelle.

Il s'est agenouillé et a collé l'oreille contre le sol. «On vient par ici, dit-il. Avec chevaux et autres...

— Sont-ils loin? demande Gisela, l'appréhension perceptible sur ses traits tirés.

— Encore loin.

— Combien sont-ils?

— Je sais pas. Nous attendre, conseille Kahapa. Plus de cinq.» Il lève une main, doigts écartés.

« Bien, dit Himba. Nous tuons tous.

— Pas s'ils sont trop nombreux», objecte Gisela.

Nous devons nous préparer, indique Hanna, par gestes, à Katja, *au cas où ce seraient des soldats. Vous savez tous ce que vous avez à faire.*

Il est décidé que Gisela s'allongera dans le chariot et feindra d'être malade. (Elle n'aura pas à se forcer beaucoup ; elle est encore mal en point.) Ils diront que c'est la femme d'un officier de haut rang, tombée malade pendant une visite à la mission, qu'on remmène à Windhoek, pour qu'elle y soit soignée. Ces derniers jours, ils ont répété plusieurs éventualités. Kahapa, Himba et parfois l'agile et adroit homme-singe T'Kamkhab leur ont appris des techniques d'attaque et de défense : avec fusils, couteaux, arcs, flèches et *kieries*, dont ils disposent à présent en nombre. Mais s'entraîner, Hanna ne le sait que trop, n'équivaut pas à affronter l'ennemi. Néanmoins, à la différence des autres femmes, elle n'a pas vraiment peur. Ce qui lui fait dresser les cheveux hérissés qu'elle a sur la nuque, c'est l'excitation. Enfin, peut-être, enfin va-t-il se passer quelque chose.

C'est une longue attente, plus de deux heures, avant que les bruits mats que Kahapa a perçus en collant l'oreille contre terre ne deviennent des silhouettes sur la ligne d'horizon à l'est. *Ils* sont huit.

« Trop beaucoup hommes, dit Kahapa tranquillement. Nous pas prêts. Pas encore. »

Nous verrons, répond Hanna. La détermination que Kahapa lit dans ses yeux suscite en lui une certaine appréhension.

Les silhouettes qui approchent finissent par se décomposer en six soldats à cheval et deux ordonnances indigènes, sans doute des Nama, montés sur des mules. Les soldats portent l'uniforme, les ordonnances des vêtements de fortune, dont la plupart trop amples. Les deux indigènes tiennent chacun une silhouette devant eux sur la selle de leur mule ; tandis que le détachement approche, Hanna s'aperçoit qu'il s'agit de deux petites filles, nues à l'exception du minuscule cache-sexe que portent les gamines tout juste nubiles de leur tribu. Elle se raidit. Quand le groupe met pied à terre et qu'elle discerne les fines mais significatives traînées de sang sur les cuisses des fillettes, sa décision est prise. Quelles qu'aient été les réserves de Kahapa, ce ne sera pas une rencontre pacifique.

Des six soldats, cinq sont des jeunes gens à peine sortis de l'adolescence, le sixième est un officier plus mûr et plutôt râblé en comparaison de la svelte agilité des autres; ils mettent tous pied à terre promptement dans un nuage de poussière poudreuse, fusil niché dans le creux du bras. Ils semblent s'attendre à des ennuis et la vue des trois femmes blanches encadrées par des Noirs de diverses tailles et tribus ne fait qu'accroître leur tension.

«Qui êtes-vous? demande l'officier. Que font ces indigènes ici? Êtes-vous en danger?»

Hanna fait un geste à Katja, qui prend les choses en main. «Il n'y a aucun danger. Ces gens nous escortent à travers le désert. La dame sur le chariot, là, Frau Wunderlich, de la Kolonialgesellschaft, visitait la mission du pasteur Maier dans le Sud quand elle est tombée malade. Nous l'emmenons consulter un médecin à Windhoek.

— Et celle-là, qu'a-t-elle donc?» s'enquiert le gradé, qui, scrutant les traits de Hanna sous son kappie, recule face à ce qu'il ne fait qu'entrevoir.

«Elle est gravement atteinte, répond Katja. Elle ne peut pas parler.

— Nous avons entendu des coups de feu un peu plus tôt. Y étiez-vous mêlés? Qu'est-ce qui est arrivé?»

L'espace d'un instant, Hanna est inquiète : les soldats ont dû entendre, de loin, leur séance d'entraînement du matin. Mais Katja ment sans ciller : «Simplement une bande de brigands, répond-elle. Notre escorte les a repoussés sans trop de mal.»

L'homme lance un regard suspicieux à Kahapa et à son groupe. «Dans quelle direction sont-ils partis?»

Katja fait un ample geste pour indiquer le sud. «Ils seront hors d'atteinte maintenant, ils ont eu une peur bleue.

— Nous devons leur donner la chasse, réplique l'officier, d'un air lugubre. Le désert grouille de brigands et de vagabonds qui fuient la guerre. Ce n'est pas un endroit sûr pour des femmes. Pour personne, d'ailleurs.

— Hormis eux, répond Katja d'un ton mordant, nous n'avons pas croisé âme qui vive. Les rares campements nama que nous ayons vus étaient entièrement rasés.»

Un sourire satisfait flotte sur les lèvres de l'homme : «C'est ainsi que le général von Trotha nous a appris à faire la guerre : ne rien laisser derrière nous qui puisse remuer ou faire un bruit, pas même un poulet.» Il ne semble pas conscient de s'être contredit dans ses diverses déclarations.

«Alors, vous n'avez rien à craindre, n'est-ce pas?» dit la gamine.

Pendant un instant, l'officier l'examine d'un regard intense. Puis, une fois de plus, il fait un geste en direction de ses compagnons. «Êtes-vous bien certaine qu'on puisse faire confiance à ces gens-là?

— Ils ont été d'une grande loyauté.

— On ne peut jamais être sûr, Fräulein. Ce sont des chacals. On les apprivoise comme des chiens mais, un beau jour, quand on s'y attend le moins, ils vous mordent la main. Ou ils vous sautent à la gorge.

— Nous connaissons ces gens depuis longtemps, général. »

Il lui adresse un sourire, vaguement gêné. « *Leutnant* Auer, Fräulein. À votre service. »

Comme si elle avait fait ça toute sa vie, Katja avance la main. Il fait claquer ses talons, se penche en avant et, du bout des lèvres, effleure les doigts de Katja. Sur quoi, il se retourne vers ses hommes. « Poursuivons ces salauds avant qu'ils ne s'échappent ! »

Hanna pousse légèrement Katja de l'épaule. « Il est déjà si tard, Leutnant, s'exclame la jeune fille avec son sourire le plus charmeur, rejetant en arrière ses longs cheveux blonds. Pourquoi vous et vos hommes ne resteriez-vous pas avec nous ce soir ? Vous devez être épuisés. Quand avez-vous mangé correctement pour la dernière fois ? » Elle désigne Kahapa. « Cet homme a tué un gemsbok aujourd'hui. Nous ne serions que trop heureuses... » Avec un battement de cils, elle donne le coup de grâce : « Nous nous sentirions tellement plus en sécurité avec vous. »

Dans le dos de l'officier s'élève un murmure d'approbation parmi les jeunes soldats conquis.

« Hum, s'il est question de la sécurité de ces dames... » L'homme s'incline — une courbette brève et raide — avant de faire approcher ses hommes. Une salve d'ordres les envoie courir dans toutes les directions : qui desselle les chevaux, qui monte la tente, qui va chercher le bois pour le feu.

Les deux ordonnances nama approchent d'un pas hésitant, poussant devant eux leurs jeunes protégées effarouchées — sur les jambes desquelles la poussière a fait une croûte sur le sang séché. Les minces cache-sexe en peau frémissent, bien qu'il n'y ait pas de vent. Jetant un coup d'œil à leurs corps nus, Hanna s'aperçoit qu'elles sont encore plus jeunes qu'elle ne l'avait cru.

«Qu'est-ce qu'on fait de ces deux-là? demande une ordonnance.

— Attachez-les à l'arrière du chariot pour l'instant, répond sèchement le lieutenant. Nous aviserons plus tard.»

Encouragée par Hanna, Katja se tourne vers l'officier. Elle a le souffle plus court. «Que font-elles avec vous? veut-elle savoir.

— Hum.» Pendant un instant, il semble pris de court. Puis, précipitamment, il explique : «Nous les avons trouvées près de notre *Feste* quand nous sommes partis hier matin.» Il indique l'est. «Elles étaient perdues, leur tribu a dû les abandonner en fuyant. Nous essayons de les ramener chez elle.

— Les mains liées?

— Pour leur propre sécurité, l'assure-t-il, déconcerté.

— Comme vous êtes aimable... Je ne doute pas que vous vous occuperez bien d'elles.»

Les yeux plissés, il lui lance un regard acéré. «L'époque n'est facile pour personne, Fräulein, réplique-t-il brusquement. Nos hommes sont cantonnés dans le désert depuis des mois. Jour et nuit, ils n'ont pas un instant de repos. Parfois, une Feste ne vaut guère mieux qu'une prison. Imaginez-vous ce que c'est lorsqu'on est jeune ?

— À qui le dites-vous ! »

Il ignore la causticité de la repartie. « Tous les jours, on envoie des patrouilles, continue-t-il. Par-ci, par-là, partout. Pour s'assurer que le pays est sûr, afin que des gens comme vous puissent dormir en paix.

— Nous vous en sommes infiniment reconnaissantes, lieutenant. »

Il est sur le point de parler mais il se ravise et fait volte-face pour aller inspecter les corvées de ses hommes.

Près du chariot, Kahapa s'approche de Hanna et Katja. Manifestement, il est contrarié :

« C'est impossible, déclare-t-il. Six soldats armés et deux autres. C'est trop pour nous. Ils nous tuent, Hanna. »

On ne peut pas manquer une occasion pareille, explique-t-elle par l'intermédiaire de Katja. *Tu ne comprends pas ?*

« Je comprends. C'est pour ça que je veux vous empêcher. Vous aurez gros ennuis. »

Laisse-moi faire, lui indique-t-elle. Lorsqu'elle transmet le message, la voix de Katja tremble d'excitation — et de crainte, peut-être...

Amène-moi la guérisseuse, dit Hanna par signes. *Elle nous aidera.*

Tandis que Hanna et Katja s'entretiennent avec Kamma, les soldats s'affairent. Ils sont encore occupés lorsque le soleil se couche ; l'ouest se pare de clinquant avec la nuit qui vient. Peu à peu, l'activité faiblit. Ils se rassemblent tous autour de l'immense feu que les hommes ont allumé. On doit le voir à des lieues depuis l'horizon, tandis qu'il s'élève dans le ciel, le bois sec et dur explosant de temps à autre, faisant voler des gerbes d'étincelles dans l'obscurité.

Une étoile filante luit brièvement.

«Ce n'est pas bon signe», lâche en marmonnant le vieux Tookwi.

«Attends, tu verras», dit Katja. Elle observe de très près Hanna, qui distribue le gibier rôti aux jeunes gens blonds qui chantent ses louanges; ils ne l'ont pas vue, elle, sans son kappie.

Ils sont tous réunis autour du feu; seuls les deux ordonnances nama gardent leurs distances. Himba les a rejoints, officiellement pour leur tenir compagnie, bien qu'il soit clair qu'il ne les aime guère. («Ils ne portent même plus leurs noms nama, s'est-il plaint à Katja, qui a dûment rapporté son sentiment à Hanna. Ils s'appellent Lukas et David maintenant. Ce sont des noms de Blancs. Eux passés de l'autre bord.»)

Les femmes essaient d'entretenir la conversation. Mais, derrière la politesse de leur empressement, elles ne font qu'attendre que la potion de Kamma fasse effet.

Hanna a le menton sur ses genoux repliés, le regard plongé dans le feu et non posé sur les hommes. Elle a comme un poids au creux du ventre. Ça va se passer ce soir. Ce soir décidera de leur avenir. S'il y a un problème (à ce moment-là, tout est encore possible), tous, le matin venu, ne verront pas le soleil renaître de son propre sang. Pour une fois, elle souhaiterait presque pouvoir adresser une prière à quelqu'un, à un dieu, à un Jésus, une Marie, un astre, au vent. *Petite Susan de la grève lointaine,* songe-t-elle, *si tu es quelque part là-haut, intercède en ma faveur; raconte-leur ce que j'ai enduré, tout le sang dans lequel il m'a fallu patauger, pour en venir à cet instant sombre et serein.*

Bien plus tôt qu'elle ne s'y attendait, un premier soldat commence à se plaindre de somnolence, se lève mollement, chancelle vers l'endroit où les ordonnances ont déplié les couvertures, de l'autre côté du feu. Deux d'entre eux restent plus longtemps, le lieutenant et l'un des jeunes gens souriants : sans sa casquette militaire, on dirait un petit garçon.

Le lieutenant Auer est le premier des deux à se lever. L'air déterminé, la démarche raide, il se dirige vers l'arrière du chariot. Hanna se redresse, tendue, lionne prête pour la chasse. Or, à mi-chemin, l'homme s'immobilise, bâille, s'étire, adresse aux femmes un sourire penaud, avant de changer de direction, de prendre celle de ses couvertures.

Le jeune soldat reste seul. Il prend le premier tour de garde. Mais déjà sa tête dodeline. Katja s'approche et se met à bavarder avec lui, gaie, séductrice, voix basse et enjôleuse. Après un moment, il avance gauchement la main, manque de perdre l'équilibre, s'affaisse contre elle.

Elle s'écarte. Il roule comme un paquet de linge.

«Kahapa», dit la fille, presque inaudible.

Tout se passe avec une précision et une rapidité telles qu'on croirait à un événement irréel, qui se déroulerait au loin, dont ils seraient détachés. Une hallucination, un mirage dans les ténèbres, quelque chose qu'ils rêveraient. Pourtant, ils sont impliqués, de la manière la plus immédiate, la plus

347

urgente, la plus sanglante. Dominant le garçon effondré de sa stature surhumaine dans les lueurs dansantes, Kahapa abaisse le lourd kierie qu'il tient des deux mains. L'adolescent émet comme un soupir, rien de plus. Au même instant, la troupe se déploie de la façon que Hanna a indiquée au préalable par l'intermédiaire de Katja et Kahapa. L'agile guerrier Himba reste avec les ordonnances pour s'assurer qu'ils n'interviennent pas ou ne fuient pas. T'Kamkhab se charge de l'un des jeunes soldats endormis, le vieux Tookwi d'un autre. Koo et Nerina s'occupent du troisième, Katja et Kamma du quatrième. Il a été décidé que Hanna s'occuperait seule du lieutenant mais, au moment de passer à l'action, elle découvre à son côté Gisela, que rien n'arrêtera.

Tout est fini en une minute, deux au plus. Ç'a été presque trop facile. Leur excitation retombe quand tous se réunissent autour du feu. Longtemps leurs regards évitent de se croiser. Hanna trouve du réconfort en allant à l'arrière du chariot pour défaire les lanières avec lesquelles sont attachées les deux filles nama effarouchées. Levant les yeux quand elles approchent, Katja se lève en vitesse pour aller leur chercher des couvertures.

Rejoint par Kahapa, Himba escorte les deux ordonnances tremblants jusqu'au feu. L'un d'eux a souillé son pantalon; tous les autres reculent de plusieurs pas.

«Vous restez avec nous maintenant ou vous voulez rentrer à votre fort?» leur demande Kahapa.

Ils semblent comprendre ce qu'implique la seconde option. «S'il vous plaît, nous voulons rester avec vous», plaident-ils d'une voix qui se casse. Leurs jambes flageolent. L'un d'eux agrippe les genoux de Kahapa, l'autre ceux de Himba. Les deux hommes les repoussent d'un coup de pied impatient.

Un profond silence, telle une courtepointe noire, les enveloppe. Les craquements des bûches dans le brasier font penser à des coups de feu. Tous s'épient et une pensée tacite prend racine en leur sein : ils ont peut-être agi vite... mais pas proprement. Ils sont tout maculés de sang : ils en ont sur les vêtements, les jambes, les mains et jusque sur le visage.

«On l'a fait», lâche Katja, un sanglot dans la voix.

Hanna étreint la jeune fille, un bref instant. Puis elle gesticule et Katja, se reprenant, transmet le message à Gisela :

«Comment as-tu réussi? Nous avions dit que tu pouvais ne pas te mêler de tout ça.

– Je le voulais, je le devais.

– Non, je ne crois pas. Tu n'y étais pas forcée», répond Katja.

Involontairement, la femme décharnée lève ses mains ensanglantées et les observe sans comprendre. Avec comme de l'émerveillement dans la voix, elle dit : «Oui, je l'ai fait. Je me suis contentée d'imaginer que c'était mon mari. Et puis c'est arrivé tout seul.»

Hanna pose une main sur l'épaule de Gisela et la lui serre. Elle s'approche de Katja et répète le geste. Et ainsi de suite avec les autres. Tous la dévisagent avec un respect nouveau, certains avec crainte. Lentement, la tension retombe. En réaction, les hommes se mettent à plaisanter. Mais Hanna les arrête vite.

Par l'intermédiaire de Katja, elle dit : *C'est un vrai capharnaüm ici. Nous devons nettoyer.*

«Ça peut attendre demain», suggère Katja.

Ça doit être fait maintenant. Il ne faut pas attirer les prédateurs. Et il faut empêcher que d'autres l'apprennent.

D'abord à contrecœur, puis avec une énergie croissante, tous creusent une tranchée dans la terre nouvellement accueillante. Quand elle est assez spacieuse pour recevoir les six corps, Hanna ordonne à tous de dévêtir les soldats. Chacun s'y met. Tels six animaux dépecés, les morts sont empilés dans la tranchée.

C'est alors que Kahapa veut intervenir. Il faut briser le dos des cadavres, déclare-t-il. Il faut briser en mille morceaux les colonnes vertébrales, sinon les fantômes des morts viendront les hanter et les tuer dans leurs rêves. Hanna, toutefois, ne veut rien entendre. S'ensuit une querelle virulente. Katja joue les interprètes.

«On ne doit prendre aucun risque avec les ennemis», maintient Kahapa.

Les tuer suffit, réplique Hanna. *Nous ne sommes pas des chacals, nous ne sommes pas des hyènes.*

«Que sais-tu de ce pays? Nous avons nos propres coutumes.»

Avant de nous attaquer à ces soldats, tu prétendais que nous n'avions aucune chance, lui rappelle-t-elle. *Est-ce que ce n'est pas moi qui ai dit que nous devions les tuer, oui ou non?*

«C'est toi», reconnaît-il, déconfit.

Alors, tu feras maintenant comme je te dis.

Kahapa hésite un instant encore, puis, haussant les épaules, capitule.

On reprend l'enfouissement. On place dans un sac de jute les boutons et les boucles en cuivre arrachés aux uniformes et aux ceintures, afin de les enfouir ailleurs demain, suivant les instructions de Hanna. Même si les corps sont découverts, il sera impossible de les identifier.

Hanna remarque que Katja contemple les corps nus avec une fascination inquiète que, de toute évidence, elle a du mal à dissimuler; la fille ne détourne le regard que lorsqu'ils sont complète-ment enfouis sous la terre. On recouvre de pierres le monticule sur lequel, bûche par bûche, on reconstitue le brasier. On balaie tout le campe-ment à l'aide de branches. Ensuite, quand le feu a repris de plus belle, on jette les uniformes dans les flammes. Ils dégagent une odeur et une fumée atroces, suffocantes; qui, après un certain temps, se dissipent dans les remuements du vent.

Lorsque tout est terminé, ils approchent tous du feu, le visage noirci par la fumée et strié par la sueur.

Kahapa ôte son chapeau au bandeau en peau de léopard et, de sa main libre, l'époussette avec vigueur. «Tu es bon guerrier», dit-il à Hanna en replaçant le chapeau sur son crâne. Les autres lâchent un murmure d'approbation.

Ce n'est que le début, répond Hanna par l'inter-médiaire de Katja. *Cela va se corser au fur et à mesure.* À la lueur folle du feu, elle les observe tous l'un après l'autre. *Est-ce qu'il y en a qui veulent partir? C'est votre dernière chance : après, il sera trop tard.*

Personne ne s'avance.

Le vieux Tookwi lève les yeux vers le ciel, à demi obscurci par les mouvements impromptus de la fumée. «Non, cette étoile ne me plaît pas», dit-il, plus en son for intérieur qu'à quiconque en particulier.

54

Cette nuit-là, comme d'habitude, Hanna et Katja dorment côte à côte, près du feu. Hanna ne trouve pas le sommeil. Elle observe le dos puissant de Kahapa qui fait le guet. Elle aurait envie de se lever et de le rejoindre. Mais elle devine qu'elle ne doit pas laisser Katja seule. La fille ne dort pas non plus. Rigide, tous les membres tendus, elle se serre contre Hanna, le souffle court et irrégulier. Plus tard, elle se met à frissonner. Puis elle est la proie d'un tremblement incontrôlé ; Hanna l'entend claquer des dents. Elle ne pleure pas, elle tremble. Hanna la serre aussi fort que possible. À un moment donné, Katja pousse un gémissement étouffé. Hanna répond par un son inarticulé qui monte de la gorge : question peut-être ou bien tentative de réconfort.

« Ils étaient tous si jeunes, lâche brusquement Katja dans un murmure. Ils avaient l'air tellement innocent ! »

Jeunes, oui, répond Hanna en traçant des signes avec les doigts sur le corps de la jeune fille. *Mais pas innocents. Ils ont apporté la guerre ici. Tu as vu les villages nama qu'ils ont détruits. Tu as vu ces filles.*

Katja frissonne. Hanna presse sa paume ouverte sur la bouche de la fille. Un instant, Katja se débat, lui mord la main ; mais, peu à peu, elle se détend. Et la voici qui pleure, à présent − en silence. Puis elle se laisse emporter par le sommeil.

55

Après avoir cheminé toute une journée et une matinée, à cheval et sur le chariot, maintenant ils approchent du fortin d'où est partie la patrouille. Ici, le paysage est plus accidenté et le fort demeure caché derrière une série de hauts koppies. Les deux ordonnances, Lukas et David, leur ont montré le chemin. Certains, dans le groupe, ont rechigné à entreprendre cette manœuvre. D'après les ordonnances, il y aurait eu trente hommes dans le fortin : il en resterait donc vingt-quatre. L'initiative est redoutable, voire téméraire. Mais Hanna n'en démord pas. Si les six soldats ne rentrent pas après un laps de temps raisonnable, leurs camarades partiront à leur recherche ; et, plaide-t-elle, le risque serait sans doute plus grand de rencontrer plusieurs patrouilles, venant probablement de directions différentes, et sans crier gare, que d'avoir toute la garnison sous la main. Sans compter que c'est un défi qu'elle ne peut s'empêcher de relever.

En chemin, elle passe de nombreuses heures, avec Katja comme interprète, à interroger Lukas et David sur chaque détail qui, d'une manière ou d'une autre, pourrait se révéler utile : la taille et la conformation de la Feste et de ses fortifications, le tableau des tours de garde, de jour, de nuit, la nature de ses réserves et de son équipement, des armes et des munitions à la disposition de la garnison, les vivres et l'eau (le fortin dispose d'un puits et d'un jardin potager, apprend-elle, ce qui exclut plus ou moins la possibilité de faire un siège), ses contacts avec Windhoek (dépêches toutes les deux semaines, la dernière remontant à la veille du départ de l'infortunée patrouille); Hanna tient absolument à entendre tout ce que David et Lukas ont à dire sur le sujet, faits, anecdotes, doléances, soupçons, tout... sur les gradés, et sur chaque membre de la garnison : moral, durée des affectations, rapports des hommes entre eux dans le baraquement, leur réaction à la discipline et la nature de celle-ci, leur expérience ou inexpérience de l'armée, leur âge, les villes dont ils sont originaires, leur opinion de l'ennemi, la manière dont ils traitent leurs prisonniers. Parfois, David et Lukas ne peuvent que hocher la tête. Pourquoi, devine-t-on qu'ils pensent, cette femme veut-elle savoir si le commandant (le capitaine Weiss, la cinquantaine, craint et respecté) est raisonnable ou pas dans ses exigences et ses attentes avec ses hommes, s'il est marié et, si c'est le cas, si sa femme vit à Windhoek ou en Allemagne, et s'ils croient qu'elle lui manque, que c'est un homme pieux, s'il lit avant de se coucher, s'il se lève avant ses hommes le matin ou préfère prendre son temps, s'il a la passion de son métier ou agit seulement par devoir, s'il tient à ses hommes ou se contente de les commander? Et puis la même chose sur le commandant en second, le sergent Vogel. Et sur le troisième. Décidément, cette femme ne peut être saine d'esprit.

Son enquête achevée, au moment de leur dernière halte dans les koppies, Hanna fait un signe à Katja pour lui demander de la suivre à l'écart des autres, qui sont soulagés de pouvoir se reposer un instant à l'ombre des faux acacias. Assise en tailleur, elle se met à dessiner sur un carré de sable à l'aide d'une longue épine blanche. Voici le fortin avec sa garnison de vingt-quatre soldats et trois palefreniers. Voici la petite compagnie de dix hommes, et deux ordonnances, qu'elle signale séparément par une accolade devant laquelle elle trace un point d'interrogation.

Bon. Maintenant, regarde bien, indique-t-elle à Katja. *Voilà ce que nous allons faire...*

«Tu n'es pas sérieuse! objecte la fille. Hanna, Ce n'est pas une patrouille isolée dans le désert. C'est une garnison dans une place forte. Ils sont trois fois plus nombreux que nous ou peu s'en faut. Ils ont l'expérience de plusieurs mois de guerre, d'années pour certains...»

Tant mieux. Je te promets que je ne prendrai aucun risque inconsidéré. La victoire maintenant donnera aux nôtres toute la confiance dont ils ont besoin pour l'épreuve qui nous attend ensuite.

«On ne peut pas lancer tout simplement un assaut comme ça... à la légère!» insiste Katja.

Absolument pas. C'est pourquoi nous préparons tout à l'avance. Nous avons presque toutes les informations nécessaires. Bien sûr, il y a des décisions que nous ne pourrons prendre qu'une fois dans la place. Nous devons nous laisser du champ pour improviser. Mais nous ne sommes pas tout à fait novices. Et nous pouvons compter sur l'effet de surprise.

Kahapa les observe en silence. Malgré toutes ses réserves, Katja est emportée par la passion et la conviction de Hanna. Avec rien de moins que de la révérence, elle observe son aînée qui trace ses croquis et ses gribouillis dans le sable. Hanna ressent pleinement l'inexplicable et profond contentement qui sommeille en elle depuis des années : cette joie tranquille, assurée, qu'elle éprouvait lors des soirées lointaines où elle se retrouvait penchée sur le jeu d'échecs en compagnie de Herr Ludwig, dans la lueur ambrée de la lampe de son bureau. Aujourd'hui, c'est comme une extension du même jeu, bien qu'elle soit convaincue, en son for intérieur, que le danger est mille fois plus grand et que les enjeux sont plus élevés. C'est, à proprement parler, une question de vie ou de mort.

«Comment tu es sûre que les choses iront bien?» se contente de demander Kahapa quand Hanna a terminé de leur exposer son plan de campagne. Elle a besoin que le vieux Tookwi et les six femmes (Hanna, Katja, Gisela, la solide Nerida, Koo la songeuse et Kamma la guérisseuse) se présentent au fortin tandis que Kahapa, Himba et T'Kamkhab resteront avec les deux ordonnances à l'arrière, dans les koppies, pour tendre une embuscade.

«Et s'ils vous attrapent dans le fort? demande Kahapa, colère. Comment pourrons-nous vous aider? Vous êtes six femmes... contre vingt-quatre hommes!»

Le nombre n'est pas tout, persiste-t-elle. *Nous nous arrangerons pour qu'une douzaine ou plus partent en* reconnaissance, peut-être en deux groupes. *Nous nous occuperons des autres individuellement ou par groupes de deux ou trois. Il est plus important que vous soyez ici pour préparer l'embuscade, pour éliminer les soldats que nous vous enverrons.*

«Et si vous avez besoin moi? Comment savoir que vous appelez?»

Elles trouveront des signaux, l'assure-t-elle, avant de se lancer dans un catalogue méticuleux des opérations qu'elle a en tête.

«Tu penses à tout!» s'exclame-t-il. Cette fois, elle perçoit une touche d'admiration dans sa voix.

D'abord, dis-moi où tu crois que je me trompe, demande-t-elle. *Dis-moi ce que nous pouvons améliorer. Nous ne pouvons pas agir avant d'avoir envisagé toutes les possibilités.*

S'engage alors une nouvelle discussion. Kahapa et Katja passent en revue tous les détails avec elle, suggèrent quelques améliorations mais, en fin de compte, approuvent le plan de Hanna dans son ensemble.

C'est Katja qui, même après toute cette préparation, demeure la plus sceptique. «Tout a l'air de convenir, ici, avec tes croquis sur le sable, dit-elle. Mais qu'arrivera-t-il quand nous serons face à des hommes de chair et de sang? Nous ne pouvons pas nous permettre de trop risquer trop tôt, Hanna!»

Nous ne pouvons pas savoir ce que nous valons si nous n'essayons pas.

«Nous subirons peut-être des pertes. Nous pouvons trouver la mort nous-mêmes.»

Aie confiance.

Après un bref instant d'hésitation, avec un soupçon de sourire, Katja concède : «D'accord. Je veux bien te faire confiance.»

Hanna se penche avec précaution pour effacer ses gribouillis sur le sable avec le plat de la main, puis tous trois se lèvent et rejoignent les autres. Une fois de plus, le plan est exposé, une fois de plus s'engage une longue discussion. Mais, enfin, ils sont prêts à passer à l'action.

L'ultime préparation avant d'approcher du fortin consiste à tirer en l'air de nombreux coups de feu, en salves irrégulières, afin de faire croire à une escarmouche. Maintenant, tout est en place.

On laisse derrière Lukas et David, encore sans armes, parmi les koppies, avec Kahapa et ses deux hommes; ils gardent les chevaux.

Très lentement, le chariot se met en branle sur le terrain accidenté, accompagné par les femmes et le sorcier. Une fois de plus, Gisela doit s'étendre dans le chariot, mais elle proteste : elle a subi une métamorphose surprenante, comme si, dans la violence de la rencontre de l'avant-veille, s'étaient dévoilées en elle une passion et une énergie qui n'avaient guère transparu dans sa précédente léthargie. Tous les fusils, toutes les munitions pris au commando allemand sont cachés sous les draps car, pour éviter toute suspicion, on n'a mis en évidence que quatre fusils et un Mannlicher.

Il leur faut deux bonnes heures pour franchir les collines. De là, à quelques heures de distance encore, ils discernent la Feste trapue et brune perchée sur son éperon rocheux.

«Ils nous verront venir de loin», avertit Nerina.

C'est exactement ce que je veux, réplique Hanna par l'entremise de Katja. *Nous ne voulons pas les surprendre, ça les effraierait.*

Tels des faucons, les sentinelles postées au sommet du haut mur en façade les observent à l'aide de jumelles. Les deux bœufs conduits par Tookwi avancent lentement. Les femmes marchent de part et d'autre en deux groupes.

À une centaine de mètres de la porte, celle-ci s'ouvre d'un coup et deux cavaliers surgissent, fusils armés sur l'arçon. Hanna et Katja se placent au premier rang de leur petite caravane. Les cavaliers retiennent leurs montures, scrutent les arrivants d'un air où se mêlent suspicion, crainte et défi.

Katja leur explique le triste sort de Hanna... puis raconte la même histoire que précédemment : l'épouse d'un dignitaire de passage victime d'une maladie grave, à ce qu'il semble, d'où la nécessité de l'emmener consulter un médecin. Mais, cette fois, elle ajoute des explications plus circonstanciées : en chemin, à environ une demi-heure de l'autre côté des collines, attaquées par une bande de Nama armés, elles ont perdu deux membres de leur escorte avant que leurs assaillants ne refluent vers le désert.

«Une patrouille de notre Feste a été envoyée **dans** cette direction il y a plusieurs jours, dit l'un des cavaliers. Ne l'avez-vous pas rencontrée?»

Katja hoche la tête. «Non. Mais nous avons entendu de nombreux coups de feu à l'ouest, avant-hier. Peut-être eux aussi sont-ils tombés sur les Nama.

– Cette vermine est partout.

– La bande qui nous a attaqués ne peut être bien loin, répond Katja. Ils transportaient plusieurs blessés et avançaient lentement.

« – Il vaudrait mieux que vous parliez au capitaine, déclare le jeune soldat, les yeux brillant d'un feu nouveau. Amenez votre chariot dans la cour. »

Plusieurs soldats les attendent à l'intérieur. Confrontant la réalité aux informations procurées par les ordonnances, les deux femmes trouvent la cour moins spacieuse qu'elles ne s'y étaient attendues ; mais le gros puits de pierre et le potager correspondent en tout point à leur description. Hormis le cantonnement, il y a des rangées d'écuries et d'abris, en parfait accord avec ce qu'elles avaient imaginé. On dételle les bœufs et les femmes en sont encore à étudier le décor quand le commandant du fortin fait son apparition, accompagné de deux jeunes soldats. Le capitaine Leopold Weiss est un homme d'âge mûr, svelte, et il correspond, de même, à la description des ordonnances : chauve, le regard pénétrant, les yeux de la couleur du métal des baïonnettes. Il se présente en exécutant une révérence, tout en raideur, avant de se mettre au garde-à-vous pour entendre le récit des femmes. Katja, répétant son histoire, met dans sa voix autant d'urgence, autant d'agitation qu'elle en est capable. « Un autre groupe de femmes nous suit, affirme-t-elle, inventant au fur et à mesure. Elles sont sept, certaines sont âgées. Des parentes du pasteur de la mission... Elles ont beaucoup souffert, ne sont pas armées, parce que les indigènes qui les escortaient ont fui une nuit, en emportant leurs vivres et leurs fusils. Nous les avons devancées pour chercher du secours. Dieu merci, nous vous avons trouvés !

– À quelle distance suivent-elles ?

— Elles sont sans doute maintenant à une bonne journée de marche, répond Katja. Elles étaient épuisées et nous avons essayé de faire au plus vite.» Elle met des pleurs dans sa voix. «Je vous en supplie, capitaine, pour l'amour de Dieu, elles ont besoin de vous, vous devez partir à la poursuite de ces voleurs! Seule la grâce de Dieu nous a permis d'échapper à la mort.» Un silence mélodramatique, avant de reprendre à voix basse : «À pire, peut-être...» Elle porte les mains à la poitrine, geste auquel les yeux du capitaine répondent par une lueur de compassion. C'est ce qu'elles avaient espéré, cela fait partie du plan.

Regardant le ciel, le capitaine prend une prompte décision : «Nous allons envoyer un commando sur-le-champ. Avec un peu de chance, mes hommes dénicheront les maraudeurs avant la tombée de la nuit et pourront se porter au secours de ces femmes.» Quelques aboiements en succession rapide font accourir les soldats de tout côté. Hanna calcule que la totalité de la garnison du modeste fortin a dû venir s'assembler là — y compris les trois palefreniers.

Six soldats sont envoyés en patrouille, armés jusqu'aux dents. Hanna avait espéré qu'on pourrait persuader le capitaine d'en envoyer huit mais il s'est montré inflexible. Néanmoins, elle parvient à le convaincre d'envoyer Koo avec le détachement, à cheval et armée de l'un des fusils, pour qu'elle montre aux soldats l'endroit où a supposément eu lieu l'escarmouche avec la bande fictive de Nama hostiles. Sa présence facilitera beaucoup la tâche de Kahapa dans les koppies.

Le commando s'éloigne au petit galop : de tête, Hanna les efface de la liste. Restent dix-huit soldats et les palefreniers.

Comme si la vieille femme avait lu ses pensées, Kamma lui chuchote à l'oreille : «Il y a trop de soldats pour la quantité de potion que j'ai. J'en ai pas assez pour eux tous.

— Nous n'avons pas besoin de tous les empoisonner, lui rappelle Katja au nom de Hanna. Nous n'avons qu'à en éliminer quelques-uns pour réduire leur nombre.»

Une fois que l'on a barricadé la lourde porte derrière le commando, les hommes restants s'attellent aux tâches du soir; le capitaine tient absolument à ce que les soldats reçoivent les dames en grande pompe et leur offrent une soirée mémorable. À une vitesse extraordinaire, on prépare un dîner somptueux : on tue une chèvre, présente un potage, du chou fraîchement ramassé au potager, de la betterave. La bière coule à flots. L'atmosphère se charge d'un air festif. On porte plusieurs toasts. La soirée pourrait bien tourner au tapage. Or on a à peine terminé le potage que l'on entend la sentinelle crier sur le mur d'enceinte, et puis des coups de feu, à l'extérieur. Dans un chaos de cris et de corps en mouvement, les soldats, de tout côté, renversent les chaises, saisissent leurs fusils et courent jusqu'aux lourds escaliers de pierre qui mènent à l'enceinte. Les femmes suivent. Mais l'on ne voit rien. La fusillade continue un moment, loin dans les collines, se tait, reprend. Pour finir, on entend deux dernières salves de quatre coups chacune, suivies par un silence aussi absolu que la nuit.

Hanna donne un coup de coude à Katja pour lui confirmer que c'est bien là le message de Kahapa : son petit groupe a décimé le commando ennemi. Elles devront attendre pour avoir un récit complet mais Hanna sait que, si la rencontre s'est passée comme elle l'a prévu, Koo aura entraîné le commando dans la gorge étroite, au pas, dans les koppies, là où Kahapa et les autres étaient embusqués pour supprimer un ou deux soldats qui fermaient la marche ; aux premiers coups de fusil, Koo se sera retournée pour supprimer les soldats les plus proches d'elle, puis le reste de la bande sera tombé sur les soldats du milieu de la colonne. Il a été décidé que, leur mission accomplie, Kahapa et sa troupe camperaient dans les koppies jusqu'à ce qu'une décision soit prise au matin.

Le capitaine Weiss interprète autrement la fusillade : «Ils les ont eus», s'exclame-t-il. Le ton, toutefois, n'a pas l'assurance de ses paroles. «Ils sont assez loin. Ils camperont sans doute là-bas et se mettront en quête des femmes au matin – il se tourne vers un subalterne. Hans... simple question de sécurité... double la garde.»

De façon plus ordonnée cette fois, tout le monde réintègre le baraquement, où l'on a dressé la table sur des tréteaux. La salle est tout en longueur, basse et plutôt sombre, avec ses torches fichées dans les murs. Les convives semblent avoir quelque peu perdu l'appétit.

«Un autre toast! propose le capitaine en levant sa chope volumineuse. À l'armée victorieuse de Sa Majesté impériale!»

Chacun l'acclame, quoique d'une manière un tantinet contrainte. Dans le tohu-bohu, personne ne remarque que les deux femmes ne boivent pas.

On repose les chopes sur la lourde table en bois. Le dîner est servi par de jeunes soldats empressés. L'un d'eux, un adolescent au visage glabre, à qui l'on ne donne pas plus de dix-sept ans, s'affaire autour de Katja, lui réserve les plus beaux morceaux, lui sourit, ne cesse de faire la révérence et de verser de tout par terre, au point que le capitaine finit par le renvoyer, d'un ton sec, à l'autre extrémité de la table. Mais pas avant que le jeune soldat ait glissé à Katja un papier griffonné sous la serviette de la jeune fille. Elle le retire et en fait partager discrètement la lecture à Hanna.

Je dois te voir. Tu es si jolie. Werner.

Hanna fait une grimace. *N'y prête pas attention*, lui conseille-t-elle. Mais elle trouve vaguement déconcertant de voir Katja rougir. Afin de ramener l'attention de la fille sur des affaires plus urgentes, elle lui communique un ordre dont elles ont parlé plus tôt.

Katja, assise à côté du capitaine, se lève à moitié de son siège avec une pudeur charmante et fait la révérence en s'adressant à lui : «Serait-il possible, s'enquiert-elle de sa voix la plus suave, qu'un de vos hommes amène à Frau Wunderlich quelque chose à manger au chariot? Un peu de potage, peut-être?

— Naturellement, acquiesce-t-il, cordial, de toute évidence déterminé à rétablir la *Gemütlichkeit* d'avant que retentissent les échos de la fusillade. Mais êtes-vous certaine que nous ne devrions pas l'amener à l'intérieur?

— Nous ne voulons pas prendre le risque de la bouger. Et nos domestiques s'occupent fort bien d'elle.» Elle pousse un soupir de scène : «Elle est si faible. Nous espérons seulement qu'elle passera la nuit.»

Sans délai, on envoie un jeune soldat porter un grand bol de potage sur un plateau.

Hanna sait qu'on ne le reverra jamais.

Il reste dix-sept hommes. Quatre d'entre eux, dont le capitaine, commencent à montrer les signes d'une grave indisposition. Au cours de la nuit, Hanna le sait, ils auront des crampes d'estomac et vomiront. Ces hommes ne mourront pas mais, avec un peu de chance, ils seront hors d'état de nuire pendant vingt-quatre heures. Selon ses calculs, cela devrait suffire.

56

Cette nuit-là, elles ont du mal à trouver le sommeil. Il n'est pas facile de dormir à côté du cadavre du soldat que Gisela et Nerina ont poignardé, étranglé et enroulé dans une couverture au milieu des paquets et des ballots sous la bâche du chariot. Sans compter qu'elles sont inquiètes pour le lendemain. Même si le groupe de Kahapa s'est débarrassé des six soldats envoyés en patrouille, leur projet n'est-il pas trop ambitieux? Les soldats de la garnison ne commenceront-ils pas à se poser des questions sur les buts des femmes qu'ils ont recueillies? Katja est, en outre, irritée par d'autres aspects de la situation : trois fois, au cours de la nuit, un jeune soldat se faufile dans la cour, glisse, telle une ombre, jusqu'à la bâche relevée du chariot et tente d'attirer son attention. Deux fois, c'est le gentil jeune homme qui servait à table, Werner; une fois, un autre. Suivant les ordres de Hanna, elle fait mine de dormir. C'est Gisela qui se lève pour renvoyer les prétendants courir au baraquement. Dans d'autres circonstances, cela aurait pu être amusant... mais pas ce soir.

Elles doivent consulter le vieux Tookwi. Interrogé par Katja au nom de Hanna, il produit fièrement un caméléon qu'il a trouvé sur leur chemin en descendant des koppies. La petite créature est comme paralysée mais, d'après Tookwi, il n'a pas besoin de mieux. «Il est plus fort qu'un serpent, les assure-t-il. Dites-moi simplement quand vous voulez la pluie!»

Après quoi, elles peuvent s'accorder quelques heures d'un sommeil agité. Bien avant l'aube, elles sont réveillées par une bousculade dans la garnison. On a confirmé la disparition du jeune soldat qui devait apporter le repas à Gisela et on s'est lancé à sa recherche. On vérifie le moindre recoin. On envoie plusieurs soldats qui doivent fouiller les environs immédiats du fortin. Ils ne trouvent aucune trace du disparu. On interroge Gisela. Feignant encore la faiblesse, elle assure tout le monde qu'il lui a bien, en effet, apporté sa nourriture : voici l'assiette, la chope, le couvert. Puis il est reparti.

«Le mal du désert», décrète le capitaine furibond. Il est d'une pâleur cadavérique et c'est à peine si les crampes lui permettent de marcher. «On dirait qu'il atteint de plus en plus de nos hommes. Mais c'est impardonnable. Manque de discipline!» Il se plie en deux de douleur.

Par l'intermédiaire de Katja, Hanna exprime sa sympathie et l'informe qu'elle aussi a eu des contractions pendant la nuit. Et Gisela, de même. Le potage, sans doute... Elle lui conseille de se coucher. Elle admire sa fermeté, certes, mais il est inutile qu'il veille. Il a suffisamment d'hommes vaillants; bientôt le commando reviendra, enflammé par l'ivresse de la victoire.

C'est alors (le soleil se lève) que la discussion est interrompue par une autre fusillade au loin. Les femmes comptent les coups de fusil à voix basse, avec des marmonnements qui sont comme une oraison. Un... deux... trois et un rapide quatre-cinq. Un nouveau signal de Kahapa : il attend des nouvelles ou des ordres.

Les femmes sont entourées par une grande agitation. Le problème le plus urgent, pour la garnison, c'est de décider si les coups de fusil sont de bon ou de mauvais augure : feu ami ou riposte de l'adversaire. Devraient-ils tous attendre là, prêts à agir, ou doit-on envoyer un autre commando, au cas où le premier aurait rencontré de la résistance, au cas où il lui serait arrivé malheur?

En proie à de sévères convulsions, le capitaine n'est pas en état de donner des ordres. Deux soldats l'escortent jusqu'au baraquement tandis que le commandant en second, le sergent Vogel, prend les choses en main. Il ordonne qu'on lui apporte l'héliographe. L'un des deux adolescents transis de la veille (pas le jeune Werner, mais l'autre, un caporal, dont elles apprennent qu'il s'appelle Günther), se met à envoyer des messages vers les lointains vallonnements. Il n'obtient aucune réponse. Une deuxième fois, les éclats du message franchissent le paysage qui gagne en netteté à la lueur du jour. Et une troisième. Toujours aucun signal en provenance du lointain.

«Nous ne pouvons pas nous permettre d'attendre, déclare le jeune Günther, manifestement fort agité. Nous *devons* agir.

– J'en suis le seul juge.» Le sergent Vogel, se rengorgeant comme un crapaud, lui cloue le bec avec un regard qui flétrirait un acacia. «Nos effectifs sont déjà réduits. Nous ne pouvons laisser la Feste insuffisamment défendue. Rappelez-vous, nous ne sommes plus que dix-huit.» Il se reprend, regarde autour de lui, a un froncement de sourcils sévère. «Dix-sept si Carl ne réapparaît pas. Et plusieurs d'entre nous sont mal en point. C'est irritant.»

Hanna pousse Katja vers l'avant, lui suggère la conduite à suivre. La fille s'incline comme elle l'a déjà fait. «Je vous en prie, sergent, dit-elle, essayant de tirer profit du côté mélodramatique de la situation. Vos hommes, là-bas, sont peut-être en grand danger. Peut-être les Nama sont-ils revenus avec des renforts. Ou bien ont-ils découvert les femmes qui nous suivaient et alors ce sont elles qui sont en danger...

– Nous prendrons toutes les précautions possibles, Fräulein, répond le sergent, agacé. Vous pouvez me faire confiance. Merci.»

Je suis sûre que vous agirez pour le mieux, répond Hanna par la bouche de Katja. *Mais je ne puis m'empêcher de penser à ces pauvres femmes, alors que vous êtes ici dix-sept ou dix-huit hommes armés à l'abri dans cette redoute...*

Déjà congestionné en temps normal, le sergent Vogel devient pivoine, tant il force pour prendre une décision. Sous le commandement d'un homme aussi fort et autoritaire que le capitaine Weiss, les subalternes n'ont guère eu l'occasion de prendre les rênes. (Hanna, qui a été informée de ce fait par les deux ordonnances, n'est aucunement surprise.) Il fait un calcul laborieux. «Nous enverrons six hommes, annonce-t-il, se tournant vers le jeune Günther. Caporal, vous choisirez cinq volontaires et partirez dans dix minutes.» Montrant brusquement les talons, il s'éloigne d'un pas un peu trop énergique pour sa silhouette trop courte et trop corpulente.

Il ne s'est écoulé que quelques minutes lorsque la porte du fortin s'ouvre d'un coup et que Günther part avec un détachement de cavaliers qu'il a sélectionnés lui-même Hanna adresse un signe de tête aux autres femmes. Katja, Nerina et elle-même saisissent chacune l'un des fusils qui étaient cachés dans le chariot. Leurs trois coups de fusil sont tirés en succession rapide, suivis par une pause, sur quoi elles tirent une nouvelle salve de trois coups. *Nouveau commando en route vers vous*, annoncent-elles ainsi à Kahapa.

Le sergent Vogel accourt depuis le baraquement. «Qu'est-ce donc que cela? hurle-t-il, essoufflé. Qu'est-ce qui vous prend?

— Je suis navrée, sergent», répond Katja sur le ton de l'excuse, avec son sourire le plus enjôleur. À l'arrière-plan, le jeune Werner l'admire, bouche bée. «Nous avons pensé que le moins que nous pussions faire, c'était de saluer le courage de vos hommes avec cette salve d'honneur. Ne croyez-vous pas qu'ils la méritent?» Elle penche la tête de côté. «Je suis vraiment navrée, sergent. Je suppose qu'en fin de compte nous ne sommes que de faibles femmes. Nous ne savons point contrôler nos émotions comme vous. Veuillez nous pardonner. Nous vous devons tant.

« — Hum…, marmonne-t-il. Très bien. J'apprécie vos sentiments. Mais je préférerais que vous laissiez le maniement des armes aux hommes qui s'y connaissent. Nous ne voudrions pas d'un accident ici. »

Ensemble, ils observent les cavaliers qui, après s'être brusquement arrêtés en entendant les coups de feu, repartent au galop.

Auf Wiedersehen, songe Hanna. *Avec un peu de chance, on ne vous reverra pas.*

Ce qui laisse onze soldats au fortin, dont quatre temporairement hors d'état. Et les trois palefreniers.

57

La prochaine étape est à l'appréciation de Katja. C'est l'un des nombreux points dont elles ont discuté pendant la nuit. La jeune fille doit convaincre l'un des jeunes gens de l'accompagner à l'extérieur, officiellement pour qu'il lui montre la direction de Windhoek. Une fois qu'ils seront hors de vue (ce qui sera très rapide s'ils descendent la pente rocheuse du koppie à l'est, à l'arrière du fortin), elle pourra se débarrasser de lui. Personne ne remarquera les armes dissimulées sous sa jupe ample.

Elle est libre de choisir qui elle veut. Mais, à la lumière des récents événements, la victime toute désignée devrait être le jeune Werner. Katja pâlit.

« Ne serait-il pas préférable d'en trouver un autre ? plaide-t-elle, bégayant. Il est si jeune, Hanna. Qu'a-t-il fait de mal ? »

La question n'est pas ce qu'il fait mais ce qu'il est.

« Si seulement ce n'était pas nécessaire... », Katja s'étouffe.

Naturellement. Mais tu sais bien ce qu'il nous faut faire. Et, surtout, pourquoi nous devons le faire. Hanna

374

dodeline de la tête. *Je ne sais vraiment pas ce qui te prend depuis quelque temps. Je comprends parfaitement combien cela te sera difficile. Mais il s'est jeté dans la gueule du loup, Katja. Il ne peut y avoir de meilleur choix.*

«Alors, maintenant, tu ne penses plus qu'à tuer, qu'à la mort? lâche Katja avec une véhémence que Hanna ne lui connaissait pas. Tu n'éprouves donc plus rien?»

Tout ce que je peux me permettre de ressentir, c'est de la h.a.i.n.e. Ce dernier mot, elle doit l'énoncer lettre par lettre; elle ne lui a pas encore trouvé une traduction par geste. *Il n'y a plus de place pour rien d'autre.*

«Elle te détruira.»

Au contraire, c'est la seule chose qui me maintient en vie.

«La haine, c'est laid.»

Si seulement tu pouvais comprendre combien elle peut être claire et lumineuse.

«Tu dois être folle pour parler comme ça.»

Tu crois qu'il y a de la place pour quoi que ce soit d'autre dans ce pays?

«Il doit y avoir une place pour moi. Je ne peux pas tout haïr comme toi. Je ne *veux* pas.»

Tu ne t'en aperçois peut-être pas mais tu as commencé à le faire.

«J'éprouve encore des émotions. Et je ne veux jamais cesser d'en éprouver.»

Nous ne pouvons pas, m'entends-tu, nous permettre d'éprouver des sentiments, Katja. Un jour, peut-être. Mais pas maintenant.

«Alors, nous ne sommes plus humaines, Hanna!» Des larmes lui coulent sur les joues. «Nous devenons aussi méprisables que les hommes que nous combattons.»

Le recours à la violence, lui aussi, nous a été imposé.

«Non, nous en faisons le choix nous-mêmes. Il ne nous a pas été imposé.»

Quelle autre voie nous ont-ils laissée, Katja? Soit nous agissons maintenant et arrêterons ce qui peut l'être, soit nous laissons faire comme avant. Or, cela, nous ne pouvons plus l'accepter.

«À quelque prix que ce soit?»

Tout dépend de ce pour quoi nous nous battons, répond Hanna, qui lutte contre ses propres émotions. D'un geste rapide et saccadé, elle arrache son kappie, visage face au soleil. *As-tu oublié ce qu'ils nous ont fait? Cette nuit-là à Frauenstein?*

«Pas tous, lâche Katja dans un murmure. Pas Werner.»

Si c'est vrai, alors tu lui épargneras de devenir comme les autres.

«Je ne peux pas croire que tu sois devenue tellement cynique, Hanna. Pas toi, surtout pas toi...»

Hanna pose les mains sur les épaules de la fille avant de lui prendre la tête pour la lui poser sur son épaule. Les cheveux blonds de Katja caressent sa joue brûlante. *C'est moi que je condamne,* songe-t-elle.

Katja se détourne brusquement pour se diriger vers le baraquement où les soldats nettoient, briquent et balaient. Une demi-heure plus tard, Hanna voit la fille, très tendue, très pâle, se dirigeant vers les écuries en compagnie du jeune Werner. Quand ils ressortent, tous deux sont à cheval. Près de la porte, elle les voit s'entretenir avec la sentinelle. Ils discutent pendant un bon moment avant qu'on leur ouvre la porte. Lentement, le jeune couple s'éloigne. Hanna va jusqu'au mur arrière pour les observer. Ils descendent le raidillon. Ils paraissent engagés dans une conversation passionnante. Arrivés au bas du koppie, ils parcourent plusieurs centaines de mètres sur terrain plat, à découvert. Puis ils disparaissent dans un fourré. Elle ne les voit pas réapparaître à l'autre extrémité. Personne ne semble les avoir observés.

Hanna attend. Cela prend plus de temps qu'elle ne l'aurait cru. Et s'il y avait eu un obstacle ? L'angoisse la prend aux tripes. Si quelque chose devait arriver à Katja, elle serait responsable, personne d'autre. (Est-ce pour Katja qu'elle s'inquiète... ou redoute-t-elle qu'un de ses plans ait pu échouer ? La pensée l'atteint comme un coup de poignard dans la poitrine.)

Or voici qu'elle perçoit un mouvement. Katja ressort du fourré, en courant. Elle est seule.

Hanna se trouve à la porte quand elle est ouverte par les sentinelles. La fille est sens dessus dessous, les cheveux emmêlés, les vêtements fripés. Elle a pleuré. Elle pleure encore.

Est-ce que tu l'as tué ?

Katja fait oui de la tête, furieusement, trop bouleversée pour parler. Les soldats approchent, attirés par le bruit de son retour. Et, au grand soulagement – à la grande surprise – de Hanna, Katja joue son rôle à la perfection, en dépit de son état. À moins que celui-ci en fasse partie ?

« Quelqu'un doit venir vite. » La fille tient son public en haleine. « Un serpent... Il y avait un serpent ! Werner a été mordu à la jambe. Je vous en supplie, que quelqu'un m'accompagne là-bas ou il va mourir.»

Il y a plusieurs volontaires mais le sergent n'en désigne qu'un.

Hanna agrippe la bride du cheval de Katja et gesticule follement. *Nerina doit t'accompagner.*

Quelques minutes plus tard, les trois chevaux partent au galop. Hanna reprend sa place au parapet avec les soldats qui restent au fortin. Une vague d'angoisse submerge le fort. Les chevaux disparaissent dans le fourré. Pendant un moment, tout est calme. Puis retentit un coup de feu. Il est accueilli par des cris et beaucoup de remue-ménage le long de l'enceinte, par des exclamations d'effroi et de choc. Enfin, un mouvement en bas, sur le terrain plat. Les deux femmes reviennent, à pied cette fois. Elles tirent les trois montures.

«Que se passe-t-il? hurle le sergent Vogel à la porte. Où est Werner? Où est Lionel?»

Katja pleurniche. Ses pleurs sont crédibles. «Le serpent est revenu. Werner a essayé de lui tirer dessus, alors qu'il était déjà très faible. Le serpent a été plus rapide. Werner l'a raté mais il a atteint son camarade. Ils sont morts tous les deux.»

Plus que neuf, calcule Hanna. Quatre d'entre eux hors d'état de nuire pour l'instant. Notre tâche est vraiment plus facile maintenant.

58

La journée n'est pas finie. On a ramené les corps. (Katja n'est pas là pour les voir; elle s'est réfugiée sous la bâche du chariot.) La mélancolie s'est emparée du fortin brun adossé au haut koppie.

Vers midi, parviennent des collines, au loin, les claquements d'une fusillade. Laquelle continue, impétueuse, pendant un moment, sporadiquement; pour les hommes et les femmes du fortin, c'est une épreuve insoutenable. Mais, enfin, les armes à feu se taisent. Le silence qui s'ensuit est encore plus inquiétant. Puis vient la conclusion, répétition des salves de la veille : deux brèves séries de trois coups de feu chacune. Les femmes sont rassurées : Kahapa et ses hommes ont manifestement eu raison du second commando. De leur côté, les soldats du fortin sont désormais en proie à une agitation mutine : il faut agir, on doit se rendre là-bas et voir ce qui s'est passé, on ne peut pas continuer ainsi. Cet endroit est damné.

Le sergent Vogel fait une nouvelle fois transporter l'héliographe au sommet du mur d'enceinte face au désert. Il tente d'envoyer un message aux sommets, là-bas à l'horizon, mais il ne reçoit pas davantage de réponse. Il a de plus en plus de mal à contrôler sa garnison terriblement diminuée. Les trois palefreniers, apparemment transis de peur, sont confinés aux écuries. Les quatre hommes valides sont postés sur le mur d'enceinte, tandis que le sergent fait la navette entre les sentinelles et les soldats alités dans le baraquement. Régulièrement, Hanna envoie la vieille Kamma prêter main-forte, munie de ce qui lui reste de potion. Le sergent lui est fort redevable de son aide... qui assurera que les soldats malades continueront de souffrir. Le capitaine, qui est le plus grièvement affecté, délire la plupart du temps.

Au déjeuner, par l'intermédiaire de Katja (bien que celle-ci soit encore presque trop bouleversée pour réagir), Hanna demande à un soldat d'apporter un autre bol de soupe à la femme qui agonise dans le chariot. Lui non plus n'en reviendra pas ; mais il a été si discret et la consternation est si grande dans le fortin que personne ne s'aperçoit de sa disparition. Gisela voit son tas de couvertures augmenter d'autant.

Il reste huit soldats, dont la moitié seulement assez valides pour combattre.

En milieu d'après-midi, retentit dans les koppies une nouvelle salve, une répétition du motif de la matinée (un, deux, trois, quatre-cinq) mais, bien que les hommes disponibles se précipitent pêle-mêle au sommet de l'enceinte, munis de leurs jumelles, pour scruter le néant, il est peu probable que quiconque au fortin, hors les femmes, saisisse la similitude.

Hanna comprend qu'une réponse est nécessaire : Kahapa attend des ordres. Après la réaction du sergent à leurs coups de feu le matin, elle mesure le risque... Qu'importe! La fin de la partie approche.

Elle se précipite vers le chariot, où Katja est étendue sur un tas de couvertures derrière Gisela. À l'arrivée de Hanna, la jeune fille bouge à peine, le regard fixé sur la bâche au-dessus d'elle.

Je fais venir Kahapa et les autres, l'informe Hanna.

Katja ne réagit pas.

Hanna attrape un fusil et fait signe à Gisela et à Nerina de l'imiter. Quatre doigts serrés et le pouce libre, elle leur ordonne de tirer leur salve de réponse : quatre coups en succession rapide, une brève pause puis un coup seul. Cela signifie : *Venez*.

Katja leur lance un regard vide : elle semble incapable de comprendre l'urgence de leur geste, même lorsque Hanna vient la secouer par les épaules.

Les sentinelles accourent depuis l'enceinte; le sergent râblé manque la dernière marche et arrive à quatre pattes, cramoisi.

Hanna donne un coup de coude à Katja. Mais c'est Gisela qui, calmement, prend la direction des opérations, d'une façon très naturelle.

«Vos hommes avaient besoin d'un signe de la place forte, sergent, n'est-ce pas? Il nous a semblé que le moins que nous pussions faire était de leur faire savoir que nous nous portions bien, quoi qu'il soit arrivé aux autres.» Elle marque une pause. «Nous ne pouvons qu'espérer et prier que tout s'est bien passé.»

Le sergent Vogel fait un effort pour se maîtriser. Le cœur n'y est pas mais il époussette néanmoins son pantalon kaki avant de se redresser de toute sa hauteur, qui n'est pas considérable. «Je vous interdis, femmes, d'intervenir une fois de plus dans nos affaires militaires. Quelles que soient vos bonnes intentions. Sinon, je devrai confisquer vos fusils. Est-ce bien compris?

— Nous sommes vraiment, vraiment, vraiment désolées, répond Gisela, l'air contrit. C'est que... nos vies dépendent de vous et de vos hommes, ici et là-bas dehors. Et nous avons pensé... c'était une réaction spontanée... l'expression de notre soutien... c'est un tel cauchemar pour nous toutes...» Et d'éclater en sanglots.

«Fort bien, fort bien.» Il se pétrit les mains. «Je comprends. Mais ne... ne vous mêlez plus jamais de ça.» Troublé par les sanglots de son interlocutrice, il lève un bras pour indiquer que tout cela n'est que futilité, et réunit ses hommes pour les renvoyer à leurs postes de garde.

Hanna adresse à Gisela un hochement de tête satisfait et lui tapote l'épaule. Puis elle se tourne vers Katja.

Nous n'avons pas beaucoup de temps, indique-t-elle par gestes à la fille. *Je vais chercher Tookwi. Il surveille les palefreniers mais maintenant nous avons besoin de lui ici. Et tu dois être mon interprète. Tu le feras?*

Katja ne réagit pas.

Hanna la secoue à nouveau, avec douceur, cette fois. *Katja, je t'en prie.*

Toujours pas de réaction.

Hanna est consciente qu'un léger mouvement de panique trouble son ventre. Cela, elle ne l'a pas prévu : Katja absente, elle-même est plongée dans le silence, quasiment réduite à l'impuissance.

Une sentinelle crie, les jumelles continûment pressées, semble-t-il, sur les yeux : étrange mante à taille humaine. «Ils reviennent!»

Les jumelles passent de main en main.

«Ce sont nos soldats, en effet, reconnaît le sergent. Je reconnais les uniformes. Mais ils ne semblent être que quatre.

— Les autres ont dû aller chercher les femmes.

— Sans doute.»

Personne n'ose évoquer l'autre hypothèse.

Encouragées par un coup de coude de Hanna, Nerina et Kamma se ruent sur l'escalier pour aller rejoindre les soldats au sommet du mur d'enceinte. Gisela se penche, avec insistance, sur Katja, ajoutant ses encouragements à ceux de Hanna; mais celle-ci, d'un geste, lui indique de les laisser tranquilles.

Hanna pèse de tout son poids sur les épaules de Katja. *Je t'en prie. Tu dois te ressaisir.*

«J'en ai fait assez. Je ne ferai rien de plus.» La fille paraît trop fatiguée même pour pleurer.

Katja. S'efforçant, de tout son être, de refouler son trouble, Hanna s'assoit à côté de la fille. À cet instant précis, tout est en jeu. Il est peut-être plus important que la bataille qui va suivre. *Tu savais que ce ne serait pas facile. Tu as choisi de me suivre.*

«Pas pour ce que nous faisons maintenant.»

Oh que si! Pour ça et pour tout ce qui nous attend encore. Cette aventure nous dépasse, toi et moi.

«Rien ne dépasse la vie.»

Meine Liebe. C'est la première fois qu'elle s'adresse ainsi à Katja. Ma chérie. *C'est précisément pour la vie que nous devons le faire.*

Après un silence effroyable, Katja tourne la tête. Elle prend une profonde inspiration. Longtemps, elle demeure coite, s'efforçant de se ressaisir. Enfin, d'un filet de voix, elle dit : «Je suis désolée, Hanna. Je ne voulais pas être si faible. Tu dois me mépriser affreusement.»

Je t'admire beaucoup.

«J'ai besoin de ton aide.»

Je te donnerai toute l'aide dont je serai capable. Mais, pour l'instant, c'est moi qui ai besoin de toi. Si j'amène Tookwi, lui diras-tu ce qu'il faut qu'il fasse ?

Après un moment, Katja fait oui de la tête. Sans perdre un instant (chaque minute est précieuse maintenant), Hanna se précipite vers les écuries, où elle trouve Tookwi, comme il en était chargé, encore en train de converser avec les palefreniers : les trois hommes sont visiblement affectés par ce qui vient de se passer dans le fort et aux alentours. Hanna retourne au chariot, le vieil homme-mante à la traîne.

Katja s'est assise pour les attendre. Hanna se lance dans l'explication d'ordres précis et rapides que la fille doit transmettre au vieillard. Sans délai, ce dernier entreprend derrière le chariot les complexes préparations dont il est chargé : creuser un petit trou dans la terre ; y déposer sur le dos le caméléon, qui est déjà flasque mais remue encore un peu ; le recouvrir de terre ; marmonner ses invocations.

«Je ne vais pas recommencer à pisser dessus, annonce Katja brusquement, se retournant comme si elle avait peur que quelqu'un essaie d'intervenir. Pas devant tous ces gens.

— Ne t'inquiète pas, la rassure Tookwi. Ce n'est pas un serpent, c'est *gurutsi-kubib*, le caméléon. Il descend directement de Tsui-Goab, il remonte à lui sans détour. Il n'a pas besoin de pisse de vierge. Cette fois, nous voulons la pluie-taureau, pas la pluie-vache.» Il claque sa langue à plusieurs reprises et penche la tête de côté. «Notre seule obligation... c'est que nous devons pas bousculer Tsui-Goab. Il se mettrait en colère.»

Cette fois, tu dois lui demander de se presser, fait dire Hanna par l'intermédiaire de Katja.

Tookwi marmonne quelque chose d'incompréhensible. «Il nous le fera payer cher. Mais si tu dis qu'il faut se presser, on va se presser.»

Nous avons besoin de la pluie au plus vite, sinon Kahapa et les autres risquent gros.

Tookwi reprend ses incantations. Mais il est interrompu. Le sergent Vogel arrive derrière le chariot et, le visage en sueur, les dévisage d'un air hautement suspicieux.

«Que se passe-t-il ici?» s'enquiert-il avec autorité.

Katja porte l'index aux lèvres. «Chut. Il invoque ses ancêtres. Il leur demande de bénir votre compagnie et de lui accorder tout ce qu'elle mérite amplement.»

L'homme râblé souffle du nez dédaigneusement, scrute la scène un instant, puis s'en retourne.

Elles en reviennent à la complexe prestation de Tookwi, l'observent attentivement, intriguées, mais sceptiques. Gisela, toujours allongée, s'est accoudée au rebord du chariot pour l'observer. Nerina et Kamma complètent la modeste assemblée. Elles sont toutes fascinées. Mais il est peu probable que l'une d'elles imagine qu'il obtienne le moindre résultat. Et certainement pas, compte tenu que le ciel est quasi vide, l'orage spectaculaire qui éclate à peine un quart d'heure plus tard, si bien que tout le monde, dans la cour et là-haut sur le mur d'enceinte, se hâte de trouver un abri.

C'était exactement ce qu'il leur fallait : une cataracte tombant en grandes plaques grises, qui obscurcissent si bien les environs du fortin que personne ne peut plus distinguer clairement les abords. On n'aperçoit plus que, de temps à autre, le groupe qui approche : on devine un groupe compact de cavaliers, des silhouettes en uniforme sombre, rien de plus. Les militaires doivent présumer que c'est leur patrouille qui revient, et chacun est trop bouleversé par la rapidité des événements pour réfléchir. Tout ce qu'ils savent, c'est qu'ils ont besoin de renfort, lequel (le temps d'un éclair, littéralement) semble enfin à portée de main.

Sans attendre les ordres du sergent Vogel, les sentinelles ouvrent la porte en grand. Suit un maigre concert d'acclamations. Qui se tait aussitôt lorsque Kahapa, Himba, Koo et l'ordonnance David fondent sur les soldats. Ils sont rejoints sur-le-champ par le vieux Tookwi et les femmes du chariot. Armés de fusils, de kieries et de bâtons, tous s'abattent sur les survivants de la garnison effroyablement décimée.

Les malades sortent en titubant du baraquement. Trop faibles, trop stupéfaits pour venir en aide à leurs camarades, ils se révèlent être une gêne pour eux. En moins de dix minutes, il ne reste plus un militaire debout dans le fortin. De-ci de-là, l'un d'eux, agonisant, gémit mais Kahapa et Himba font le tour des lieux avec des baïonnettes pour mettre un terme à leurs lamentations.

La pluie continue de tomber à verse pendant un certain temps. Puis il ne reste que le bruit discret et mouillé d'écoulements le long des pierres des murs. Qui, à leur tour, se taisent. Alors survient le silence. Le fortin est pris.

59

Plus tard, ce soir-là, la petite armée est réunie dans le baraquement autour du feu que Kahapa a allumé. L'intérieur est tout enfumé, une fumée dans laquelle les visages flottent, surnaturels, fantomatiques, à la lueur des torches dont les flammes vacillent sous l'effet des courants d'air. Malgré la victoire, les vainqueurs n'exultent guère. Ils sont trop conscients de la présence des cadavres entassés comme des rondins dans le coin le plus éloigné, le plus noir de la cour. Conscients, aussi, de leurs propres pertes : le groupe de Kahapa a perdu le mélancolique homme-singe T'Kamkhab lors de la première embuscade, la veille ; Himba a une méchante blessure à l'épaule gauche ; les deux jeunes Nama, putains des soldats, forcées de rester avec Kahapa pour éviter d'éveiller les doutes au fortin, ont été prises entre deux feux quand, affolées au début du combat, elles ont détalé comme des lapins lors d'une battue ; au cours de la seconde embuscade, le matin, Kahapa a dû abattre l'une des deux ordonnances qui les accompagnaient depuis la toute première rencontre dans la plaine —

l'homme avait essayé de fuir ; au cours du dernier affrontement au fortin même, David a été tué et le vieux Tookwi méchamment piétiné par un cheval – les potions de Kamma réussiront-elles à le sauver ?

Le vieillard semble s'être résigné à mourir. «C'est le sacrifice de Tsui-Goab, marmonne-t-il dès qu'on tente de l'encourager. Il est colère parce que j'étais trop pressé de faire venir la pluie. L'étoile filante était déjà un signe, l'autre soir.» Hanna en ressent une pointe de culpabilité et de remords ; mais l'on ne peut rien y faire maintenant, sinon exhorter Kamma à faire de son mieux.

Elle est gênée par autre chose. Les trois palefreniers ont été tués, mais l'on ne sait pas vraiment par qui. Elle est furieuse. Longtemps, elle parle avec Katja, qui, les yeux exorbités brillant d'un feu surnaturel à la lueur des torches, semble encore prête à céder à l'hystérie.

Hanna demande à Katja d'informer les autres : *S'ils ont été tués par l'un des nôtres, c'est la dernière fois qu'un tel acte sera toléré. Nous tuons à la bataille, quand nous ne pouvons pas faire autrement. Nous n'assassinons pas ! Celui qui agira ainsi sera passé par les armes, même si je dois m'en charger moi-même.*

«Nous ne pouvons prendre aucun risque avec des gens qui peuvent être des traîtres», objecte Kahapa, d'un ton bourru.

Nous ne pouvons pas les tuer avant de nous en être assurés. Ces trois hommes auraient pu nous être utiles.

«Une des deux ordonnances veut trahir. Ce Lukas... Tout le temps, on croit qu'il est de notre bord et puis, à la bataille, il passe aux soldats. Alors, je le tue.»

389

C'était différent. Ces palefreniers n'ont pas eu l'occasion de montrer de quel côté ils étaient.

«Tu es femme, fait Kahapa en grommelant. Qu'est-ce tu connais des hommes et de la guerre?»

C'est ma *guerre, réplique-t-elle, hors d'elle. Je décide de ce qu'il faut faire, quand et comment. Si ça ne te plaît pas, tu peux partir tout de suite.*

De toute évidence, Kahapa est pris de court. Néanmoins, pendant un moment, il refuse de céder. «Tu as besoin de moi, rétorque-t-il, la défiant. Si je ne suis pas là, tu ne peux rien faire.»

Et si je ne t'avais pas sauvé la vie, tu ne serais plus ici pour le dire.

Un silence pesant les accable alors, comme un fardeau trop lourd à porter. Hanna a retiré son kappie afin d'exposer la terrible réalité de son apparence. Impassibles, tous deux se dévisagent, sous le regard de tous les autres. Leurs visages semblent des taches dans la pénombre traîtresse.

Après un long moment, Kahapa incline lentement la tête. «Tu me donnes la vie», déclare-t-il. Sa voix est tel un grondement de tonnerre au loin. «Je reste avec toi.»

60

Beaucoup plus tard, Hanna et Katja sont allongées l'une contre l'autre dans le chariot, lorsque la fille dit, tout bas : « Tu as pris un grand risque avec Kahapa. »

Je devais m'assurer de lui. Au fond de son cœur, c'est un homme.

« Non, ce n'est plus un homme. Ne te rappelles-tu pas... quand tu l'as trouvé ? La chose horrible qu'ils lui avaient faite ? »

Ce n'est pas seulement ça qui fait un homme.

S'ensuit un silence. Au-dessus de leurs têtes, si proches qu'on peut presque les entendre, les étoiles brillent dans un ciel lavé à n'en être plus qu'une plaque lustrée et noire. Puis Katja dit : « Je n'ai jamais vécu une journée comme celle-ci. »

Je suis fière de toi. Hanna tient la fille serrée contre elle, étreinte réconfortante et possessive d'une mère. *Pour tout ce que tu as fait. Surtout ce matin.*

« Tu ne sais pas ce qui est arrivé. »

Tu as fait ce que tu devais faire. C'est tout ce qui compte.

«Ce n'était pas seulement le fait de tuer, lâche Katja d'une voix faible, au-delà du désespoir, de la peur ou de la blessure. Avant de le tuer, je...» Elle inhale. «Je l'ai laissé me prendre.»

Hanna sent tout son corps se raidir. *Que veux-tu dire? «Me prendre»...?*

«C'est pour cela que je n'aurais pas pu pisser sur le caméléon de Tookwi même s'il me l'avait demandé. Je ne suis plus une fille qui n'a jamais été avec un homme.»

Hanna la secoue violemment. *Je ne veux rien entendre!*

«Il était très doux», continue Katja néanmoins. Il est clair qu'elle ne peut faire autrement qu'en parler : rien ne pourra l'en empêcher. «Peut-être avait-il d'ailleurs plus peur que moi. Mais j'ai fait en sorte qu'il ne puisse pas s'arrêter. J'étais tellement pressée que je n'ai même pas ôté mes souliers. Je ne voulais pas perdre de temps parce qu'il aurait peut-être renoncé. Et il fallait absolument que ça se passe. C'était la seule façon que j'avais de me pardonner moi-même ce que je devais faire ensuite. Cela manque peut-être de logique... Il est possible que, là où nous sommes à présent, rien ne soit plus logique. C'est de la folie. Tu l'as dit toi-même. Je ne suis pas sûre d'avoir compris ce que tu disais alors. Maintenant, je comprends et je te crois.» Cette fois, le silence dure si longtemps que Hanna suppose que sa compagne a dit tout ce qu'elle avait à dire. Mais c'est alors que Katja demande d'une voix hésitante : «Est-ce que c'est cela, être une femme?»

Hanna fait non de la tête, énergiquement : *Non, non, non, bien sûr que non. Je crois que ça n'a pas grand-chose à voir.*

«Tout de même..., insiste Katja. Je savais que je devais le faire. Il n'y avait pas d'autre moyen. Je devais savoir comment c'était.»

Cela aurait pu attendre.

«Non. C'était le bon moment. Le seul moment possible. Quand nous sommes sortis du fort, je n'y pensais pas du tout. Mais, quand nous sommes arrivés là-bas, j'ai su que c'était le seul moyen pour moi d'exécuter ton ordre.» Un nouveau silence, lourd de non-dit, lourd de l'ineffable. «Et, quand ç'a été terminé, il était encore sur moi... je l'ai tué. Parce que c'était ce que tu attendais de moi. La première partie, c'était pour moi, la seconde, c'était pour toi.»

61

Est-elle devenue un démon vengeur? S'est-elle réduite à ça? Dans le silence noir, bien après que Katja s'est endormie, Hanna scrute les étoiles. Les paroles ne vont pas là où elle voudrait aller. Seuls des sons et des images demeurent. Le bruit d'un piano qu'on démembre, cordes claquant, relâchant les sons enfermés pendant des années, des existences, des obscurités entières. Et, à l'arrière du bruit, l'ombre d'une femme qu'elle n'a jamais rencontrée et ne connaîtra jamais, mais qui la hantera toujours, ombre de tout ce qui en elle ne trouvera jamais de réalisation. *La seconde, c'était pour toi.*

62

J'imagine aisément combien il sera difficile pour Hanna de trouver le sommeil. Elle est perturbée par la respiration de Katja (scandée par un hoquet d'angoisse et troublée, une fois, par une crise de pleurs muets) : perturbée au point que, aux petites heures de la nuit que les bruits ne peuvent atteindre, elle finit par rouler de la paillasse et par se glisser hors du chariot. Curieuse sensation que de se promener, pieds nus, en tapinois, dans le fortin endormi qui, jusqu'il y a peu, débordait de vie.

Dans le baraquement, elle rend visite aux morts silencieux. Mais elle n'y reste guère, parce que les gémissements du vieux Tookwi montrent qu'il est réveillé et pourrait en réveiller d'autres. À l'extérieur, elle grimpe l'escalier jusqu'au sommet du mur d'enceinte où, hier, veillaient les sentinelles. Son regard, parcourant la plaine baignée de clair de lune, tente de distinguer le sombre fourré dans lequel Katja s'est enfoncée avec son jeune prétendant, l'excursion d'où elle est revenue seule. *J'étais tellement pressée que je n'ai même pas ôté mes souliers.* Non, Hanna doit s'interdire de penser à la scène !

Or elle ne peut refouler le cours de ses pensées. Il est arrivé trop de choses ces deux derniers jours. Tout s'est merveilleusement déroulé. Autant que possible, en tout cas. Elle-même, qui, toute sa vie, a été si maladroite dans tout ce qu'elle entreprenait, a passé cette épreuve avec une telle assurance, elle a été si efficace qu'on la croirait destinée à ce genre d'actions. Mais est-ce vraiment ce qu'elle avait prévu? Était-ce vraiment ce qui était censé arriver? Et combien de temps cela devra-t-il durer? Jusqu'où faudra-t-il aller? Jusqu'à ce qu'ils atteignent Windhoek, sans doute. Et après...?

Tout au long de la journée qui vient de s'écouler, tout au long des événements qui y ont mené, elle a dû se contenir, maîtriser ses sentiments, avec une force, une force... Enfin, maintenant, seule dans l'immensité de la nuit, un tressaillement monte en elle. Elle essaie encore de le contrôler. Elle ne doit pas, n'ose pas céder... Il lui faut ne pas perdre de vue le but final, sinon elle ne pourra rien justifier.

Elle laisse échapper un gémissement. Elle tente de le retenir. À cet instant, une main se pose sur son épaule. Le choc est tel que son corps entier se contracte; elle tomberait si deux bras musculeux ne la retenaient.

«C'est moi, souffle Kahapa, d'une voix si basse et grave qu'on croirait à un grondement lointain, sorti des entrailles de la terre. Je surveille toi.»

Comme à la mission. Comme partout. Comme toujours. *Je surveille toi.*

C'en est trop pour Hanna. Elle s'effondre contre l'épaule massive. Kahapa s'assoit avec elle, son dos puissant contre le haut parapet, ses bras autour d'elle.

«Si tu veux, tu pleures», dit-il.

Hanna ignore combien de temps elle est restée là à trembler, contre lui, les mains de Kahapa tenant les siennes, exécutant d'amples mouvements caressants sur ses épaules, ses bras, son visage couturé.

«Pleure», répète-t-il.

C'est un son animal qui surgit d'elle, un son venu des profondeurs de son être, les larmes accumulées de toute une vie, par le biais desquelles s'échappent la douleur, l'amertume, l'absence de compréhension, les tâtonnements futiles, le vide, l'espoir contre tout espoir, les déceptions, les angoisses. Et cela dure longtemps. Mais Kahapa est patient; il n'y a en lui aucune irritation, hâte ou précipitation, il a tout le temps, songe-t-elle.

Vidée, épuisée, elle fuit dans le silence. Alors qu'elle aurait besoin de se confier, avec plus d'urgence qu'elle n'en a jamais ressenti depuis le soir où on lui a arraché la langue. Pourtant, elle sait que, eût-elle encore sa langue, elle ne trouverait pas les mots pour exprimer ce qu'elle a tant besoin de dire.

Peut-être Kahapa devine-t-il tout cela. Ce qu'il dit, lui, enfin, sans interrompre le lent balancement du corps de Hanna niché contre le sien, c'est : «Je parle, maintenant?»

Elle fait oui de sa tête posée contre la poitrine de Kahapa dans l'obscurité.

«Tu me dis : c'est ta guerre, commence-t-il. Je comprends. Mais tu dois savoir : c'est ma guerre aussi. C'est la guerre de nous tous. Tu ne peux pas te battre, te battre tout le temps. Repose-toi, maintenant. Il est mieux comme ça. Toi, tu comprends?»

Elle hoche la tête. Elle est trop lasse pour faire davantage. Elle entend la voix de Kahapa qui gronde dans la poitrine du géant mais elle ne peut plus se forcer à l'écouter. Elle sombre dans le sommeil. Combien de temps dort-elle? Elle l'ignore. Mais, quand elle se réveille, Kahapa la tient encore. Les lueurs du crépuscule qui planent au-dessus d'elle caressent le visage sombre et paisible de son compagnon.

Je surveille toi.

Vidée et, malgré tout, inexplicablement comblée, Hanna se lève. Elle hésite. Avant de se pencher pour déposer un baiser sur le front de Kahapa. Avant de redescendre dans la cour, de retourner au chariot.

63

Après quoi, je sais qu'il y a d'autres combats, d'autres escarmouches, d'autres affrontements, d'autres places fortes, d'autres baraquements sur le veld qui leur paraît infini. Derrière eux, ils laissent le spectacle (en temps voulu, ce ne sera plus qu'un souvenir) du fortin qui explose, enveloppé de flammes, spectacle inoubliable : une fois rangées dans le chariot toutes les armes et les munitions que les bœufs pouvaient tirer, ils ont porté le surplus au baraquement. Ils ont tout empilé : bidons d'huile pour les lampes, moult sacs de poudre, des piles de chaume, des monceaux de mobilier grossier. Une fois que tout le monde a quitté l'enceinte, Hanna et Kahapa ont allumé des torches et les ont lancées à l'intérieur. L'explosion fut incroyable et l'endroit brûla pendant des heures tandis qu'ils se mettaient en branle, quasiment à contrecœur.

Ils ont gardé plusieurs chevaux. Tous les autres (ce fut presque insupportable) durent être abattus, puisqu'ils seraient morts si on les avait libérés, ou auraient éveillé des soupçons s'ils étaient retournés à leurs écuries d'origine. En cours de route, on abattra les deux bœufs et on les mangera, pour les remplacer par deux chevaux récupérés au fortin. Le sort de ceux-ci dépendra, lorsqu'il sera temps d'en décider, d'une part, de leur utilité et, d'autre part, des besoins en fourrage à ce moment-là et, surtout, en eau.

La modeste compagnie zigzague dans la plaine, en quête de ce que Katja se rappelle des directions que le jeune Werner lui a indiquées avant qu'elle le tue : d'un puits au suivant, tous creusés par les troupes de von Trotha pour rendre cette guerre possible, pour assurer le ravitaillement de son armée lors de ses pérégrinations dans ce pays insoumis où elle devait soumettre et exterminer Ovambo, Herero, Damara, Nama, quiconque résistait, où que ce fût, au pouvoir de l'impériale mère patrie. Parfois, ils croisent un smous dans son chariot : on doit alors perdre un peu de temps à découvrir de quel côté il est et s'il est prêt à les prendre au sérieux ou, au contraire, les traite avec dérision. Selon sa réaction, on lui prendra la vie ou la lui épargnera. Il en va de même lorsqu'ils arrivent dans une ferme, une famille modeste ou plus fournie, perdue dans l'isolement de la plaine désertique. *Soit vous êtes avec nous, soit vous êtes contre nous.* À cette formule immémoriale se réduit toute chose. La vie ou la mort. C'est si simple ! Quand ils aperçoivent un détachement en reconnaissance (la capacité de Kahapa, de Himba et du vieux Tookwi – qui souffre encore de ses blessures et délire régulièrement – à les détecter ne manque jamais de surprendre Hanna, Katja et Gisela), ils essaient la plupart du temps de tendre une embuscade. D'une flèche ils tuent le dernier soldat d'une colonne disséminée, puis l'avant-dernier, et ainsi de suite ; ils en ont de cette manière éliminé suffisamment lorsque l'avant-garde s'aperçoit enfin qu'il se passe quelque chose d'anormal dans son dos. Alors seulement, l'armée de Hanna passe à l'attaque.

La plupart du temps, ils évitent les forts, surtout s'ils les devinent trop bien défendus. Il est inutile et peu sage de mettre à sac toute la région. Si une garnison est trop importante, si les forces en présence lors d'une confrontation en bonne et due forme sont trop inégales, si ruses et subterfuges sont trop risqués, alors ils préfèrent passer leur chemin. Ils ne veulent pas être précédés par des nouvelles informant tout de leurs mouvements, de leur lente et inexorable avancée.

De plus en plus clairement, au fur et à mesure qu'ils progressent, les obstacles tombant les uns après les autres, leur destination se précise. Il leur faudra peut-être des mois ; la fin de l'été sera remplacée, abruptement, par les frissons translucides de l'hiver ; mais leur but, le terme de leur marche, ils le connaissent.

Windhoek.

64

Toute sa vie, songe-t-elle, elle l'a passée aux franges de sa propre histoire. Enfin, maintenant, elle se prend en charge. Elle agit. Et elle *voit* le résultat de son action. Elle voit comment, au fil des derniers mois de leur errance à travers la mémoire du désert, tandis qu'ils se déplacent de crête en crête, d'une patrouille armée à l'autre, de puits en puits, de fortin en fortin, leur effectif s'accroît. Au début, quand elle a quitté Frauenstein, elle n'avait que Katja. Puis elles sont tombées sur Kahapa, l'homme qui est aussi massif qu'un omumborumbonga. De la ferme d'Albert Gruber, elles ont emmené l'homme-singe T'Kamkhab, qui n'est hélas plus des leurs, et son épouse, la solide Nerina, enragée par sa stérilité. À la mission, la femme de la Mort, Koo, les a rejointes, brûlant en son for intérieur du désir de retrouver les ossements de son enfant. Et la guérisseuse Kamma. Et le guerrier Himba, qui en est encore à récupérer, lentement, de sa blessure. Le sorcier Tookwi. Et Gisela, qui, en tuant des hommes, s'est enfin mise à prendre sa revanche sur une vie d'amertume aux mains de son mari.

Dans le premier fortin, ils ont massacré toute la garnison. Mais, dans le deuxième, ils se sont adjoint cinq recrues; dans le suivant, vingt; et puis trente, et plus encore par la suite. Des garnisons entières viennent les rejoindre après avoir entendu parler de leur avancée (rumeurs charriées par le vent, affirme Kahapa). De jeunes hommes au printemps de leur vie, à la fleur de la jeunesse, avec toute l'arrogance de leur innocence. Des villages nama, au travers desquels ils passent, abandonnent huttes, chèvres, pots et nattes pour les suivre. Voyageurs, smouse, ouvriers agricoles en chemin, à la recherche de pâturages, explorateurs, prospecteurs alléchés par des contes de trésors fabuleux qui n'attendent que d'être découverts, trafiquants d'armes, une fois même toute la population d'un improbable lupanar qui prospérait dans le désert... tout le monde se joint à eux.

À une journée de marche de Windhoek, ils arrivent à l'un des immenses camps de concentration construits par von Trotha avant son départ, destinés à accueillir par centaines et milliers les indigènes internés par mesure préventive au début de la guerre : la population de villages entiers y est absorbée, femmes, hommes, enfants, sans discrimination, pour assurer la sécurité de l'arrière-pays. À l'approche de l'armée de Hanna, la garnison de garde se rend sans tirer un seul coup de fusil. Huit mille détenus, affamés et affaiblis mais exultant, déferlent par les portes, pour rejoindre la nouvelle armée. S'étendant d'un bout à l'autre de l'horizon, celle-ci avance, triomphante avant même d'avoir livré bataille.

Il n'y a pas que les vivants, d'ailleurs, qui viennent se rallier à l'étendard de Hanna, en soie et bougran, bleu, argent et or. Il y a aussi les morts. À leur passage, les tombes s'ouvrent pour dégorger leurs humbles occupants, dont certains ont encore sur les os leur peau desséchée, et d'autres qui ne sont que des squelettes cliquetants aux grimaces invincibles. Les nombreux spectres des couloirs et des recoins de Frauenstein viennent prouver à Hanna leur solidarité. Une cohorte de spectres, venus de tout le pays, du Sud lointain où le grand Garieb se jette dans l'Atlantique en déposant ses diamants dans le sable, et du Nord extrême où le Cunene se fraie un cours tortueux dans les montagnes et les forêts, déborde de ses rives et inonde des plaines immenses, étincelant sous la course du soleil. Les voici qui accourent, de toutes les époques, de toutes les strates du temps. Les femmes noires volées par Dias sur les côtes de Guinée, les hordes d'esclaves qui, assemblés dans la maison des Esclaves sur l'île de Gorée, face à Dakar, moururent avant même d'embarquer sur les négriers en partance pour le Nouveau Monde, spectres innombrables des terres gastes du vaste continent. Les *hei nun*, ainsi que les appellent les Nama, les pieds-gris ; les *sobo khoin*, les gens des ombres. Palpitants et vigoureux, gris et macabres, ils avancent de tout bord, réclamant leur libération, enfin, Dieu, enfin ! Une horde à ce point innombrable que pas même la lumière du soleil ne peut la pénétrer. Telle une vaste nuée, ces spectres déferlent sur le paysage, ombre de la mort réclamant la vie dont on les a privés, pendant des siècles et des siècles... Ils avancent avec Hanna et les siens, armée comme personne n'en a jamais vu ni même rêvé, qui croît sans cesse, tel le silence enfermé dans un coquillage qui soudain se gonfle en murmure, en bourdonnement, ronflement, rugissement triomphant, exultant, démolissant tout sur son passage, vague gigantesque qui se brise sur un pays ruiné pour apporter l'espoir et la vie, la vie, la vie!

Voilà ce que Hanna voit, ce qu'elle voit en rêve.

Dans un mirage, les arbres ont toujours la tête à l'envers.

65

Ce qui se passe effectivement dans le désert est très différent. À la réflexion, leur grand moment de triomphe au premier fortin semble de plus en plus avoir été, également, le début d'un long déclin, une entrée dans les ténèbres et l'adversité. Cela commence avec la mort du vieux Tookwi. Malgré tous les remèdes de Kamma (ou à cause d'eux, ose penser Katja), le vieux sorcier ne s'est jamais remis; huit jours après qu'ils ont fait sauter le fortin, au matin, on découvre qu'il s'est éteint paisiblement pendant la nuit.

«C'est Tsui-Goab», lâche Kamma avec un hochement de tête entendu. Comme si les autres avaient besoin qu'on le leur rappelle!

Moins d'une semaine plus tard, ils perdent aussi Nerina. La mort de T'Kamkhab au cours de l'embuscade dans les koppies l'a affectée davantage qu'ils ne l'auraient attendu d'une femme aussi forte et dure qu'elle. Souvent, elle se comportait avec lui plus en mère qu'en épouse, comme si, en s'occupant d'un homme élevé pour être le bouffon des autres, elle avait pu exprimer tout l'amour qu'elle avait en elle et qui était resté sans objet après qu'elle eut dû accepter sa stérilité. Parfois, il semblait à Hanna que Nerina était condamnée à scruter le désert en quête des enfants qu'elle avait perdus en pratiquant sur elle-même des avortements parce qu'elle refusait de mettre au monde les rejetons de soldats allemands : comme si leurs spectres ne l'avaient plus jamais laissée en paix. Et puis, tout à coup, voilà qu'elle disparaît. Un matin, quand ils se lèvent, ils s'aperçoivent qu'elle n'est plus là. Hanna est abattue. Sa première pensée est que, à la faveur de la nuit, un prédateur est venu rôder dans leur camp et l'a emportée. Mais aucune trace ne vient étayer cette supposition; ils n'ont pas entendu un seul bruit.

Kahapa tente d'expliquer l'inexplicable.

«T'Kamkhab est mort. Ses enfants ne sont plus. Elle doit partir aussi.

— Mais elle n'a nulle part où aller! proteste Katja.

— Alors, c'est là qu'elle va. Nulle part. Trouver ce qu'elle n'a pas perdu.

— Comment pouvons-nous continuer ainsi? s'enquiert Katja, un soupçon de désespoir dans la voix. Nous étions dix. Nous ne sommes plus que sept.»

Ce n'est pas une question de nombre mais de volonté, lui rappelle Hanna gentiment.

Mais elle songe : nous recherchons tous ce que nous n'avons pas eu, n'est-ce pas? Les enfants, les rêves, tout ce qui n'a jamais été autorisé à devenir ce que ç'aurait pu devenir. Tout ce qui diminue ce dont nous sommes capables et que nous ne pourrons jamais réaliser. C'est pour cette raison, précisément, que nous ne pouvons nous arrêter. Le processus est plus important que la perte ou le gain. Nous sommes ici parce que nous devons aller de l'avant. Nous irons de l'avant parce que nous sommes ici. Tant que ceux d'entre nous qui sommes encore là resterons ensemble, nous n'abandonnerons pas.

Elle observe les autres à leur insu. Son armée, sa triste ménagerie : Katja, la gazelle dont l'entrain des premiers temps commence à s'épuiser ; Gisela, pâle échassier, de plus en plus repliée sur elle-même ; Kamma, l'édentée, minuscule babouine flétrie, qui marmonne, penchée sur des herbes, des touffes de poils et des lambeaux de peau malodorants ; Koo, la chouette, dont les yeux scrutent sans cesse l'horizon, là où elle croit que reposent les ossements de son fils défunt ; Kahapa, l'éléphant solitaire ; Himba, le buffle blessé ; et elle-même, le marabout morose. Ils peuvent réussir. Ils doivent réussir. Ils réussiront.

C'est alors que survient leur journée la plus calamiteuse.

66

De très loin, ils aperçoivent le fortin perché sur une butte au-dessus de la plaine couverte de faux acacias. Ils sont désormais trop peu nombreux pour envisager le type de plan de bataille qui a eu un tel succès au premier fortin : comme ils ne savent pas combien il y a de soldats dans celui-ci, il serait téméraire de monter une embuscade à deux ou trois ; sans compter que les acacias protègent moins que les affleurements rocheux qui leur avaient servi de cachette la première fois. Il est donc préférable d'approcher de la manière la plus ouverte qui soit en espérant qu'on trouvera une solution sur place ; si les chances sont trop faibles, comme cela a été le cas à plusieurs reprises récemment, ils feindront tout simplement l'innocence et demanderont à être hébergés pour la nuit.

Les soldats les observent avec attention du sommet du haut mur d'enceinte : on distingue au moins huit hommes, et plus tard dix, dont plusieurs ont des jumelles – tous sont armés de fusils. Afin d'écarter tout soupçon, Hanna mène sa troupe au petit trot. Comme, à ce moment de leur histoire, ils n'ont plus que cinq chevaux hormis les deux qui tirent le chariot, Katja et Gisela partagent une jument, et Kamma et Koo une autre. Kahapa et Himba ont chacun leur hongre, de même que Hanna, ainsi qu'il sied à un commandant en chef.

Lorsqu'ils parviennent au pied de l'enceinte, six soldats en uniforme sortent par la large porte. Hanna serre la bride à sa monture. Ses troupes font de même.

« Qui êtes-vous ? crie le commandant, les cheveux et la moustache d'un roux vif. Que voulez-vous ? »

Toute la troupe connaît l'histoire par cœur, de sorte que Katja répond sans avoir besoin qu'on lui souffle : « Nous arrivons de la mission du pasteur Maier. Voici sa femme. Nous nous dirigeons vers Windhoek. Pouvez-vous nous héberger pour la nuit ?

— Que font ces indigènes avec vous ?

— Ils nous escortent, ils assurent notre protection. Ils font partie de la congrégation du pasteur Maier.

— Vous trois, les femmes blanches, vous pouvez entrer.

— Mais... nos serviteurs ? »

L'officier confère avec ses hommes. « D'accord, annonce-t-il, de toute évidence à contrecœur. Mais les hommes resteront enfermés jusqu'à votre départ. Nous ne pouvons prendre aucun risque. » Et, avec un haussement d'épaules : « Je suis navré, mais je suis sûr que vous comprenez.

— Les hommes peuvent-ils camper à l'extérieur ?

— Non. »

S'ils n'acceptent pas certains d'entre nous, alors aucun d'entre nous n'entrera, indique Hanna, furieuse, à Katja. Mais Gisela l'interrompt. Ils ont tous besoin d'un bon repos. Et qui sait, une fois à l'intérieur...

Après un moment d'hésitation, Hanna consent. Kahapa et Himba se renfrognent. Les soldats leur retirent leurs armes et les emmènent rudement jusqu'à une cellule étroite et noire, adossée au baraquement à l'intérieur. C'est manifestement une espèce de prison. Dans la bousculade, un soldat fait tomber le chapeau de Kahapa, ce qui le met dans une rage telle que, l'espace d'un instant, Hanna craint qu'il ne se libère et n'attaque ses geôliers, ce qui les mettrait tous en danger.

Elle donne donc un grand coup de coude à Katja, et la fille s'exclame : «Je t'en prie, Kahapa, non!»

Au cours du bref silence qui s'ensuit, Hanna se précipite pour ramasser le chapeau, l'époussette et le presse contre sa poitrine dans un geste protecteur et rassurant. Plusieurs soldats l'observent d'un air réprobateur – avec dégoût, peut-être. Le géant fait un effort pour se contrôler, avant d'être poussé dans la cellule. Depuis la porte lourde et basse, bouillant, il jette un bref regard en arrière.

Hanna lui adresse un signe avec le chapeau. *Ce ne sera pas long*, tente-t-elle de signifier. Mais comprend-il?

Les soldats verrouillent la porte, le lieutenant empoche la clef.

Le chariot, dans lequel est allongée Gisela, est tiré jusque dans la cour et laissé aux soins de Kamma et de Koo, tandis qu'on offre aux autres femmes un coin dans le baraquement. Deux soldats dressent une tenture pour leur préserver un semblant d'intimité. Mais, à voir la façon dont les soldats reluquent Katja, il ne semble pas qu'on puisse jurer de l'efficacité du paravent.

Ce n'est pas un endroit accueillant. Les quinze soldats qui en ont la garde n'ont pas été relevés depuis des mois, le commandant fait régner une discipline de fer, les vivres sont en baisse, comme le moral.

Je suis certaine que nous pouvons en convaincre quelques-uns de passer de notre bord, confie Hanna à Katja tandis que le lieutenant roux, Müller, flanqué de deux plantons, leur fait faire le tour du fortin.

«Nous n'avons pas le temps, réplique la fille dans un murmure inquiet. Pour l'amour de Dieu, ne tente rien d'inconsidéré.»

On ne peut pas laisser impuni le traitement qu'ils ont infligé à Kahapa et à Himba.

«C'est une simple halte, un arrêt anodin sur notre route, lui rappelle Katja. Nous avons encore un long chemin à faire. Je t'en prie, ne tente rien maintenant.»

Nous verrons. Plus que ce que Hanna a exprimé avec leur langage des signes, c'est la détermination carrée de sa mâchoire qui inquiète Katja.

Mais celle-ci doit reconsidérer la situation lorsque, en fin d'après-midi, elles sont invitées, avec une démonstration suspecte de générosité, à assister à un exercice de «tir sur cible mobile» à l'arrière du fortin. Hormis deux sentinelles installées au sommet du mur d'enceinte, toute la garnison participe à l'événement. Dans ce qui ressemble à un kraal à bestiaux, un certain nombre de prisonniers nama, trente ou quarante, sont mis aux fers. Ils sont dans un état effroyable. Il est évident qu'ils n'ont pas mangé depuis des jours; dans le kraal exposé au flamboiement du soleil le jour et au froid glacial du désert la nuit, ils sont manifestement aux derniers stades de la privation.

On ôte les fers à six prisonniers, on les tire à l'extérieur du kraal, on leur ordonne de courir. Seuls deux ou trois font l'effort de se mettre debout tant bien que mal, tandis que les autres restent affalés par terre. Le lieutenant Müller adresse un bref mouvement de tête à ses hommes. Ils n'ont pas besoin de précisions : ils font un bond en avant et se jettent sur les prisonniers allongés, les frappent avec des sjamboks et avec les crosses de leurs fusils pour les forcer à se lever. Les Nama se lancent dans la pitoyable imitation d'une course. C'est alors que débute l'exercice de tir sur cible mobile.

«Arrêtez-les! hurle Gisela en agrippant le lieutenant par le bras. Pour l'amour de Dieu, vous ne pouvez pas faire ça!

— Je dois veiller à la forme de mes hommes, rétorque-t-il avec une grimace pincée qui lui fend le visage comme un coup de couteau. Essayez de comprendre. C'est le seul divertissement que je puisse leur offrir.»

Sans attendre d'en voir plus, les femmes rebroussent chemin hâtivement, longent l'enceinte en direction de la porte. Dans leur dos se répercutent en échos des coups de fusil et des cris. Gisela et Katja doivent s'arrêter pour vomir. Hanna, elle, pleure. Sans bruit.

Tu vois, nous n'avons pas le choix, dit-elle à Katja dès qu'elles sont de retour dans le chariot, à l'intérieur de l'enceinte. *Ces hommes n'ont pas le droit de vivre. Tu es d'accord ?*

Katja s'assoit, genoux relevés, tête dans les genoux. «Ils nous tueront tous», lâche-t-elle. Elle lève la tête. «Mais tu as raison. Nous n'avons pas le choix.»

Avec un étrange détachement, Hanna expose sa stratégie aux deux autres femmes. La stratégie est désespérée mais elles-mêmes n'ont rien de mieux à proposer. Elles demandent à Koo et à Kamma de se joindre à la discussion; Kamma se met, en silence, à préparer ses potions. Avant le retour des soldats, Katja se rend au seuil de la cellule pour s'entretenir avec Kahapa à travers la porte.

Peu avant le dîner, les hommes rentrent. Le soleil est déjà couché. Ils n'ont plus leur air renfrogné mais un certain désespoir pointe dans l'exagération de leur humeur faussement joyeuse. C'est comme, confie Katja à Hanna dans un murmure, chanter une chanson obscène à un enterrement.

À la différence des repas copieux qu'on leur a servis dans les autres garnisons où ils sont passés, le dîner est frugal. Et pas très bien cuisiné. Les femmes ne sont pas d'humeur à faire la conversation; sévères, elles essaient de ravaler leur hostilité, alors même que Hanna a réduit leurs efforts à néant en apportant au mess le chapeau de Kahapa, qu'elle a posé sur la table, à côté d'elle.

Sinistre, le lieutenant essaie d'ignorer le couvre-chef. «Il semblerait que ces dames aient été trop délicates pour supporter nos exercices de tir sur cible mouvante?» dit-il avec un ricanement.

Ces dames restent coites.

«Ne comparez pas notre vie à celle que l'on mène dans une mission. Nous n'essayons pas de sauver des âmes mais notre patrie.

— Peut-être y a-t-il d'autres façons, rétorque Gisela, glaciale.

— Nous sommes en pleine guerre ici. Ne l'oubliez pas.

— Depuis tout le temps que nous traversons le désert, rétorque encore Gisela, de l'aigreur dans la voix, nous avons entendu de nombreux soldats parler des dangers de cette guerre. Mais nous n'y avons jamais assisté. Nous n'avons vu que paix et tranquillité.

— Vous êtes des femmes, dit-il sur un ton paternaliste. Vous ne savez pas à quoi vous attendre. Je n'imagine pas que vous puissiez comprendre le monde des hommes.

— Vous pouvez le dire, en effet.»

On se dirige droit vers la catastrophe. C'est alors que, à la surprise de ses compagnes, Katja se tourne vers le lieutenant, le regard inhabituellement vif :

«Je crois que seul un homme extrêmement courageux peut survivre dans de telles conditions. Bien sûr, nous avons été choquées, cet après-midi. Mais c'est parce que nous ne pouvons tout simplement pas comprendre ce à quoi vous êtes confrontés. Sans des hommes tels que vous, il ne resterait plus d'Allemands en Afrique.»

Il est ahurissant que son interlocuteur puisse mordre à cet hameçon. Mais de fait, pendant tout le restant du repas, il ignore Hanna et Gisela pour se consacrer exclusivement à la jeune fille. Bien après qu'on a débarrassé, on le voit encore plongé dans une conversation manifestement passionnante avec Katja. Ce qui donne à celle-ci tout loisir de mêler discrètement à la bière du lieutenant un peu de la préparation de Kamma. Il doit être fin soûl, songe Katja, pour ne pas remarquer l'amertume. Écartant toute pensée et tout sentiment, c'est à peine si elle jette un coup d'œil, de temps à autre, à Hanna et Gisela dans la pénombre de l'autre extrémité de la table, tandis qu'elle se concentre sur sa mission, le flot de la conversation.

Lequel est de moins en moins régulier tandis que les hommes, sur leurs couchettes, se mettent à ronfler. L'officier tombe dans le sentimental, pleurniche dans sa chope, décrit à Katja sa famille, son épouse, ses trois adorables enfants : «Attendez, voyez, j'ai là une photographie d'eux, ne les trouvez-vous pas beaux? Il me tarde tant de les revoir... J'ai hâte de quitter ce trou, de retourner à la civilisation, de revoir des gens normaux, d'assister à des soirées musicales, aux concerts donnés par la fanfare dans le parc le dimanche après-midi, d'aller rendre visite à de bons amis, j'ai hâte de revoir les arbres tellement verts... les jardins tirés au cordeau. Les jardins. Des enfants. Des jardins, tellement, tellement verts...» Et puis, il s'endort.

Katja a de nouveau la nausée. Mais ce n'est pas le moment.

De la poche du lieutenant, elle tire la clef de la cellule. Il ne leur faut pas plus d'une minute pour libérer les prisonniers. Kahapa récupère son chapeau au bandeau en peau de léopard.

La lune est presque pleine. C'est un atout. Mais ça en sera aussi un pour les deux sentinelles des murs avant et arrière.

416

Telles des ombres, ils traversent la cour inté-
rieure. Kahapa et Himba grimpent à pas de loup
jusqu'aux postes de garde. Avec une facilité surprenante (mais ils en ont tellement l'habitude
maintenant!), ils étranglent les deux sentinelles et
jettent leurs cadavres par-dessus le mur. Les
femmes peuvent alors se déplacer avec une plus
grande liberté. Ouvrant les portes des écuries, elles
font sortir les chevaux, deux par deux : les leurs,
ceux de la garnison. Pour s'assurer qu'on ne puisse
s'élancer à leurs trousses. Dans le vallon en contrebas, elles attachent les chevaux aux troncs des faux
acacias.

Ensuite, on libère les prisonniers nama du kraal
à l'arrière du fortin. Ils ne semblent pas saisir ce
qui se passe : la plupart se recroquevillent, essaient
de se protéger avec les bras contre les coups qu'ils
s'apprêtent à recevoir. Certains ne bougent même
pas. Seuls quelques-uns, parmi les plus valides,
comprennent l'incroyable et se lèvent tant bien
que mal sous le clair de lune mat.

Hanna et ses troupes n'ont pas beaucoup de
temps. Ils attendent la relève de la garde, qui a lieu
à minuit; cette information (et tout le reste qu'ils
avaient besoin de savoir), Hanna l'a obtenue, par
l'entremise de Katja, du lieutenant, lors de leur
visite guidée. Les deux sentinelles ayant été neutra-
lisées, il reste treize hommes dans la garnison. Le
rapport de force reste déséquilibré, mais le risque
est tout de même moindre.

Les chevaux étant à l'extérieur du fortin, on tire
le chariot jusqu'à l'entrée. Ce qui ne permettra
plus qu'à un ou deux soldats de sortir de front – et
aucun si le plan de Hanna réussit.

Kahapa, Himba et Hanna retournent aux postes de garde au sommet du mur d'enceinte. Ils sont tous armés de fusils et de pistolets maintenant. Dès qu'ils auront tué les nouvelles sentinelles, Himba descendra rejoindre les autres femmes dans la cour.

Mais il y a un imprévu. Juste avant la relève de la garde, le silence de la nuit est rompu par des bruits à l'arrière du fortin. Tandis que, dans le kraal, un nombre croissant de prisonniers s'aperçoivent qu'ils sont effectivement libres, les murmures individuels et incertains se transforment en cris de surprise et de joie puis en un chœur où se mêlent l'ahurissement et la célébration. Les soldats, la tête encore lourde de sommeil, certains nus comme des vers, d'autres à demi vêtus, déboulent pêle-mêle de leurs quartiers et se répandent dans la cour sans savoir, fichtre, ce qui se passe...

Les troupes amoindries de Hanna sont tout autant prises de court. De son poste au sommet de l'enceinte, elle voit Kahapa qui saute du haut du mur pour aller rejoindre les autres à l'entrée.

Elle se rend compte qu'elle doit le suivre. Or le mur est bien trop haut. La seule option est d'être prise. Elle ferme les yeux et saute dans l'obscurité vers une mort certaine.

67

Koo, censée attendre dans la cour un signal de Hanna, cède à la panique face au chaos dans lequel sombre le fort : elle se précipite vers le chariot et y met le feu. Le chargement de munitions explose instantanément, et l'emporte. Il ne restera rien d'elle, pas un lambeau de vêtement, pas un os. La nuit s'embrase, comme si Gaunab, le dieu des ténèbres, était descendu du ciel.

Hanna ne se tue pas en sautant. C'est inexplicable, peut-être miraculeux, mais le fait est qu'elle retombe, debout, au pied du mur, avant de se mettre à quatre pattes quand le chariot explose. Instinctivement, elle court. Kahapa, imagine-t-elle, aura fait de même.

Or le géant, de son côté, furibond, a atterri, jurant, blasphémant, sur un tas de pierres et s'est brisé la hanche : il s'est effondré, terrassé par la douleur. À l'entrée, Himba et les autres, renversés par l'explosion, réussissent à se relever mais se mettent à tirer comme des fous furieux sur quiconque tente de contourner le chariot en flammes et de franchir les portes de l'enfer.

Quand enfin ils atteignent les faux acacias où les chevaux sont censés les attendre, ils découvrent que la plupart ont rompu leurs rênes et pris la fuite, sans aucun doute terrifiés par l'explosion. Deux autres se sont à moitié étouffés et se sont cassé les jambes; il faut les tuer à bout portant. Hanna, Katja, Gisela, Himba et Kamma réussissent à s'enfuir sur les trois montures qui restent. Au moins ne peuvent-ils guère être poursuivis. Mais ils ignorent s'ils doivent considérer ce qui s'est passé comme une victoire ou comme une défaite.

D'une distance raisonnable, tremblant du choc et de rage, ils observent pendant longtemps le feu qui flamboie dans la nuit, éclipsant les timides étoiles.

Nous devons retourner là-bas, dit Hanna à Katja. *Nous devons retrouver Kahapa, nous ne pouvons pas le laisser.*

Mais ils risquent d'être tous tués s'ils retournent au fortin. Katja et Gisela doivent retenir Hanna de force. Elles n'y arrivent pas seules, Himba doit les aider. Hanna pleurniche de rage et de frustration.

Durant toute la longue journée du lendemain, ils doivent attendre, cachés dans les arbres. Il y a encore des signes de vie dans le fortin : plusieurs soldats se déplacent là-bas, apparaissent au sommet de l'enceinte pour scruter le veld avec leurs jumelles, émergent devant la porte pour la réparer avant la tombée de la nuit, ainsi qu'une portion de mur effondré.

Katja tient à ce qu'ils reprennent la route tant qu'il en est encore temps; même s'ils n'ont pas éliminé tous les soldats du fortin, ils en ont sans doute tué beaucoup. Il y a des raisons d'être satisfait. Mais Hanna s'obstine. Ils ne bougeront pas tant qu'ils n'auront pas retrouvé Kahapa, insiste-t-elle, brûlant d'une fureur rentrée. Ils ne l'ont jamais vue dans un tel état. Personne n'ose la contredire. Et, pendant les longues heures de cette journée d'hiver toute blanche d'une lumière perçante, ils attendent que la nuit tombe.

Ils n'ont aucun mal à retrouver Kahapa. Mais il n'est pas facile de reconnaître l'homme qu'ils connaissaient si bien. Le corps a été jeté, comme un paquet d'ordures, juste devant la porte. À peine humain, on dirait plutôt une grosse bête au sortir de l'abattoir. Il a été dépecé. Il ne reste pas un lambeau de peau sur la masse sanglante de chair, de nerfs et d'os, yeux pendant des orbites.

C'est alors que se déclenche la fusillade. Ils auraient dû prévoir ça : le corps a été jeté comme appât. Mais la découverte de Kahapa est si terrible que, pendant un moment ils restent plantés là à regarder autour d'eux. Les balles fusent, ricochent, font, de près, un bourdonnement d'abeilles en furie. Il faut la traîtrise du clair de lune ou bien l'excès inopportun de rage et d'ardeur des quelques attaquants au sommet de l'enceinte pour que soit évitée la prompte et entière élimination de l'armée de Hanna. Mais elles réchappent de l'embuscade.

Himba, lui, a refusé de remonter en selle. Sans se cacher le moins du monde, sans même se protéger, il a pris d'assaut la porte à lui seul, s'est posté juste devant, haletant, campé sur le sol, les jambes comme des troncs d'arbre, la crosse du fusil sur son épaule à peine guérie. Il a réussi sans doute à abattre deux voire trois de ses assaillants, perchés au sommet du mur d'enceinte (elles n'ont pas eu le temps de le vérifier), mais, inévitablement, lui aussi, avec un gémissement étouffé, s'est écroulé.

Avant que la nuit soit écoulée, Kamma a disparu. Personne ne l'a vue partir. Elle semble s'être évanouie, tout bonnement, sans un signe, sans un son, sans laisser quoi que ce soit derrière elle. Le désert l'a reprise.

Le lendemain matin, Gisela avale ce qu'il reste de la potion préparée à l'intention du lieutenant Müller et s'endort très paisiblement.

Il ne reste que Hanna et Katja.

68

Katja n'a plus ses règles. Elle est enceinte.

69

Les vautours sont les premiers signes de vie qu'elles aperçoivent lorsqu'elles atteignent les monts qui surplombent la ville : suivant des spirales complexes et entremêlées, ils descendent jusqu'aux décharges publiques en bordure de la cuvette dans laquelle se love la petite ville proprette avec ses quatre artères.

Et puis les palmiers. Des palmiers partout. Le long de l'axe de la grand-rue, Kaiser Wilhelm-strasse, indique Katja à Hanna, avec un tremblement inattendu dans la voix ; et d'autres modestes touffes de palmiers parmi les maisons éparses, autour de la Feste et des quelques bâtiments administratifs sur l'autre flanc de colline et dans les environs. Une oasis émeraude dans le paysage brun et brutal. Ce pourrait être un endroit dans un rêve, niché au creux du vortex d'un coquillage.

«Comme c'est étrange, lâche Katja. J'ai du mal à croire qu'il nous ait fallu si longtemps pour arriver jusqu'ici.»

Les Israélites ont mis quarante ans pour traverser le désert de l'Égypte à Canaan.

«Et tu crois que ceci est la Terre promise?»

Il y a des palmiers.

«Nous y allons? Maintenant?»

Hanna répond par un tranquille hochement de tête.

Elles attachent les chevaux à un tronc d'arbre et commencent la descente à pied. À présent que, enfin, elles sont parvenues à destination, elles ont du mal à effectuer la dernière coudée. Elles mettent longtemps à descendre le raidillon.

Hanna se rappelle, non sans amertume, son rêve de petite fille : mener une procession de par les rues, vêtue de pourpre et de grenat, sur une bête également harnachée de pourpre, à sept têtes et dix cornes. Elle pensait alors à une parade dans les rues de Brême, qui était une ville certes plus importante que cette Windhoek...

Cet endroit palpite de l'agitation d'une fourmilière éventrée. Après le silence du désert, même une journée ordinaire ici aurait été assourdissante; mais, à l'évidence, ce n'est pas un jour comme les autres. À en juger par le nombre de carrioles, de chariots et de voitures de toutes sortes qui encombrent les rues (il y a même plusieurs automobiles), beaucoup de visiteurs doivent être venus aujourd'hui d'autres parties de la colonie. Y aurait-il une foire? La foule se fait de plus en plus dense au fur et à mesure qu'elles approchent de ce que Katja devine être la gare de chemin de fer. Dans ce remue-ménage, personne ne prête attention aux deux inconnues.

Dans Lederhosen, Katja aborde un passant et lui demande pourquoi il y a tant de monde.

Un train vient d'arriver de Swakopmund, leur apprend-il, tellement pressé d'avancer lui-même que, la moitié de ce qu'il dit, il le crie en continuant de marcher, la tête tournée en arrière vers elles. Le train amène des passagères qui ont débarqué quatre jours auparavant. Un nouveau contingent de femmes, explique-t-il, le visage rouge d'excitation.

Hanna sent ses tripes se contracter. Un court instant, elle voudrait faire volte-face et retourner dans le désert.

Comprenant sa détresse, Katja lui prend la main. «Nous n'avons pas à affronter ceci, dit-elle, nous pouvons contourner la foule.»

Non, je dois voir ça.

Naturellement, elle n'a aucun souvenir de sa propre arrivée : elle était morte.

Du bâtiment de la gare noir de monde, elles entendent les sourdes flatulences d'une fanfare : *boum ba boum.*

Troublées mais fascinées, incapables de bouger (à cause de la foule mais aussi de leurs membres, qui sont gourds), elles contemplent le spectacle. La foule s'écarte, piétinant laborieusement, pour laisser passer les nouvelles recrues. De part et d'autre, un cordon de soldats en uniforme, le regard fixé droit devant, comme s'ils n'étaient même pas conscients de la rangée de passagères qu'ils laissent passer, mince colonne qui se fraie un chemin entre les flots de cette mer écartée, vers une terre encore invisible mais promise par le Seigneur des armées. *Boum ba boum*, scande la fanfare. C'est comme la place de l'hôtel de ville à Brême, un dimanche après-midi. *Deutschland, Deutschland über alles.*

Les passagers à peine arrivés approchent, deux par deux, comme les animaux de l'Arche, un couple après l'autre, mâle et femelle, mâle et femelle et ainsi de suite... procession apparemment sans fin. La plupart se tiennent par la main, quelques-uns par la taille ; d'autres marchent simplement côte à côte, à grandes enjambées, raides, sans échanger un regard, lèvres pincées. La plupart des hommes sont rubiconds, plusieurs complètement ivres ; certains doivent être traînés par des camarades, et leurs compagnes, gênées, doivent se frayer un chemin derrière eux. S'il y a quelques visages pâlots et hagards parmi les femmes, la plupart ont l'air déterminé, comme si elles lançaient un défi au monde. Elles sont heureuses, fichtre : qu'on ne vienne pas prétendre le contraire ! Elles sont arrivées au pays où tout est possible ! Elles vont réussir ! Elles vont se marier. Elles auront beaucoup d'enfants, peupleront cette terre vierge et assureront l'avenir de la civilisation, de la chrétienté, du Reich. Ô Dieu, prends pitié !

À la suite des couples déboule une troupe d'hommes tapageurs, ivres : ils crient des obscénités, s'effondrent, hilares, se précipitent en avant pour vomir, chantent des airs de la lointaine mère patrie. Régulièrement, les soldats interviennent pour refouler les éléments les plus odieux. En tout dernier, comme un petit tas de moutons qui, Dieu sait comment, aurait été séparé du troupeau, suit un groupe de femmes : celles qui n'ont pas été choisies, qui ont été exclues, refusées par le monde humain et animal : avec leur air négligé, leurs vêtements en désordre et leurs cheveux filasse tombant, miteux, sur leur visage livide, on dirait des ballots de linge sale. Elles ne pleurent pas mais on devine que c'est parce qu'il ne leur reste plus de larmes à verser. Elles sont au-delà de tout ça. Il est clair qu'on les a toutes utilisées au cours du périple en train. Puis on les a rejetées comme des mouchoirs pleins de morve. Elles sont couvertes de crasse, de suie, de crachats, de sperme. Elles avancent difficilement, d'autant que les badauds leur lancent des rognures, des œufs pourris et des tomates, les conspuent, leur crachent dessus. Des ivrognes ouvrent leurs braguettes et leur pissent dessus, avant de s'écrouler de rire. À l'extrémité du tunnel qu'elles doivent ainsi traverser, deux charrettes sont stationnées. À n'en pas douter, pour emmener le rebut des promises dans le désert, jusqu'à cet endroit perdu, dont chacun a entendu parler mais que personne ne veut voir : la prison, le couvent, le lupanar, la débourre... Frauenstein.

Hanna se rappelle (souvenir incongru) que, les nuits sans lune, l'immense bâtisse, ce grand navire échoué dans le désert, larguait ses amarres et, défiant la gravité, s'élevait jusqu'aux cieux, emportant dans son voyage magique, hors d'atteinte, sa cargaison intacte de fantômes gris.

Hanna et Katja ne pleurent pas, ne parlent pas. Elles se contentent de rester debout, là.

Enfin, Katja dit, en tirant doucement Hanna par la manche de sa chemise : «Nous devons y aller maintenant, nous avons beaucoup à faire aujourd'hui.» Elles ont bouclé le cercle, soit, mais elles ne sont pas encore arrivées à destination.

J'ai besoin d'être seule un moment.

Katja prend une inspiration, lente, douce, puis elle fait oui de la tête. Elle sait que ce n'est pas le moment de protester. Et il est inutile de discuter de ce qui reste à faire : elles l'ont déjà évoqué si souvent...

«Je ferai de mon mieux pour le retrouver, dit-elle. Prends soin de toi. Je reviendrai bientôt.»

70

La gare est déserte, maintenant. Les gens se sont égayés dans le sillage de la procession, la fanfare a remballé ses instruments et s'est dispersée, les quelques derniers ivrognes se sont remis debout tant bien que mal de leurs mares de pisse et de vomi. Seuls restent leurs rebuts. Hanna s'installe au coin d'une vaste *stoep*, le dos contre un pilier. Elle a le regard vide. Cet instant, s'aperçoit-elle avec une grande tristesse doublée, toutefois, d'une satisfaction intense, est sans doute le plus *nécessaire* de sa vie. Une vie qui paraît tout à coup infiniment plus longue qu'elle ne l'a été en réalité. Derrière l'angoisse et le tumulte de ses émotions se cache la conscience de l'inévitable. Elle ne *peut* pas avoir beaucoup plus à vivre. Mais elle a encore tant de souvenirs à mettre en ordre.

Elle se renverse en arrière et lève les yeux vers les frondaisons des palmes tout là-haut, devant le bâtiment en grès brun, à la toiture rouge. Enfin, elle est là où elle voulait être même si c'est très différent de ce qu'elle avait rêvé. Elle se remémore la première image de palmiers qu'elle avait vue dans la Bible des enfants, à l'orphelinat : comme elle l'avait enchantée, emmenée loin, vers des horizons qui n'avaient pas alors de noms, bien avant que, pendant les leçons de Fräulein Braunschweig, ces noms se missent à sonner comme le souvenir de cloches : Guadalquivir, Machu Picchu, Smolensk, Barbezieux, Paramatta, Ondangua, Omaruru, Otjiwarongo... Comme ils la calmaient, comme ils la réconfortaient dans le trou sombre où elle était enfermée, enfant, quand elle tombait malade, mourait et menait son armée de rats à l'assaut de l'escalier vers la chambre de Frau Agathe qui attendait, tout en noir. Son armée personnelle, glorieuse, de Chinon à Reims en passant par Poitiers et Orléans. En fermant les yeux, elle perçoit encore la voix douce et monotone de Fräulein Braunschweig qui lui faisait la lecture et récitait de la poésie. Les histoires de Jeanne, du jeune Werther, de Barbe-Bleue, de Cendrillon, du petit chevrier, des pauvres musiciens exclus de Brême, qui prirent leur revanche contre un monde inhospitalier. Une voix qui, imperceptiblement, faiblit, et prend un accent... irlandais ? Susan, avec son grain de beauté sous le nombril, dont le pipi mousse dans le sable, Susan qui plaque contre l'oreille de Hanna le coquillage qui va changer le cours de sa vie, un coquillage qui, bien au-delà de tout silence, rejoint l'avenir infini, tel un monde sans fin. Il y a les sons produits par «ses» voix : certaines dures et accusatrices; d'autres toutes mielleuses de méchanceté (*Approche-toi, mon enfant, voyons où tu essaies de cacher tes péchés. Veux-tu bien ôter ta chemise maintenant, je te promets de ne pas te toucher...*); les chuchotements aigus et rieurs de

Trixie, Spixie et Finny qui s'adressent à elle depuis les abîmes des Petits Enfants de Jésus, au plus profond de ses rêves ; le crissement des cigales ; le cri d'un *hadedah* au crépuscule, l'explosion d'un piano qu'on met en pièces.

Ses souvenirs ne sont pas seulement sonores. Elle se rappelle aussi des odeurs. Les odeurs de l'orphelinat (choucroute, poireaux, pommes de terre, têtes de poissons mises à bouillir dans un chaudron). Et, beaucoup plus tard, les effluves de la mer, le parfum des cheveux de Lotte, de l'amour de Lotte. Le tabac et la sueur rance du bureau de Swakopmund. Les effluves de Frauenstein : de cave, de moisi, de fantômes et de putréfaction, des menstrues des femmes. Et puis les odeurs de l'Afrique, sa sécheresse, ses buissons âcres, ses aloès amers, les feux dans le veld, la soudaine générosité de sa pluie, la pluie de Tookwi, la pluie du dieu clément Tsui-Goab, parfois féminin et doux, d'autres fois cruel, dévastateur, masculin.

Des goûts et des odeurs. Carottes chipées dans le jardin de l'orphelinat, avec de petits morceaux de boue gréseuse qui pendaient au bout. Pot-au-feu dans la cuisine accueillante de Fräulein Braunschweig. Côtes de *Kässler* avec Opa et Oma. Porc salé sur le bateau, la senteur marine de l'écume sous l'équateur. Les décoctions aigres et réparatrices de la vieille et sage Taras. Le bouillon du presbytère à la mission. Le goût de la pluie, d'un œuf d'autruche, d'un steak de viande de springbok grillée, d'une sauterelle.

Les odeurs... et les matières... Le bois ciré du bureau de la Herrenzimmer. La colonne grêlée contre laquelle elle appuie son visage lorsqu'elle se cache dans la cathédrale pour écouter l'orgue. Le lissé d'une pièce du jeu d'échecs, ébène ou ivoire, entre ses doigts. Les balcons en pierre de Frauenstein. La surface érodée de la roche en forme de femme qui, perpétuellement, regarde en arrière. La rugosité du sable dans le désert, l'aspect soyeux d'une feuille d'aloès. La poussière poudreuse de la mue d'un serpent.

Et la vue. Les gouttes de transpiration sur la lèvre supérieure du pasteur Ulrich. Les yeux de Frau Agathe, comme des boutons cousus sur la tête d'une poupée de chiffon. La bouche en cul de poule de Frau Knesebeck. Les pavés de Brême quand ils reluisent sous la pluie. Un coucher de soleil sanguinolent. La chaux blanchâtre de la petite église râblée de la mission. Le chapeau perché sur le crâne de Kahapa. La maigreur des filles du missionnaire. La spectaculaire explosion d'un fortin. La lente mais irrépressible avancée d'une tortue dans le veld. La douceur de la porcelaine d'une miniature ébréchée (un âne, un chien, un chat, un coq), exposée sur une commode assemblée grossièrement avec des allumettes, à la kermesse de la paroisse.

Tous les souvenirs subsumés dans ses nombreuses morts. Le noir encore vaguement perçu lorsqu'elle s'était réveillée la première fois dans la Hutfilterstrasse, avec la conscience qu'il devait y avoir eu autre chose avant, sans avoir jamais été capable d'en récupérer plus que des lambeaux, puis retour aux ténèbres... La cave à tourbe au sous-sol de l'orphelinat. Les pilules amères qu'elle a prises après la mort paisible du vieil Opa. La permutation d'identité avec Lotte. La nuit dans le train, quand

elle a vu les ceinturons que les soldats défaisaient.
Sa chute (son saut?) du chariot, sur la route de
Frauenstein. Sa perte de connaissance sous l'implacable soleil du désert. Son saut du haut du mur
d'enceinte, dans le fortin. Et, chaque fois, le retour
à la vie, parce qu'il y avait toujours une tâche à
achever.

Ses années aux Petits Enfants de Jésus : elle
mouillait son lit, on découvrait les mensonges de
ses nombreuses «histoires», elle allait se réfugier
auprès d'amies imaginaires, auprès de la lune ou
de l'endroit d'où souffle le vent ; les innombrables
occasions où on l'a battue ; la première fois où elle
a saigné, *Je crois que tu es en train de devenir une
femme*, lui confie Fräulein Braunschweig, qui lui
donne des linges et des livres. *Les Souffrances du
jeune Werther*. Toutes les années où elle a été
domestique : Herr Dieter posant la modeste pile
de pièces sur le coin de son bureau, les pattes de
mouches de la liste de péchés rédigée par Frau Hildegard ; le visage de Herr Ludwig à la lumière de
la lampe ; le fabuleux instrument de musique
d'Opa, qui ne produit aucun son ; Frau Sprandel à
la longue table avec la lampe derrière : *Tant que tu
n'attends pas trop de tes palmiers!* Et la traversée : les
poissons volants, argentés, l'eau phosphorescente,
la houle qui soupire dans sa torpeur équatoriale, et
le souffle de Lotte à son oreille, puis son corps
enveloppé dans la toile et jeté dans les flots noirs.
L'homme à qui elle est dévolue dans le morne
bureau de Swakopmund, sa tête étroite, ses grosses
mains, sa voix rauque : *Tout ce qu'il faut, c'est un
peu de fermeté. Il y a des moyens!* Ensuite, les
hommes avec leurs couteaux, leurs ceinturons et

le morceau de bois rugueux. Le balancement, les cahots du chariot. Son réveil au milieu des Nama, de leurs herbes et de leurs contes. Tout un pays, un continent d'histoires. La belle et vaniteuse Xurisib, la voie lactée de Tsui-Goab. L'omumbo-rumbonga, duquel le premier homme et la première femme ont été tirés. Frauenstein et sa source cachée où est dissimulé un cadavre, retourné à son état d'ossements, depuis le temps. Frauenstein, avec ses dunes ridées qui envahissaient le rez-de-chaussée de l'énorme bâtisse, les miroirs mouchetés, les sombres espaces vides, les femmes stériles. Ses tentatives pour transmettre son histoire par écrit à Frau Knesebeck, pour trouver quelqu'un qui la lise : tout ça parti en fumée. Tant de choses sont parties en fumée, ces derniers mois... Et puis, cette fameuse nuit après que les vociférations et les galopades des militaires se furent calmées, le *boum boum boum* d'une tête tirée dans l'escalier. Katja recroquevillée, nue, dans un angle de la chambre. La vérité de son propre visage, de son corps, pour la première fois depuis des années, dans la glace, à la lueur de la bougie. Cette unique fois, il lui fallait se regarder en face, ne rien esquiver. Et puis dehors, dans le vaste désert, et la voix dans son dos, qui lui demande : *Où vas-tu ? Ô,* mon Dieu, la petite Katja ! Comment aurait-on pu imaginer ce qui allait arriver ? Les premiers temps, quand elles se nourrissaient de tsammas, de tortues, de racines et, parfois, de miel. Les spirales des vautours au-dessus de la fourmilière et le corps mutilé de Kahapa. *La manière allemande.* La rage d'Albert Gruber, la tombe anonyme qui contenait les ossements d'une femme qui jadis avait joué du piano.

La pitoyable oasis de la mission, les prières dans l'église, les nuits étouffantes du presbytère, le minuscule cercueil dans la tombe trop peu profonde.

Hanna passe ses troupes en revue : Kahapa le puissant, qui ne craignait personne et l'a tenue dans ses bras et qui, plus tard, a été dépecé vivant; Himba, le guerrier blessé, qui, prenant d'assaut, tout seul, un fortin, a attiré le feu sur lui; Kamma qui dispensait la vie et la mort avec ses potions; le singe triste T'Kamkhab et son épouse qui bouillait intérieurement, jouets de l'armée d'occupation; Tookwi qui a fait venir la pluie quand ils en ont eu besoin, pluie-vache miséricordieuse, suivie par la furie d'une pluie-taureau; la femme de la Mort, Koo, qui ne trouva jamais les ossements de son enfant et ne laissa même pas les siens derrière elle; et Gisela, au profil crochu, les yeux éteints, se repaissant brièvement de violence, avant que celle-ci ne la dépasse.

Et voilà, il ne reste plus que Katja et elle-même. Katja, amourachée de son beau Werner avec qui elle a fait l'amour sans quitter ses souliers, son beau Werner, qu'elle a tué et dont elle porte l'enfant désormais. Oh, ma Katja, ma fillette, ma Lotte ressuscitée, mon jeune moi-même à la longue chevelure. «Jusqu'où irons-nous? Jusqu'à ce qu'il arrive quoi?» *Jusqu'à ce que nous apprenions ce qu'il y a au-delà...* «Et à supposer que ça ne se termine jamais?» *Alors, au moins, nous aurons appris ce qu'est le désert.*

Tout ça (cette vie, écrite sur son corps, dans son sang) rassemblé autour d'une haine qui n'est peut-être plus de mise, réduit... à quoi? Son moi silencieux assis là dans l'angle d'une spacieuse *stoep*

436

déserte, une stoep qu'ont foulée des générations de femmes en marche vers leur propre version des palmiers au soleil. Qui saura jamais quoi que ce soit d'elles ? Qui sait quoi que ce soit de Hanna ? Une femme seule contre le Reich, contre le monde. Katja, Katja. Comprendras-tu jamais ? Est-ce que je comprendrai jamais moi-même ? Être folle dans cet endroit est le seul bon sens possible.

71

Elle est encore assise sur la stoep lorsque, en fin d'après-midi, Katja revient.

«Nous devons aller trouver quelque chose à manger, dit la jeune femme. Tu dois être épuisée.»

Hanna se contente de hocher la tête. La grimace de sa bouche balafrée montre qu'elle sourit.

As-tu trouvé quelque chose?

Katja garde le silence. Hanna connaît la réponse : *L'homme est rentré en Allemagne il y a des années.* Ou bien : *Personne ne se souvient de lui. Quand j'ai demandé s'ils connaissaient le Hauptmann Heinrich Böhlke, ils ont simplement fait non de la tête.*

Mais la réponse de Katja est autre. Elle s'assoit près de Hanna et, lui prenant une main dans les siennes, dit ceci : «Oui, je l'ai trouvé. Je lui ai parlé. Il te verra demain.»

Comment diable as-tu réussi?

Katja hausse les épaules. «J'ai parlé à des soldats. Ils m'ont envoyée à d'autres, à leurs supérieurs. En fin de compte, on m'a emmenée au quartier général. Je leur ai raconté que j'étais la fille de la sœur du Hauptmann Böhlke, que je venais d'arriver de Hambourg, que j'avais un message pour lui.»

Mais comment ont-ils pu te croire... ?

« Les hommes sont tellement crédules, surtout dans les climats chauds », répond simplement Katja. Puis elle repousse en arrière sa longue chevelure et sourit. Malgré sa pâleur, ses joues creuses, il y a en elle un rayonnement qui frappe Hanna comme un dard. Cet éclat, elle l'a déjà vu, elle partage la vie de cette jeune personne depuis si longtemps maintenant, elles ont tant partagé... et pourtant, elle continue de l'étonner.

Tu dis... demain... ?

« Le matin. À dix heures. Je lui ai dit que je viendrais accompagnée : une femme qu'il n'a pas vue depuis longtemps et qui a parcouru un long chemin pour venir le voir. Tu ne peux pas savoir combien cela l'a intrigué. »

Au moment où Katja tend les bras pour aider Hanna à se lever, un homme approche d'elles. Il pousse une brouette branlante, chargée de peaux à ras bord. Perché sur le tas : un petit singe vervet au visage noir et parcheminé de vieillard. Quand l'homme aperçoit les femmes, il s'arrête et ôte son chapeau tyrolien, révélant des cheveux gris en bataille : vision incongrue dans la réverbération poussiéreuse d'une fin de journée africaine.

« *Guten Tag, meine Damen.* »

Katja lui adresse un hochement de tête plein de défiance. Hanna ne répond pas, elle prend le bras de Katja et se prépare à quitter les lieux, raide comme un piquet.

« Vous devez avoir beaucoup marché », remarque-t-il en essuyant la sueur de son front avec sa manche. Il a les traits tirés. Ses vêtements (veste et ample pantalon en velours) sont propres mais élimés; par contre, en contradiction avec ses airs de chien battu, ses bottes sont parfaitement cirées et, dans ses yeux enfoncés sous des sourcils épais, brille une lueur quasiment puérile.

Hanna tire Katja par la manche mais la jeune femme, manifestement intriguée par l'apparence de l'homme, cherche à le provoquer : «Qu'est-ce qui vous fait croire que nous avons beaucoup marché?»

Remettant son petit chapeau comique, il répond : «Vos chaussures. Elles sont en piteux état.

— Vous avez le sens de l'observation.

— C'est mon travail. Je suis cordonnier. Le meilleur de Windhoek.

— Vous semblez bien sûr de vous.

— C'est parce que je suis le seul en ville, voilà pourquoi!» Il ôte son chapeau derechef et fait la révérence. «Siggi Fischer, annonce-t-il, au service de ces dames.»

Hanna transmet rapidement un message à Katja, qui le traduit : «Merci, Herr Fischer, mais nous devons partir.

— Avez-vous un endroit où aller?

— Non, mais..., commence Katja avant que Hanna ne la tire par la manche.

— Vous avez toutes deux l'air bien fatigué, s'interpose Siggi Fischer. Pourquoi ne viendriez-vous pas chez moi? Nul doute que vous êtes habituées à plus de confort mais c'est propre et vous aurez un lit et pourrez prendre un bain. J'héberge souvent des gens qui n'ont nulle part où aller. J'habite très près d'ici.» Un sourire presque espiègle. «Bien sûr, à Windhoek, rien n'est loin. Il n'y a que quatre rues!»

Nous avons une grosse journée demain, lui fait dire sèchement Hanna par l'intermédiaire de Katja. *Nous avons rendez-vous avec un personnage important à dix heures. Et nous devons encore retourner à nos chevaux. Ils sont restés attachés toute la journée.*

«Où sont-ils donc, vos chevaux?»

Là-haut sur la crête, dans les arbres.

«Pauvres bêtes...» Il ferme un œil et pousse son chapeau pour se gratter la tête. «Puis-je vous faire une proposition? Vous pouvez venir chez moi vous reposer et, moi, j'irai chercher vos chevaux. Après quoi, je pourrai vous préparer le dîner... Rien d'extraordinaire, je vous avertis, je ne suis pas riche. Cette nuit, quand vous dormirez, je réparerai vos souliers. Ils sont vraiment dans un triste état.

— Nous n'avons pas de quoi vous payer, dit Katja dans un souffle, mais, de toute évidence, elle trouve difficile de refouler le désir soudain de confort (aussi minime soit-il) qu'il a éveillé en elle.

— Est-ce que je vous ai demandé de l'argent?» rétorque-t-il, feignant l'indignation.

Pourquoi vous donneriez-vous tant de mal? demande Hanna par l'entremise de Katja. *Vous ne nous connaissez même pas.*

«Je vais vous dire pourquoi, répond Siggi Fischer, levant la main d'un geste théâtral. Nous voyons si peu de têtes inconnues ici. Hormis les militaires, naturellement, qui vont et viennent... et, d'ailleurs, d'ordinaire, ils restent entre eux. Et c'est tout aussi bien, si vous voulez mon avis.»

Il parle trop, indique Hanna par gestes à Katja. *Nous devons nous reposer ce soir.*

«La nuit sera très longue si nous restons seules, répond la jeune femme à voix basse.

– Est-elle malade? s'enquiert le cordonnier, indiquant Hanna d'un geste. Pourquoi ne parle-t-elle pas?

– Elle a eu un accident, dit Katja. Elle a perdu la langue.

– Tss, tss...» Il dodeline de la tête. Avant de reprendre sur un ton prosaïque : «Voici ce que je vous propose! Vous pourrez prendre un bain chez moi pendant que j'irai chercher vos chevaux. Et, à mon retour, vous me direz si vous voulez rester.»

C'est à ce moment que le petit singe quitte le sommet de la brouette pour sauter sur l'épaule de Katja. Un instant, poussant un cri, elle se raidit de peur, mais elle comprend vite qu'il l'embrasse en poussant de menus cris de nourrisson.

«Voyez, Bismarck vous aime», dit Siggi.

Ce qui semble régler l'affaire. Hanna est loin d'être convaincue mais elle accepte néanmoins, quoique à contrecœur, de dormir dans la modeste bicoque en tôle ondulée aux abords de la ville, tandis que le cordonnier s'en va chercher leurs chevaux. Katja fait chauffer l'eau du chauffe-eau en cuivre dans la cuisine et prépare un bain. Il y a une baignoire en étain. Hanna prend son bain la première, pendant que Katja prépare le café Celle-ci se rend compte que c'est la première fois qu'elle voit Hanna nue et elle est choquée. Pas tant par les traces des sévices anciens, coupures et sutures, quelque atroces qu'elles soient (les balafres, les crêtes de peau sur le ventre et les seins, les cica-trices où se trouvaient autrefois les tétons), pas tant par cela que par la silhouette squelettique, la façon dont la peau s'accroche aux os, les motifs de la cage thoracique et des hanches, la protubérance du sexe feutré. Hanna ne fait aucun effort pour se cacher. Tandis qu'elle se lave avec le savon grossier que Siggi leur a procuré, on dirait presque que Hanna s'exhibe. (*Regarde, regarde bien, c'est moi, ça.*) Ensuite, elle reste droite pour que Katja lui verse dessus de l'eau propre et chaude. Elle se tient là les yeux fermés, tête rejetée en arrière, pieds écartés, pour que l'eau coule sur tout son corps : immersion et purification, c'est la sensation la plus proche de la volupté qu'elle ait ressentie depuis des années.

Et puis, encore nue, à son tour, elle lave Katja. Le corps adolescent a commencé à s'étoffer, anticipant une lourdeur de femme mûre à la taille, la poitrine plus fournie que naguère, les aréoles larges et sombres, le ventre témoignant du premier renflement de la grossesse.

Pendant un instant, instinctivement, mal à l'aise, Katja recouvre ses seins avec les mains. «J'ai beaucoup changé, dit-elle, rougissant. Je ne ressemble plus à ce que j'étais avant.»

Tu es belle.

«Non, je ne suis pas belle. Je suis juste une femme.»

Hanna poursuit le bain rituel, les rites de purification, une longue caresse attentive, presque amoureuse. C'est la mère et son enfant, ou une femme avec une autre femme, chacune reconnaissant dans l'autre la mortalité de tout être. En un sens, c'est un adieu qui se prolonge, parce que, au-delà du lendemain, il n'y a que les ténèbres de l'inconnu. Elles sont allées si loin ; il ne reste plus qu'une longueur à franchir, et ce sont là les préparatifs.

Elles sont si propres, tellement neuves et liquides, qu'il est presque dommage de remettre leurs habits poussiéreux et froissés. Elles demeurent donc au moins pieds nus : elles se sentent coupables après ce que le cordonnier a dit de leurs chaussures.

Ensemble, elles nettoient la cuisine et lessivent le sol, avant d'explorer la maisonnette. Qui est vraiment modeste, en effet. Hormis la cuisine, il n'y a qu'une petite pièce tout en longueur qui sert manifestement de salon, de salle à manger et d'atelier tout à la fois ; à l'extrémité, il y a une minuscule chambre à coucher. La pièce côté rue est encombrée des signes du métier de leur hôte : empeignes, enclumes, marteaux, alênes et autres outils de toutes formes et tailles, un large établi très abîmé d'avoir tant servi, dont il est évident qu'il sert également de table à manger, des étagères remplies de souliers finis ou pas, des crochets au mur, d'où pendent des harnais, des selles et des brides, des piles et des ballots de peaux par terre, le tout imprégné de l'odeur du cuir, de l'huile de lin et de la cire.

La chambre est en grande partie occupée par l'énorme lit en bois verni sombre. La tenture du dais est poussiéreuse, mais les draps sont étonnamment frais et amidonnés ; le matelas doit être fourré de plumes car il est bien rebondi. Près du lit, un berceau est empli de livres et de journaux. Le mur opposé n'est orné que d'un seul tableau, une gravure maculée, qui doit représenter les Alpes. Sur la table de chevet, il y a une photographie jaunie, dans un cadre trop lourd, qui montre le visage d'une femme, les traits effacés jusqu'à n'être plus qu'un flou.

Tout est tellement ordinaire ici! Mais c'est ce caractère ordinaire qui choque les deux femmes. Tout est trop irréel, ridicule, absurde dans sa banalité : cela appartient trop manifestement à un monde qui doit avoir suivi son propre cours tandis que leurs vies, à elles, se déroulaient dans une tout autre dimension. Sans doute ont-elles la même pensée : ce doit être la première fois depuis Dieu sait combien de mois qu'elles se retrouvent en un lieu où elles n'ont pas à ourdir la mort de leur hôte.

Pour Hanna, c'en est trop. *Dès qu'il revient, nous devrons partir. Nous ne pouvons pas rester. Ce n'est pas correct.*

C'est alors qu'elle remarque l'objet dont la présence change tout, même s'il n'est guère moins ordinaire que tout le reste. Dans l'angle, près de la porte, il y a un guéridon branlant avec une chaise tirée dessous : sur la surface à damier, les pièces d'un jeu d'échecs de facture grossière. La partie semble être en cours : plusieurs pièces sont renversées mais d'autres sont installées de façon irrégulière sur l'échiquier. Par-delà les ans, tel le souvenir d'une voix jadis aimée, un son enfermé dans un coquillage, remonte la vision du visage de Herr Ludwig moulé par la lumière de sa lampe : le nez aquilin, la bouche triste, douce, le menton volontaire, les ridules autour des yeux. Il observe les mains de Hanna qui flottent au-dessus de l'échiquier, un fou noir entre le pouce et l'index. Elle le déplace, non pas vers le mat prévisible de son adversaire mais selon une tangente. Elle entend l'écho lointain de sa voix, qui lui demande : «Qu'as-tu fait?» Et sa réponse, maîtrisée, calme : «Vous avez gagné.»

Hanna manie une tour noire délaissée de l'échiquier de Siggi Fischer, toute lisse d'avoir été tant manipulée, lorsqu'elle entend un bruit. Le cordonnier au petit corps nerveux entre dans la cuisine et traverse le joyeux capharnaüm du salon pour rejoindre les deux femmes. Le singe, perché sur son épaule, saute sur celle de Katja quand il arrive au seuil de la chambre.

La première pensée de Hanna est qu'elle n'a pas son kappie; d'un geste involontaire, elle met les mains au visage. Mais leur hôte semble ne rien avoir remarqué.

«J'ai donné à boire aux chevaux, dit-il, et, en regardant la tour dans la main de Hanna : Je vois que vous avez trouvé l'échiquier. Vous savez jouer?»

Hanna se détourne, faisant oui de la tête, cédant à la panique, tant elle est gênée. Elle indique à Katja d'expliquer à leur hôte : *Veuillez m'excuser, il faut que je mette mon kappie.*

«Vous n'en avez pas besoin à l'intérieur, n'est-ce pas?»

Étonnée, Hanna lui jette un regard : rien dans l'attitude de l'homme ne montre qu'il soit gêné par son apparence.

Comme s'il l'avait prise la main dans le sac, elle lui tend la tour. *Je suis navrée. Je ne voulais pas déranger le jeu. On dirait que votre partie a été interrompue.*

«Je ne joue que contre moi-même.» Il sourit. «Et je perds toujours. Peut-être accepterez-vous de vous joindre à moi après le dîner.» Il marque une pause. «J'espère que vous avez décidé de rester.» Son regard passe de l'une à l'autre.

«Où dormirez-vous si nous restons? s'enquiert Katja.

— Je préparerai un lit sur l'établi. C'est ce que je fais toujours quand j'ai des visiteurs. Non que j'en aie beaucoup!

— Nous serons heureuses de rester, alors», répond Katja sans consulter Hanna. Elle sent que sa compagne se raidit un instant à son côté, puis qu'elle se relâche, poussant ce qui pourrait être un soupir de résignation.

«Parfait.» Il roule amoureusement la tour entre pouce et index. «Pas vraiment un chef-d'œuvre mais il remplit bien sa fonction.

— Est-ce vous qui l'avez fabriqué?

— Non, c'est ma femme. Elle était ovambo. Elle est morte il y a trois ans.

— Je suis désolée...»

Il hausse les épaules. «On s'habitue à la solitude. On s'habitue à tout. Au début, ç'a été dur. Mais cela fait du bien d'avoir de la visite. Même si j'ai toujours été plutôt solitaire.»

Il est arrivé de Bavière il y a vingt ans. Originaire d'un hameau de montagne, Bayerisch Zell. Il avait hâte de voir le monde et, à l'époque, à la fin des années 1880, on parlait beaucoup de l'exotique et sauvage colonie allemande, le Sud-Ouest africain, et de ses trésors mirifiques. La réalité s'était révélée tout autre. Ce qui ne l'a pas empêché de tomber sous le charme de l'endroit, de ses grands espaces, de la sobriété de ses paysages ponctués de soudaines explosions d'une extravagante beauté au crépuscule, des fleurs du désert, des dunes rouges mouvantes, des migrations des hordes d'antilopes. Après avoir prospecté pendant plusieurs années, il avait acheté une ferme près de Tsumeb, dans le Nord. La décision finale lui avait été retirée lorsque la fiancée qu'il avait laissée en Bavière, et qui devait le suivre en Afrique dès qu'il se serait installé, écrivit une lettre (qui avait mis quatre mois pour lui arriver) dans laquelle elle lui annonçait avoir épousé un autre homme. C'est sa photographie, là, sur la table de chevet.

Tandis qu'il raconte son histoire, avec tout l'entrain d'un homme qui n'a pas eu l'occasion de se décharger de son fardeau pendant des mois, ils passent tous trois à la cuisine, où les femmes l'aident à préparer des *Knödel* pour le dîner.

«Et quand avez-vous rencontré votre épouse? demande Katja.

— Kaguti?» Il se met à remuer vigoureusement le chaudron posé à même l'âtre. «C'était la fille d'un chef. C'est à lui que j'ai acheté ma ferme. J'ai eu le coup de foudre. Mais elle n'a pas été facile à persuader. Pas plus que son père, d'ailleurs. J'ai dû travailler pour lui pendant des années. Enfin, elle est venue vivre avec moi et ç'a été merveilleux. Le problème était que nos voisins blancs nous ignoraient. Et certains de son peuple ne nous acceptèrent pas non plus. Cela a empiré après la mort de son père. Notre ferme fut attaquée plusieurs fois et, en plusieurs occasions, nous perdîmes tout notre bétail, parfois au profit des Ovambo..., d'autres fois à celui des Allemands. Ce pays est vaste et pourtant il n'y avait pas de place pour nous. À la fin, nous avons décidé de nous installer ici, à Windhoek. Nous étions encore des proscrits mais nous nous sommes fait quelques amis. Et les gens ont commencé à acheter mes chaussures, mes selles et mes brides. Kaguti est devenue blanchisseuse et elle fabriquait des figurines en bois, comme cet échiquier. Nous jouions tous les soirs, elle était excellente. Mais elle est morte.

– Qu'est-il arrivé à vos enfants? s'enquiert Katja.

– Nous n'en avons pas eu.

– Et le berceau dans la chambre?

– Il n'a jamais servi. » Un instant, il semble vouloir ajouter quelque chose, avant de renoncer.

Le repas est prêt, mais Hanna veut d'abord nourrir les chevaux. Siggi a de l'avoine qu'il leur assure être là pour de telles occasions. Sur quoi, ils passent à table ; une portion de l'établi a été dégagée à cette fin.

Katja veut servir Siggi le premier mais il refuse, indigné : « Je me sers toujours en dernier, même lorsque je suis seul. »

Les Knödel collent et ne sont pas très goûteux mais les femmes n'ont pas mangé de la journée ; et la nourriture est servie avec un tel enthousiasme qu'on dirait un banquet. Elles ne s'arrêtent de manger que lorsqu'il ne reste rien dans le plat.

Après qu'ils ont fait la vaisselle, Siggi apporte le guéridon du jeu d'échecs dans le salon. Il dispose les pièces et regarde Hanna.

« Vous serez ma partenaire ? »

Katja sent monter l'angoisse en elle. Une partie de Hanna veut se retenir, refuser carrément ; en même temps, elle éprouve un désir qu'elle n'a pas ressenti depuis des années. En fin de compte, sans un bruit, elle s'assoit. Elle sait que ses mains trem-blent.

J'ai presque tout oublié, essaie-t-elle de dire par l'entremise de Katja.

Siggi abaisse le regard sur elle puis tire une chaise pour lui-même. «Cela reviendra vite», dit-il d'un air encourageant.

Elle se rend compte qu'elle n'a toujours pas remis son kappie. Il est trop tard pour cela. Mais elle se sent très exposée lorsqu'elle pousse sa pre-mière pièce. Planifie ton jeu comme une cam-pagne militaire, disait Herr Ludwig. Mais elle n'arrive pas à se concentrer. Et quelque chose en elle se révolte contre l'idée d'une campagne, toute campagne, en cet instant précis; elle en a trop fait, des campagnes, et elle ne sait plus trop où cela l'a menée. Pourtant, le désir de jouer doit être chez elle une passion aussi grande que, chez d'autres, le désir de faire l'amour. Elle a les joues en feu. Mais elle n'arrive toujours pas à se concentrer. Et elle ne peut pas davantage renoncer, maintenant qu'elle a commencé.

Assise à l'établi, Katja, qui l'observe, devine la terrible tension qui monte en Hanna, mais elle est incapable de comprendre exactement ce qui arrive.

Avant longtemps (ils ne jouent pas depuis une heure), Hanna se rend compte que sa situation est désespérée. Elle va perdre, et elle n'a plus le talent de se sortir de sa mauvaise passe.

Katja la voit de plus en plus agitée, claustro-phobe. Soudain, avec un vigoureux mouvement de tête, Hanna se lève d'un bond.

J'arrête, fait-elle dire à Katja, qui transmet le message à Siggi.

«Alors, nous arrêtons, dit-il, affable, laissant tomber ses longues mains sur le côté. Je suis certain que vous êtes très lasses. Ce n'était pas courtois de ma part.» Le singe, qui est remonté sur l'épaule de son maître, chuchote un roman à son oreille. L'homme pose une main sur l'épaule de Hanna, feignant de ne point voir combien elle se rétracte. «Nous n'avons pas besoin de gagnant et de perdant», dit-il.

Hanna serre les dents si fort que cela lui fait mal. D'un bref mouvement du menton, elle désigne la chambre et sort précipitamment.

Katja jette un regard à Siggi. «Laissez-moi vous aider à faire votre lit», propose-t-elle.

Il fait non de la tête. «J'ai du travail, lui rappelle-t-il en se penchant pour ramasser les deux paires de souliers usés qu'il a laissées sur le seuil de la cuisine.

— Vous ne pouvez pas faire ça maintenant, proteste-t-elle.

— C'est la nuit que je travaille le mieux, l'assure-t-il. Allez-y.» Il monte la flamme de la lampe. Le singe trouve à se jucher sur une pile d'empeignes. Ces deux-là sont manifestement rompus à cette routine.

Katja ferme la porte de la chambre derrière elle. Un instant, elle pose son front contre la froide dureté du mur, accablée par le poids de la fatigue. «Je me sens en sécurité ici», lâche-t-elle dans un murmure.

Hanna ne répond pas. Elle s'est déjà installée dans le grand lit, en chemise de nuit, et s'est enfoncée dans le matelas de plumes, sous l'édredon.

Katja ôte sa robe et se glisse à côté d'elle. Elle se penche pour embrasser sa compagne, submergée soudain par des pensées dont elle n'était même pas consciente. Hanna réagit succinctement. Ses paupières closes frémissent. Mais elle ne fait aucun effort pour communiquer. Katja souffle la chandelle. Cette longue journée, ces longs mois se détachent d'elles. L'espace obscur est empli par un je-ne-sais-quoi qu'elles ne peuvent pas, n'osent pas exprimer. Pas encore, plus jamais.

Du salon proviennent de menus bruits : frottements, grattements, froissements. De temps à autre, on marmotte : la voix de Siggi; en réponse, un mince babil du singe. La respiration de Katja devient plus profonde au fil des heures. Hanna passe une nuit blanche.

Au-delà du silence de la maison, elle reste consciente des sons vivants, mobiles, de la ville. Après des mois passés dans le désert, elle est soumise à une conscience permanente de nombreuses choses qui se passent sous le seuil de l'ouïe. Régulièrement, ce bourdonnement indistinct, en dents de scie, est interrompu, soudain, par des sons plus acérés. Le miaulement de deux chats en rut dans la cour. Un chien qui aboie. Au loin, que Dieu me vienne en aide, jusqu'au braiment d'un âne! Hanna sent un sourire amer se former aux alentours de sa bouche blessée, et elle songe : seul manque le coq, et puis la petite troupe de musiciens sera complète.

La dernière fois qu'elles ont dormi dans une maison, c'était au presbytère de la mission rhénane. Mais c'est tellement différent, ici! Il y a tout lieu de croire, comme l'a remarqué Katja, qu'elles sont en sécurité.

Plus tard, les sons mats du salon s'estompent à leur tour. Le filet de lumière sous la porte disparaît. La maison sombre dans le sommeil, marmonnant de temps à autre : craquement des plaques de tôle ondulée, des lourdes poutres et, peut-être, courses folles de souris – sinon d'elfes qui, à la faveur de l'obscurité, viennent en secret compléter le travail du cordonnier.

Toute une existence s'enveloppe autour d'elle, aussi proche désormais que le corps de Katja endormie. Qu'elle était charmante, debout dans la petite baignoire ! *Je ne suis pas belle. Je ne suis qu'une femme.* Elle aussi, jadis, qui sait ? Elle n'a pas toujours ressemblé à ceci !

Mais tout, maintenant, arrive à son terme. Plus que cette nuit, et demain... Herr Hauptmann Heinrich Böhlke. Il a promis qu'il serait là. À dix heures. Pour rencontrer cette femme qui a parcouru un long chemin pour le revoir.

Qu'a dit le petit cordonnier aux muscles noueux ?... *Pas besoin de gagnant.* Elle repousse l'idée, presque avec colère. Que connaît-il de sa vie ?

Pourtant, il a souffert aussi, même si on ne s'en aperçoit qu'aux franges de ses paroles : la fiancée dont il garde le portrait fané sur sa table de chevet ; les raids contre sa ferme, le vol de bétail à plusieurs reprises, quelquefois par les Ovambo, quelquefois par les Allemands ; lui et sa femme, rejetés par les uns et les autres ; et puis sa mort, à elle. Comment ? Pourquoi ? Elle l'a laissé si seul qu'il invite n'importe quels inconnus à venir passer la nuit chez lui.

453

Son seul compagnon est un petit singe au visage noir, qui répond au nom de Bismarck.

Elle est encore éveillée quand les coqs se mettent à chanter (ça y est, les voilà!) et que le jour se lève. Mais elle ne veut pas déranger Katja. Elle aura peut-être besoin de toute son énergie pour ce qui l'attend et qu'elle n'évalue pas encore. Ce silence est tellement reposant. Il ne durera pas.

Quand elles se lèvent, le petit déjeuner les attend déjà. Du pain bis et du fromage de chèvre. Des bols de café. Bismarck bavarde, tout excité.

Sur le bord de l'établi sont posés leurs souliers, munis de nouvelles semelles toutes lisses, cousues délicatement aux extrémités, crêpes déchirés réparés. Ils sont tout brillants, tant ils sont cirés.

«Si vous avez quelque chose d'important à faire aujourd'hui, comme vous me l'avez dit, dit Siggi, tout fier, au moins vous serez bien chaussées. Avec une paire de bons souliers, vous n'aurez rien à craindre.»

72

Tous ces documents, les anciennes livraisons de l'*Afrika Post*, la correspondance, les registres de Frauenstein, les rapports de police... et, malgré tout, avec rien de plus qu'un nom seulement à demi dévoilé par l'histoire – Hanna X –, que peut-on conclure? S'il y avait eu un procès pour boucler l'affaire, tout aurait été consigné par l'histoire écrite. Mais, comme je l'ai expliqué au début de ce récit, l'option malheureuse choisie par l'officier allemand a empêché un procès d'avoir lieu et, par la suite, les machinations du pouvoir ont empêché de porter l'histoire à la connaissance du public – car il fallait protéger l'honneur de l'Empire. De ce fait, toute mon enquête (commencée à Windhoek, poursuivie à Brême et Hambourg, reprise en Namibie) ne pouvait s'achever que dans la conjecture. Mais, étant allé si loin, je ne puis faire machine arrière ou abandonner la quête. Ayant suivi Hanna et Katja jusqu'à Windhoek, je n'ai guère le choix que d'imaginer la suite. Un récit est entraîné par son propre poids et exige d'être mené à sa conclusion. C'est pourquoi les deux femmes quitteront l'humble demeure du cordonnier Siggı Fischer tôt ce vendredi matin de novembre 1906, pour aller à ce qui est devenu un rendez-vous avec leur destin. Avant que Hanna X soit rendue au silence d'où elle a émergé, un dernier chapitre doit être écrit, dont le décor sera, forcément, le vaste bâtiment en grès du quartier général de l'armée où Katja a rencontré le Hauptmann Heinrich Böhlke la veille.

73

C'est un homme de petite taille qui porte monocle, assis dans un gros fauteuil recouvert de cuir, derrière un énorme bureau, au fond d'une grande pièce tout en longueur, au plafond bas. Il est presque chauve, il a une moustache fine et son hâle laisse transparaître une pâleur maladive. Quand on fait entrer les deux femmes, il se lève et s'approche d'elles, raide ; il fait signe au planton de sortir, donne l'ordre qu'on ne le dérange pas pendant son entretien avec ses visiteuses.

Devant Katja, il s'incline de la manière la plus officielle qui soit, lui fait le baisemain, sans toutefois poser les lèvres sur la peau. Peut-être n'aime-t-il pas le contact physique.

«Fräulein.»

Et de se tourner vers Hanna. Comme le visage de celle-ci est dissimulé par le long promontoire de son kappie, il ne lui adresse qu'un hochement de tête pour la forme.

«Il semblerait que nous nous soyons déjà rencontrés ?

— Elle ne peut parler, dit Katja. Peut-être ai-je oublié de le préciser hier ?

– Ah bon?» Il paraît déçu. «Je ne crois pas que vous m'ayez prévenu.

– Je suis sûre que vous vous souvenez d'elle.»

Il leur fait signe de s'installer dans deux grands fauteuils, recouverts, comme le sien, de cuir rouge foncé. Mais elles ne bougent pas.

«Puis-je vous demander, Fräulein...?» Il semble perplexe. Pour la première fois, un soupçon se glisse dans sa voix, qui est légèrement voilée, sans doute parce qu'il beugle des ordres depuis tant d'années...

C'est alors que Hanna dénoue son kappie, le retire et le laisse tomber par terre, comme pour s'en débarrasser.

Il la dévisage, recule d'un pas. Toutefois, il ne donne aucun signe pouvant laisser penser qu'il la reconnaît; comment le pourrait-il, d'ailleurs?

«Hauptmann Böhlke», fait Katja, en se penchant pour relever sa longue jupe. Incrédule, il la fixe du regard. Et d'autant plus lorsque, de dessous ses vêtements, d'un coup, elle sort vivement un Luger qu'elle dirige contre lui. Il se tourne vers Hanna : elle a fait de même.

«Écoutez...

– Tais-toi, dit Katja tranquillement. Si tu fais un bruit, je te tue.

– Je ne comprends pas.»

Hanna fait un geste bref en direction de Katja.

«Tourne-toi, lui ordonne la jeune femme. Les mains dans le dos! Nous allons devoir t'attacher.

– Mais...»

Hanna ne perd pas de temps – comme un serpent qui bondit. La crosse du Luger frappe la tempe. Instinctivement, poing serré, il porte le bras à la tête.

«Ne tente pas ce genre de chose», lâche Katja.

Il a perdu son monocle. Ses yeux, soudain mis à nu, sont rivés sur l'arme qu'elle a à la main tandis que, à contrecœur, il met les bras dans le dos. Hanna avait enroulé sous sa robe une longueur de corde autour de sa taille. Il ne lui faut pas longtemps pour le ligoter. Puis elle le bâillonne.

«Pourquoi ne pas tout simplement le tuer et en terminer?» demande Katja, haletante.

Hanna secoue la tête et fait une grimace. *Nous ne sommes pas pressées.* Elle reprend l'arme qu'elle avait posée sur le fauteuil pour l'attacher. *Déshabille-le.*

«Que vas-tu faire maintenant?» demande Katja, choquée. Elles n'ont jamais évoqué cette éventualité.

Déshabille-le. Sers-toi de ton couteau s'il le faut.

Abasourdie, Katja n'ose désobéir. En deux minutes, Herr Hauptmann Heinrich Böhlke se retrouve nu comme un ver. Il a les pieds très blancs. Les ongles de ses orteils sont jaunis. Curieux, le genre de détails qu'on remarque dans des moments pareils! Il a un peu de ventre, ce qui ne sied pas à la délicatesse de sa charpente. Hanna scrute sans complexe son pénis, un petit machin noirci et ratatiné : on dirait, songe-t-elle, ce qui est resté de sa langue... Est-ce que tout peut vraiment se résumer à ça? Ce misérable appendice est-il vraiment la source de toute l'affaire? Toute la souffrance, l'agonie, l'enfer, ces années... Pour ça! *Quand je...* Non, on ne peut pas répéter cette phrase. C'est tellement lamentable.

Katja devine peut-être sa confusion. «Qu'est-ce qu'on fait maintenant?» demande-t-elle. Elle est d'une pâleur extrême.

Hanna lui fait un signe : *Maintenant, tu dois me le laisser.*

«Où dois-je t'attendre?» s'enquiert la jeune femme, hésitante, dubitative, inquiète.

Je ne te reverrai pas, Katja. Tu dois partir. Assure-toi que personne, personne, m'entends-tu?... ne te retrouve. Rentre chez Siggi, il t'aidera. Coupe-toi les cheveux, fais-toi un chignon, revêts des habits d'homme, fais quelque chose. N'importe quoi. Mais débrouille-toi pour échapper.

«Je ne comprends pas!»

Il n'y a rien à comprendre, fais ce que je te dis, c'est tout. Je t'en supplie. Tout dépend de toi maintenant.

Il s'écoule une éternité, semble-t-il, avant que Katja, frappée de stupeur et refoulant ses larmes, fasse un mouvement pour sortir. Elle essaie de s'approcher de Hanna, pour lui faire ses adieux, pour l'embrasser, ne serait-ce que pour la toucher une dernière fois. Mais Hanna fait non de la tête. Il y a eu un moment pour cela. Il est passé.

Pendant un temps incalculable, Hanna attend à l'intérieur avec son otage. Les premières minutes, elle tend l'oreille, intensément, mais aucun bruit ne lui parvient de l'extérieur. Katja a dû dire à quelque militaire qu'elle aura rencontré que Herr Hauptmann a demandé d'être laissé seul avec sa mystérieuse visiteuse. Peut-être a-t-elle même fait un clin d'œil. Le soldat aura compris. Rassurée, Hanna va derrière le bureau faire face au petit homme. Elle n'avait pas remarqué, dans le train, combien il était petit.

Posant le pistolet sur la surface lustrée du bois devant elle, elle retire une feuille de papier de la pile dans le coin, et choisit une plume dans une rangée méticuleusement ordonnée à côté du grand buvard, telle une phalange de soldats à la parade. Elle se penche, la plonge dans l'encrier et se met à écrire, en grosses lettres capitales. La pointe de la plume rompt le silence avec un bruit de grattement. Un ou deux mots sont gâtés par des pâtés. L'officier a le regard fixé sur sa main comme s'il s'attendait à un événement exceptionnel.

Hanna pousse le papier sur le bureau pour qu'il le lise. Préférant ne pas l'approcher de trop près, il allonge son cou décharné comme un poulet qui se prépare à boire. Elle a écrit une seule ligne :

QUAND JE BAISE UNE FEMME, ELLE RESTE BAISÉE À VIE

Même avec cet indice, il lui faut un certain temps pour comprendre. Néanmoins, tandis que le sens de l'énigme lui apparaît peu à peu, Hanna voit la rougeur du souvenir se répandre sur le visage du militaire.

Il lève la tête, lentement, et reste bouche bée. Hanna hoche la tête.

Quelques gouttes tombent du bout de son membre ratatiné.

Hanna est très calme à présent. Elle recule et défait les boutons de sa robe un à un, tout en fixant l'officier du regard. Elle n'est pas pressée. Comme en une seule occasion auparavant, face au grand miroir noir de Frauenstein, elle se dénude, pas uniquement pour elle-même cette fois, mais pour ce petit homme qui tremble. Il faut qu'il voie tout.

461

Les ravages qu'il a provoqués en elle, l'horreur qu'il lui a imposée. Dès qu'elle s'est complètement déshabillée, hideusement nue, elle reprend son pistolet, contourne le bureau dans sa direction et se penche sur le rebord, sans le quitter des yeux un instant. Il a reculé de quelques mètres, hors de portée. Elle ne prend aucun risque. Non qu'il semble probable qu'il veuille lui sauter dessus. Parcouru de frissons, il claque des dents, alors qu'il ne fait pas froid. De près, Hanna distingue le mouvement incessant, circulaire, de la peau de son prépuce violacé et fripé, telle une petite bête vulnérable qui essaie de se recroqueviller, de disparaître, sans, malgré tout, y parvenir totalement. À travers son bâillon, l'officier émet des sons plaintifs, gémit, geint. Hanna ne l'entend pas vraiment. Non que ses pensés soient ailleurs. Elles ne sont nulle part. Nulle part, vraiment...

Hanna ne se lève que lorsqu'elle est certaine que Katja est en sécurité. L'expression avec laquelle elle regarde l'homme change lentement, presque imperceptiblement. On dirait que ses pensées lui arrivent de très loin. La haine? Certes, elle est encore là, la haine qui lui a permis de survivre. Pendant toutes ces années, la haine l'a maintenue en vie, elle l'a poussée, bien avant qu'elle ait appris à la nommer. Elle lui a permis d'attendre. D'attendre ceci. Ce moment. Pour tout racheter. Pourquoi, alors, cela paraît-il désormais tellement mesquin, tellement insignifiant? Le tuer, le charcuter comme il l'a mutilée autrefois, le faire se tordre de douleur, faire durer le plaisir : quel sens cela aurait-il? Simplement qu'elle serait devenue, comme Katja l'a dit un jour, aussi méprisable que lui? Il y a eu cette nuit, après qu'ils eurent pris le fortin... la gamine (Katja en était une à l'époque) et elle-même étaient couchées, elles parlaient, la gamine lui avait raconté qu'elle avait fait l'amour avec le jeune soldat avant de le tuer. *La première partie, c'était pour moi, la seconde, c'était pour toi.* C'est alors qu'elle s'était mise à douter : peut-être la haine ne suffisait-elle pas. Si sa vie entière devait rester enfermée dans la haine, elle ne pourrait jamais dépasser cet instant où elle fait face à ce petit homme insignifiant.

Les années s'effacent. Une fois de plus, elle se retrouve face à Herr Ludwig dans son bureau, le fou noir et lisse à la main. Avec un extraordinaire sentiment de libération, elle pense ceci : Non. Non, elle ne va pas le tuer. Ce n'est plus nécessaire. Ce n'est plus la peine. Le tuer ne va pas détruire le monde qui l'a rendu possible. Elle n'a pas à s'abaisser de la sorte. C'est trop simple. On a suffisamment versé de sang. Tout ce dont elle a besoin, c'est de s'assurer que le monde prenne acte. Qu'il ne puisse pas glisser ça dans un tiroir comme Frau Knesebeck l'a fait un jour. Elle pousse un profond soupir. Et se rhabille avec un soin infini.

Lorsqu'elle a terminé, elle fait un geste pour indiquer la porte. En se déplaçant, l'homme laisse un filet d'urine sur le tapis. Hanna ouvre la porte, hésite, se retourne : devrait-elle remettre son kappie? Non. Pas cette fois. Elle ne va plus faciliter la tâche à personne : ni à eux... ni à elle-même. Elle le suit quand il sort. Le couloir est désert. L'escalier aussi.

C'est au rez-de-chaussée qu'ils croisent les premiers soldats. Elle entend des cris, des ordres aussi tonitruants que creux, des clameurs confuses. Hanna appuie le pistolet sur le dos nu de l'homme. Il a la colonne vertébrale hérissée comme un ceinturon. On peut compter les arêtes des vertèbres. Il pleurniche plus fort maintenant, mais les sons restent prisonniers du bâillon.

De nombreux soldats suivent dans leur sillage, mais à distance prudente, submergés par la soudaineté, l'absurdité de ce qui se produit sous leurs yeux.

Ils sortent du grand bâtiment de grès dans la rue bordée de palmiers, vers la Kaiser Wilhelmstrasse, et de plus en plus de gens se rassemblent pour contempler la scène. La nouvelle doit avoir fait le tour de la ville. Kahapa aurait cru que c'était l'œuvre du vent. Bientôt, ils avanceront au milieu d'une foule nombreuse.

Une ou deux fois, Herr Hauptmann trébuche et tombe à genoux mais un coup donné sèchement avec le canon du pistolet le fait se remettre sur ses pieds lamentablement. Une fois, quand les gens menacent de trop se rapprocher, Hanna tire un coup de feu tout près de lui. Les gens s'écartent en se bousculant, les laissent passer, elle et son prisonnier, sans entrave. Le coup de feu a aussi pour effet que l'homme ne contrôle plus son sphincter. De la merde liquide coule à l'arrière de ses jambes velues et maigres. Des rires étouffés parcourent la foule. Les gens commencent à apprécier le spectacle.

Bien sûr, ça ne peut pas durer très longtemps. Il est difficile de dire si l'on est surpris de voir deux paires de bras en uniforme kaki la saisir brusquement par-derrière.

Cette fois, songe-t-elle, elle ne mourra pas. Cette fois, cela risque d'être pire.

Mais elle n'offre aucune résistance ; ceux qui sont près d'elle trouvent même qu'elle semble soulagée. Voire, peut-être, si le mot convient : sereine. Du moins, songe-t-elle encore, n'a-t-elle aucun regret. Aucune souffrance, aucune douleur insupportable, aucune peur... nulles ténèbres, ni extrémités ni indignités.

Ce qu'elle voit, ce n'est pas la foule, mais le visage, grave, d'une fillette sur une berge, très loin : la raison même pour laquelle elle est encore là aujourd'hui et ne tuera point. Pour l'amour de cette image infime dans sa tête. Ce qu'elle entend, ce ne sont pas les cris, les injures ou le tumulte d'applaudissements, mais le très paisible sifflement au creux d'un coquillage. Et si elle sourit, si ce qu'elle montre peut être interprété comme un sourire, c'est parce que, enfin, Hanna X est parvenue au-delà.

Remerciements

Il y a vingt ans que le titre *Au-delà du silence* attend patiemment dans ma tête que le récit adéquat vienne l'habiter. Enfin, c'est arrivé. C'est George Weideman qui, le premier, m'a parlé des convois de femmes embarquées vers les colonies du Sud-Ouest africain dans les premières années du XXe siècle, c'est lui qui m'a procuré des centaines de pages de documents d'archives. Je me suis plongé dans ces archives pour écrire l'histoire de la famille Landman dans *Un acte de terreur*[1] mais le thème a continué de me hanter et il fallait que je lui consacre un livre : le voici.

C'est George, aussi, qui m'a le premier parlé de Frauenstein, où l'on accueillait les rebuts des immigrées. Toutefois, le Frauenstein de mon récit n'existe que dans mon imagination, tout comme la vie de Hanna X. Je n'en reste pas moins débiteur de Rainer Loose, de Susanne Pfeiffer, de Gabriele Hoffmann et de Günther Garbrecht, qui m'ont tous fourni des informations sur Brême à la fin du

1. Éditions Stock, 1991.

xixe siècle et sur les compagnies maritimes allemandes de l'Afrique australe. Je me suis écarté de leurs renseignements factuels pour le besoin de mon récit, comme dans la description des Petits Enfants de Jésus, qui n'a jamais existé ; et dans l'évocation des conditions de vie pour les voyageurs en troisième classe du *Hans Woermann.*

En ce qui concerne le contexte historique du Sud-Ouest africain pendant la domination allemande, plusieurs ouvrages se sont révélés fort utiles : Olga Levinson, *The Ageless Land*, Le Cap, Tafelberg Publishers, 1961 ; Heinrich Vedder, *Das Alte Südwestafrika*, Berlin, Martin Warneck, 1934 ; Helmut Bley, *South-West Africa under German Rule*, Londres, Heinemann, 1971 ; Horst Drechsler, *Südwestafrika unter Deutschen Kolonialherrschaft*, Berlin, Akademie Verlag, 1966 ; *Die Dagboek van Hendrik Witbooi*, Le Cap, Van Riebeeck Society, 1929.

Une grande partie des informations sur Jeanne d'Arc, qui me hante depuis qu'elle a figuré dans *Tout au contraire*[1], provient du *Jeanne d'Arc* de Lucien Fabre, Paris, Club français du livre, 1948 ; Marina Warner, *Joan of Arc*, Londres, Vintage, 1991 ; Vita Sackville West, *Saint Joan of Arc*, Londres, Cobdan–Sanderson, 1936. (C'est de cet ouvrage qu'est tirée la remarque du chapitre 15 : «Elle nous donne à penser et à réfléchir. Elle révèle les zones sombres que nous craignons de voir en face.»)

Les mythes et récits des Nama et des Herero ont été collectés dans diverses sources, dont : I. Schapera, *The Khoisan Peoples of South Africa,*

---

1. Éditions Stock, 1994.

Londres, Routledge & Kegan Paul, 1930; Penny Miller, *Myths and Legends of Southern Africa*, Le Cap, T.V. Bulpin, 1979; Thomas A. Nevin, *The Quivering Spear*, Johannesburg, QS Partners in Publishing, 1996; et Friedrich von der Leyen, *Märchen aus Namibia*, Eugen Diederichs Verlag, *n.d.*

L'incantation à la pluie des Nama, au chapitre 12, a été traduite de *Die dans van di reën*, d'Eugène Marais (ouvrage publié seulement en 1921 mais dont on peut présumer qu'il se fonde sur une version bien antérieure écrite dans la langue locale). Le pacte que Hanna passe avec Dieu dans le chapitre 17 était signalé par Nancy Huston dans sa belle introduction à la traduction française d'*Un prosateur à New York*, de Göran Tunström, Arles, Actes Sud, 2001. La remarque, dans le chapitre 51, sur le fait de pénétrer dans une vie dont il est impossible de revenir provient de Dante, *La Vita Nuova*, XIV.

Glossaire

Les mots nama sont signalés par un N, les mots en afrikaans par un A.

ARUMA (N) : plante grasse épineuse, comestible
ATI (N) : flûte en roseau

BAAS (A) : maître
BOSSIE (A) : buisson de taille modeste

GEELSLANG (A) : cobra
GEMSBOK (A) : antilope, oryx
GHURA (N) : instrument à corde unique
GLI (N) : plante dont la racine est employée dans une préparation destinée à faire dormir et à engourdir
GOMPOU (A) : outarde
GURUTSI-KUBIB (N) : caméléon

HADEDAH (A) : ibis
HEISEB (également HEITSI-EIBIB) (N) : dieu chasseur qui renaît constamment
HEI NUN (N) : pieds-gris, fantômes

KAPPIE (A) : bonnet à large bord
KAROSS (N) : couverture ou vêtement en peau
KHANOUS (N) : étoile du berger, Vénus
KHUROB (N) : tortue
KHUSETI (N) : Pléiades
KIERIE (N) : canne
KOO (N) : mort
KOPPIE (A) : escarpement rocheux
KUKEMAKRANKA (N) : plante bulbeuse comestible,
dont les cosses orange dégagent une odeur agréable.

MEERKAT (A) : écureuil
MEID (A) · (terme péjoratif) femme noire ou de
couleur

NAWAS (N) : rhinocéros
NERINA (N) : fleur
NORRA (N) : racine comestible douceâtre

SAM-SAM (N) : paix
SARÊS (N) : démon de la poussière (habité par un
esprit maléfique)
SMOUS (A) : marchand ambulant
SOBO KHOIN (N) : êtres des ombres, fantômes
STOEP (A) : véranda

T'KANNA (N) : élan, grande antilope
T'KAOOP (N) : buffle
T'KOI-T'KOI (N) : tambour primitif
T'KWU (N) : springbok
TOROB (N) : guerre
TSAMMA (N) : melon sauvage
TSAOB (N) : «cendres», la Voie lactée

WERF (A) : cour de ferme

La Cosmopolite
(Collection créée par André Bay)
(Extrait du catalogue)

Mihail SEBASTIAN	*Depuis deux mille ans.*
	Journal (1935-1944).
W[illiam] S[HAKESPEARE]	*Élégie funèbre.*
Isaac Bashevis SINGER	*Au tribunal de mon père.*
	Amour tardif.
	Le Beau Monsieur de Cracovie.
	Le Blasphémateur.
	Contes.
	La Couronne de plumes.
	L'Esclave.
	Le Magicien de Lublin.
	Le Manoir.
	Le Domaine.
	La Mort de Mathusalem.
	Passions.
	Le Pénitent.
	Shosha.
	Un jeune homme à la recherche de l'amour.
	Perdu en Amérique.
	Conversations.
	Le Fantôme.
	Le Roi des champs.
Rosamond SMITH	*L'Amour en double.*
Tom SPANBAUER	*L'Homme qui tomba amoureux de la lune.*
Latife TEKIN	*Contes de la montagne d'ordures.*
	Chère défunte...
	Épées de glace.
Rupert THOMSON	*Les Cinq Portes de l'enfer.*
	L'Église de Monsieur Eiffel.
	Le Traumatisme.
	Soft.
Violet TREFUSIS	*Il court, il court...*
	Lettres à Vita.
Yasutaka TSUTSUI	*Les Cours particuliers du professeur Tadano.*
	Le Censeur des rêves.
Frédéric TUTEN	*Tallien : une brève histoire d'amour.*
Anne TYLER	*À la recherche de Caleb.*

Achevé d'imprimer en mars 2003
sur presse Cameron
par **Bussière Camedan Imprimeries**
à Saint-Amand-Montrond (Cher)
pour le compte des Éditions Stock
31, rue de Fleurus, 75006 Paris